I GRANDI TASCABILI
ROMANZI & RACCONTI
548

ANDREA DE CARLO

UTO

BOMPIANI

I collages della 2ª e 3ª di copertina sono realizzati
con materiali fotografici di Aikido con Ki, Peter Blegvad,
Cult Movie Stars, Andrea De Carlo, Eric Gill, Annie Liebowitz,
Massimo Mantovani, Giordano Morganti, Olympia Press,
Pictorial Press, Claudio Sforza, Silhouettes of Children
e Andy Warhol.

ISBN 88-452-3063-5

© 1995 R.C.S. Libri & Grandi Opere S.p.A.
© 1997 RCS Libri S.p.A.
Via Mecenate 91 - Milano

IV edizione "I Grandi Tascabili" marzo 1998

Per Malina

"Non so se è possibile correggersi dei propri difetti, ma so che si può essere presi dal disgusto delle proprie qualità quando le si ritrova negli altri."

Jules Renard, *Diario*

Carissima Marianne,

ti scrivo perché non so come dirtelo al telefono, è successa una cosa terribile e ancora quasi non me ne rendo conto, prendere la penna è un modo di guardare le cose un poco più a distanza o almeno con più ordine e più tempo, non lo so. In ogni caso, è successo questo: Antonio si è suicidato quattro giorni fa. E non solo lo ha fatto, ma per farlo ha aperto il gas nella cucina del suo ufficio sabato pomeriggio quando non c'era nessuno dei suoi dipendenti e dato che l'ufficio è al pianterreno il gas ha invaso tutta la base del palazzo e quando è arrivato un prete missionario che doveva salire al quinto piano per dare delle garanzie a una signora su alcuni ragazzi sudamericani che volevano affittare un appartamento e ha schiacciato il pulsante dell'ascensore, il contatto elettrico ha fatto esplodere tutto come una bomba terribile. Hanno detto che la vampata di fuoco è arrivata su per il vano dell'ascensore fino al tetto, il pavimento del primo piano è crollato e la facciata in parte è precipitata sulla strada, due appartamenti sono stati completamente distrutti e quattro danneggiati in modo grave e il prete e una coppia di professori a riposo che vivevano al primo piano sopra l'ufficio di Antonio sono morti e altre tre persone sono rimaste ferite, avrebbe potuto essere ancora peggio se non fosse stato sabato pomeriggio con anche il sole che a Milano è così raro e buona parte degli inquilini erano fuori a quell'ora. Così oltre alla tragedia terribile di perdere Antonio in questo modo abbiamo dovuto sopportare la tragedia aggiuntiva che i giornali e la televisione sono stati tremendi con lui, l'hanno presentato come una specie di criminale o di terrorista anche se è chiaro che mai e poi mai lui si sarebbe potuto immaginare di provocare un disastro collettivo così grave con un gesto tanto privato, anzi forse il più privato che si può fare, tutti quelli che lo conoscevano sapevano che era la persona più gentile ed equilibrata al mondo, tu lo sai, anche se negli ultimi tempi aveva delle crisi di depressione e continuava a dire che non riusciva più a vedere un senso nella vita e non aveva quasi mai voglia di parlare tanto che la comunicazione tra noi si era ridotta a poco più di zero. Ho cercato di spiegarlo alla polizia e ai giornalisti e a quelli della televisione ma sono gli esseri più disumani che ti puoi immaginare, gli interessa solo avere qualche elemento per confermare tutte le malignità e le cattiverie e i luoghi comuni prefabbricati che pensano e dicono, anche se naturalmente a chi non conosceva Antonio è anche possibile pensare il peggio perché a vedere quell'edificio da fuori sembra Beirut o la ex Jugoslavia, è come se lo avessero bombardato o gli avessero sparato contro un razzo, è terribile che sia successa una cosa del genere. I ragazzi naturalmente sono rimasti sconvolti, anche se in modi diversi perché sono due persone molto diverse, Riccardo già era in crisi per i problemi al liceo e come reazione gli è venuta una specie di rabbia assurda verso Uto, dice che è stato lui a guastare la serenità di suo padre e a metterlo in crisi, il che naturalmente è ingiusto anche se è vero che ci sono stati tanti problemi tra loro e che Antonio poverino ne soffriva molto. Sai anche tu come Antonio voleva bene a Uto, non ha mai fatto favoritismi verso Riccardo e li ha sempre considerati suoi figli tutti e due, forse è questo che Riccardo non è mai riuscito veramente a capire, in fondo si è sempre considerato qualcosa di più rispetto a suo padre e non ha mai sopportato di doversi confrontare con Uto che è più bello di lui e più brillante e più dotato in qualunque cosa si mette in testa di fare anche se io non dovrei dirlo ma sai bene che voglio bene a tutti e due allo stesso identico modo però riesco lo stesso a essere obiettiva soprattutto in un momento come questo, anche se sto parlando dei miei figli questo non vuol dire *che io non riesca a vedere le cose come sono. Ma chi mi preoccupa di più adesso è proprio Uto, perché in apparenza non ha avuto quasi reazioni a quello che è successo, non vuole neanche parlarne e fa finta di essere distaccato e indifferente, ma sono sicura che dentro di sé si sente responsabile e sta molto male. Ha sempre avuto l'idea di essere una specie di intruso in questa famiglia da quando mi sono risposata e ho fatto un altro figlio con Antonio, anche se sapeva benissimo quanto Antonio gli voleva bene malgrado l'ostilità e il rifiuto e l'indifferenza che lui gli metteva sempre di fronte. Adesso sono sicura che ripensa a tutti i tentativi di comunicazione di Antonio e a tutte le brutte cose che lui gli ha detto in cambio e questo lo fa sentire responsabile, basta guardarlo per capirlo, ma non possiamo neanche discuterne perché lui non vuole parlare di niente, se ne sta chiuso nella sua stanza tutto il giorno e va a prendersi qualcosa da mangiare in cucina solo la notte o quando non c'è nessun altro in giro per casa. Adesso sono mortalmente sfinita e confusa e come puoi immaginarti quello che è successo è così terribile che ancora non riesco a crederci davvero, in certi momenti mi aspetto che Antonio torni a casa o mi telefoni da un momento all'altro, sono piena di tranquillanti che mi ha dato il dottore ma non servono molto e in più ho tutte queste preoccupazioni per Uto e vorrei che potesse cambiare aria o trovare qualcosa che lo impegni molto ma lui come sempre dice che non ha voglia di fare niente anche se ha questo grande talento naturale e il suo insegnante di piano al conservatorio una volta mi ha detto che come lui ne nascono solo due o tre ogni generazione e tutti quelli che lo conoscono sanno che ha un'intelligenza molto superiore alla media solo che è sempre stato così scettico e bloccato dalla sua capacità critica troppo sviluppata, non è mai riuscito a lasciarsi andare e fare qualcosa di positivo e concreto finora, è un vero peccato e una disperazione aggiuntiva in un momento come questo.*

Insomma, scusami per questo sfogo ma avevo bisogno di parlare a qualcuno che mi capisca e tu sei l'unica persona con cui posso farlo senza paura di ricevere in cambio giudizi o anche rimproveri o consigli distaccati e freddi, meno male che ci sei altrimenti non saprei davvero a chi rivolgermi per avere un po' di comprensione autentica.

Cara Marianne, un abbraccio a te e a tutta la tua meravigliosa famiglia, mi sembrate un'isola di serenità e di pace se vi penso da questa situazione di tanto dolore e confusione

Lidia

Carissima Lidia,

anch'io ti scrivo, perché telefonarti subito mi sembra brutale, e desidero invece attraversare la distanza fisica che ci divide nel modo più dolce possibile. Prima di qualsiasi altra cosa voglio che tu riceva la vibrazione di pace e di serenità e di amore che Vittorio, Jeff, Nina e io mandiamo a te, Uto e Riccardo con i nostri cuori. Pensa che niente succede che non sia già scritto, lo Swami questo lo dice sempre. Non bisogna mai essere troppo sconvolti dalle disgrazie che ci capitano nella vita, anche se naturalmente siamo esseri umani ed è umano avere dei sentimenti e provare dolore. Ma dobbiamo ricordarci che fa tutto parte di un disegno più generale, è tutto fatto a cicli e a percorsi. Se potessimo guardare le nostre vite dall'alto vedremmo una serie di tracciati come piccoli disegni sulla sabbia, linee curve e dritte ognuna che porta da un punto a un altro. Quindi devi essere forte e serena, non devi lasciarti travolgere dalla disperazione. Era nel karma di Antonio che concludesse così la sua vita terrena, anche se noi adesso non riusciamo a trovare una spiegazione e ci sembra tutto troppo terribile. La spiegazione è nel disegno della sua vita che ora sappiamo doveva concludersi in questo modo, in questo momento.

Poi voglio dirti che abbiamo parlato a lungo tutti e quattro dopo avere letto la tua lettera con grande partecipazione, e alla fine abbiamo deciso di farti una proposta che viene dai nostri cuori, quindi devi prenderla in considerazione come tale. Vale a dire, manda Uto qui da noi per qualche mese, in modo che possa cam-

13

biare aria e uscire dallo stato in cui è caduto, diventare sereno e positivo nello spirito meraviglioso di questo posto. Siamo tutti e quattro sicuri che gli farebbe bene, e per noi sarebbe un piacere immenso potergli offrire ospitalità e calore e l'atmosfera adatta per dedicarsi alle doti che sappiamo lui ha. Io e Vittorio ci ricordiamo ancora di quando l'abbiamo sentito suonare Bach a casa vostra a Milano. Era quattro anni fa, aveva solo quindici anni! Siamo sicuri che se riuscirà a trovare l'equilibrio giusto potrà fare cose meravigliose! Quindi ti prego, prendi in considerazione con molta serietà questa offerta, perché la facciamo con vera gioia. Anche per Nina e Jeff sarebbe bellissimo avere in casa un quasi-coetaneo (almeno più coetaneo di noi!), dato che quando non sono a scuola vivono abbastanza isolati, e anche se ci sono altri ragazzi a Peaceville non è la stessa cosa che avere un ospite.

Qui non ha ancora nevicato, ma potrebbe succedere tra poco, le previsioni del tempo continuano a dirlo, e a quel punto tutto diventerà ancora più magico. Speriamo che succeda dopo che Uto è arrivato, altrimenti sarà un po' difficoltoso perché potrebbero bloccarsi gli aeroporti se la neve è davvero alta come l'anno scorso, ma sono sicura che non ci sarà nessun problema.

Lo Swami in questi giorni è ancora convalescente, sai che ha dovuto subire un'operazione molto seria al cuore, si sta riprendendo molto bene ma naturalmente è molto anziano e bisogna essere prudenti. In ogni caso sarebbe bello riaverlo tra noi proprio per l'anno nuovo, è questo il nostro più grande desiderio e sono certa che per Uto sarebbe un'esperienza di grande importanza. Soprattutto dopo un lungo periodo in cui nessuno di noi ha potuto vederlo, il che naturalmente renderà tutto ancora più intenso e magico del solito.

Insomma, pensa alla nostra proposta, parlane con Uto, e fateci sapere presto cosa avete deciso. Intanto vi abbracciamo con tutto il nostro calore e la nostra serenità, che sicuramente viaggeranno attraverso l'oceano per raggiungere te e la tua famiglia e portarvi conforto.

Om Shanti Om

Kaliani (Marianne)

Arrivo

Uto Drodemberg, *seduto al suo posto nella carlinga stretta del Bo-ston-Foxville che vibra nel cielo dell'ultimo dell'anno. Guarda sot-to: il paesaggio coperto di neve, i piccoli laghi ghiacciati, i minu-scoli tetti di case. Solo sei o sette passeggeri sull'aereo, media Ame-rica come in un film, in effetti sembrano le comparse di un film messe lì per dare risalto al protagonista, farlo venire fuori fin dalla prima scena, creare una condensa di interesse su di lui. Ogni tanto uno di loro gli dà un'occhiata di taglio, perché certo ha un aspetto e un modo di vestirsi e di muoversi più suggestivi dei loro. Potreb-be essere benissimo una rockstar in trasferimento da un concerto al-l'altro: ha lo stesso modo incurante e annoiato di stare di traverso al sedile, inclinarsi di lato a guardare fuori senza grande interesse. Una rockstar nel suo ultimo viaggio, un attimo prima che l'aereo precipiti e si schianti a terra nella neve mille metri più sotto. Se ci fosse una telecamera o almeno una macchina fotografica a bordo, potrebbe registrare come lui riesce a non perdere stile nemmeno mentre va giù: a non scomporsi non gridare non agitarsi non ag-grapparsi a niente, restare morbido e senza tensione, decadente fino in fondo.*

Uto Drodemberg. Uto Drodemberg *morto. Uto Drodemberg morto nella neve, sbalzato fuori dall'aereo andato a pezzi: abban-donato sulla schiena con un filo di sangue a un angolo della bocca ma non sfigurato, una specie di soggetto da romanzo illustrato del-l'Ottocento. Esangue e melanconico, con una sua classicità fuori dal tempo e fuori dagli stili, tardo-romantico tardo-rock se proprio uno cerca una definizione. Ci sarebbe un pellegrinaggio sulla sua tomba, in qualsiasi posto si decida di farla, fans che arrivano da tutte le parti del mondo a lasciare fiori e scritte e pensieri commossi, lacrime, parole appena sussurrate, pensieri intrisi di sentimenti legati a frammenti di immagini a frammenti di film a fotografie, se solo ci fossero film e fotografie di Uto Drodemberg in giro ma non ce ne sono ancora, e visto che non ce ne sono ancora sarebbe uno spreco inutile se dovesse morire proprio adesso, anche se alla fine forse tutto è irrilevante, ma sarebbe uno spreco ed è probabile che farebbe anche male, forse sarebbe meglio che l'aereo restasse in aria, riuscisse a farsi sostenere ancora per qualche decina di chilometri nel cielo opalino carico di neve trattenuta, riuscisse anche a scendere verso la pista senza problemi e senza troppe scosse e vibrazioni secondarie, forse è questa la cosa migliore che potrebbe succedere per il momento.*

Comunque adesso il volo è finito, le vibrazioni secondarie finite, i palmi delle mani mi si sono già asciugati e ho le gambe nervose; se premo il mento contro il petto per annusarmi dentro la giacca di pelle ho un odore di sudore e di fumo e di polvere ultrafina da viaggio transcontinentale, non è che mi sia mai capitato di sentirlo prima ma corrisponde bene a quello che mi immaginavo, non mi stupisce per niente.

Fuori l'aria è gelata, con una nitidezza da altro pianeta; la poca luce che restava se ne va nei trenta secondi che ci metto ad attraversare l'asfalto della pista e arrivare alle porte a vetri, quando da dentro guardo fuori il cielo è già nero come se fossero passate ore, mi fa venire un brivido allo stomaco. Cerco di non farlo vedere, camminare più morbido e incurante che posso anche se ci vuole un vero lavoro di nervi; cerco di non fermare lo sguardo su nessun punto, andare avanti lento con la mia borsa da viaggio in spalla, attraverso la piccola sala arrivi animata di poca gente e pochi bagagli. Cerco di non mostrarmi sperduto, non mostrarmi ansioso, non mostrarmi straniero, anche se non è che ci sia molto pubblico ad apprezzare il risultato.

Ero già pentito; perplesso o dubbioso non dice niente di com'ero. Non avevo nessuna voglia di trovare nessun membro della famiglia Foletti a cui consegnarmi ostaggio; mi sentivo un idiota a essere arrivato a destinazione così, scivolato come un pacco postale lungo il piano inclinato degli accordi che mia madre aveva preso con la sua cara amica Marianne. Avrei potuto andare da qualunque altra parte una volta in America, se solo ci avessi pensato prima e avessi saputo decidere rapido: avrei potuto uscire dall'aeroporto di Boston e prendere un treno per New Orleans o per New York, andare per conto mio alla scoperta del paese e forse di un'intera nuova fase della mia vita, invece di seguire un programma stabilito da altri. Ma è così che ero fatto: avevo questa forma di passività intermittente che ogni tanto mi dava l'idea di non avere nessuna responsabilità diretta sulla mia vita, come un passeggero di macchina che guarda fuori mezzo distratto mentre qualcun altro è al volante, con lo stesso genere di indifferenza riguardo al percorso e alle manovre da fare, non basata sulla fiducia in chi guida ma solo sul fatto che non sei tu a guidare. Poi di colpo mi sentivo invece a terra con tutta la responsabilità del mondo sulle spalle, e mi sembrava di essere stato incredibilmente scemo e vigliacco fino a quel momento, mi veniva voglia di fare qualunque cosa per tirarmi fuori, troppo tardi. Non mi fa bene pensarci, quando ci penso: mi provoca ancora una scarica di irritazione autoriflessa, mi manda quasi in corto circuito.

Ma non ho avuto molto tempo per riflettere, né di pensare a come sarebbe stato bello se i Foletti si fossero dimenticati di me o avessero avuto qualunque genere di contrattempo lungo la strada, perché li ho visti subito lì che mi aspettavano al varco, padre e figlio in piedi davanti alle porte a vetri automatiche dove dovevo passare comunque se volevo uscire. Stavano lì senza muoversi, come due cacciatori di taglie beneintenzionati, con le stesse facce delle fotografie di mia madre, solo che qui non sorridevano ma scrutavano tutti intenti nel piccolo branco sparso dei viaggiatori del mio volo. Ero un bersaglio fin troppo esposto in queste condizioni, c'era poco da defilarsi o mimetizzarsi; sono andato verso di loro come un agnello verso i suoi macellai, con un misto indistinguibile di ribellione interna e incuranza e rassegnazione, voglia di farla finita.

I due Foletti restano fermi, con gli occhi che sondano: il padre sulla cinquantina o forse poco meno, robusto e stagno con i capelli appena brizzolati, in un giaccone verde ben imbottito, il figlio di forse tredici o quattordici anni, incerto nel suo piumone azzurro mentre cerca di imitare l'atteggiamento del padre. Mi guardano mentre continuo a camminare verso di loro, con ancora un margine sottile di incertezza che io sia io perché sono passati più di cinque anni dall'ultima volta che ci siamo visti e spero di essere cambiato in modo drammatico da allora. Ma l'incertezza si riduce di metro in metro nello sguardo del padre, mentre fissa i miei occhiali da sole molto scuri e i miei capelli gialli a ciocche dritte e il mio orecchino a pendente e la mia giacca e i miei pantaloni di pelle nera e gli scarponi neri alti da motociclista: si assesta a poco a poco all'idea, un accenno di sorriso comincia a tendergli i muscoli delle labbra. Potrei ancora fare uno scatto improvviso verso le porte a vetri e scappare fuori prima che loro si rendano conto di cosa è successo; ma dovrei essere molto pronto e molto deciso e non lo sono perché questo arrivo mi fa sentire perso nel vuoto, mi gela lo stomaco e mi lascia poca aria nei polmoni, mi toglie globuli rossi dal sangue.

Quando sono ormai a due passi da loro, il padre alza una mano e si muove appena sulle grosse gambe ben piantate, dice "Sei Uto, no?"

Mi fermo di fronte a lui, davvero come un condannato a questo punto, ma almeno con una dignità da condannato. Gli dico "Sei Vittorio, no?" senza togliermi gli occhiali da sole né sorridere né niente, senza cedere nessun terreno.

Lui sorride comunque, improvvisamente cordiale in modo quasi aggressivo, dice "Bene arrivato." Stretta di mano: mano dal polso largo e dalle dita grosse e dal palmo duro e calloso, ostentazione di virilità amichevole franca diretta energica zero sfumature che rischia di rovinarmi la sensibilità di tocco per una settimana.

Anche il ragazzino mi stringe la mano e sorride, sullo stesso modello ma dieci volte più debole ed esitante di suo padre. Suo padre me lo indica, dice "Giuseppe"; lui quasi simultaneo dice "Jeff." Mi prende la sacca da viaggio, con occhi socchiusi da giovane ciuco trasportatore figlio di famiglia; il padre mi dice "Lasciagliela prendere!" senza che io abbia fatto la minima resistenza. Jeff-Giuseppe se l'è già caricata in spalla, quasi piega le gambe sottili sotto il peso.

Così sono stato trascinato nell'onda prevaricatoria di accoglienza e buoni sentimenti dei due uomini della famiglia Foletti, fuori nel buio gelato e senza fondo della notte americana, e anche se cercavo di vedere questo arrivo nel modo più distaccato e incurante possibile, avevo paura. Le insegne luminose ai lati della strada mi erano familiari, come le macchine che scorrevano lente e le facce e i berretti dietro i vetri delle macchine e i suoni e tutti i movimenti intorno, ma era una familiarità indiretta e per nulla rassicurante, una specie di materializzazione degli sfondi di migliaia di film e videoclip e copertine di dischi e pubblicità che avevo visto fin da bambino. In tre dimensioni e in grandezza naturale mi sembravano inquietanti come brutti sogni diventati veri; come risvegliarsi spostati avanti nel tempo o naufragati sulla luna. Guardavo fuori dal vetro della Range Rover e leggevo le scritte al neon e i nomi e i marchi di fabbrica; rabbrividivo nell'alito caldo del climatizzatore automatico, mentre Vittorio Foletti indicava qualche elemento del paesaggio e sondava a occhiate laterali le mie reazioni, cercava di far parlare anche il giovane Jeff-Giuseppe che seduto dietro mi fissava la nuca e respirava zitto su ogni mio minimo movimento con morbosità da adolescente schiacciato dal padre.

19

Il padre guidava con una mano sola, nel traffico rado e lento; il motore a otto cilindri girava al minimo dello sforzo. Mi ha chiesto "Com'è l'Italia, in questi giorni?"

"Come al solito," ho detto io; guardavo fuori.

"Ma sta cambiando qualcosa?" ha detto lui. "O rimane tutto nella palude di sempre?"

"Nella palude, credo," gli ho detto, senza cedere alla pressione comunicatoria della sua voce.

Vittorio Foletti ha detto "Non hai idea di quanto siamo contenti di essere venuti via, Uto. Di esserci tolti dal balletto stanco, no? Dai titoli dei giornali, le facce, i nomi. Qui non se ne parla neanche. È un paese che non esiste, da qui."

Lo dice senza nessuna enfasi e senza nessun astio, come una specie di prete laico zen tutto serenità e distacco e sicurezza di una buona vita protetta; mi fa rabbia.

Fruscio del condizionatore. Fruscio del motore. Stacco frusciato gorgogliato del cambio automatico. Giunti viscosi, olio, guarnizioni di gomma. Moquette d'automobile bagnata asciugata. Odore di cane ben lavato. Vuoto di parole. Vuoto di pensieri.

All'ultimo semaforo prima di uscire dalla città, Vittorio Foletti ha indicato la mia giacca da motociclista, ha detto "Sono comode, tutte quelle cerniere?" Accento difficile da rintracciare, forse Italia centrale ma snaturato e semiperso in giro per il mondo; sorriso sovraindulgente, giudicante-non-giudicante.

"No," gli ho detto; e mi sembrava di riuscire abbastanza bene a tenermi fuori dalla sonda di sguardi e toni, nell'abitacolo che scorreva attraverso il paesaggio familiare ed estraneo come una capsula spaziale ad atmosfera controllata.

Eravamo fuori dalla città, per una strada che saliva in leggera pendenza attraverso la notte nera e vuota. Ogni tanto una casa unifamigliare in un prato, ancora festonata di luci di Natale disposte lungo i suoi contorni come in un disegno luminoso di casa unifamigliare. Per il resto lo spazio era svuotato su distanze insondabili; lo sguardo non aveva punti di appoggio, precipitava in orizzontale e veniva trascinato via all'infinito, fino a tornare indietro dal lato opposto.

Vittorio Foletti guida a novanta all'ora fissi, senza traccia di tensione, seduto in una posizione perfetta, non rigida e nemmeno stravaccata, con un equilibrio di cui deve essere molto consapevole. Dice "Sei arrivato nel periodo migliore dell'anno. Ci sono delle feste magnifiche, e il guru si sta riprendendo. Tra poco nevicherà. Abbiamo anche visto dei cervi meravigliosi vicino a casa, l'altra sera."

"Cinque cervi," dice Jeff-Giuseppe da dietro, tutto occhi nel semibuio, subito dopo tutto orecchie cartilaginose alla luce dei fari di una macchina che ci sorpassa e sparisce.

Dico "Che bello", con zero calore nella voce, zero entusiasmo o interesse. Vorrei dormire, con tutte le ore di sonno che ho perso; mi andrebbe bene anche sdraiarmi dietro nel bagagliaio, se mi lasciassero.

Ma loro erano venuti per chissà quanti chilometri a prelevare il loro ostaggio spedito dall'Europa, continuavano a tenermi in un fuoco incrociato di attenzioni. Vittorio ha detto "Certo sei cambiato, da cinque anni fa. Avevi la stessa età di Giuseppe, quando ci siamo visti. Siamo venuti a cena dai tuoi, e prima di andare a tavola tua mamma ha detto 'Adesso Uto vi suonerà qualcosa.' Sai quelle situazioni dove dici 'Oh madonna, sarà uno strazio.' Invece tu sei andato a sederti al piano, e dimostravi anche meno di quattordici anni, eri molto più ossuto di Giuseppe e anche più basso, ma ti sei messo a suonare, non so se Chopin o cosa, e io e Marianne siamo rimasti lì così. A bocca aperta, no?"

Ha fatto con la mano destra un gesto di paralisi da stupore, si è girato a guardarmi; rideva, sondava, cercava risposte, attenzione, pubblico.

Ho girato la testa, guardato fuori dal finestrino; ma non c'era niente da vedere a parte il nero della notte, anche senza gli occhiali da sole non avrei visto di più.

"Non so se tu ti ricordi di me e Marianne," ha detto Vittorio. Di nuovo il sorriso sovraindulgente, non lo smette mai, in realtà; e il calore costante nella voce, distribuito in ugual misura verso di me e verso tutto il resto del mondo. Ingranaggi interiori che scorrono bene quanto quelli della sua macchina, senza il minimo attrito o stridio.

Ho detto "No", ho ripreso a guardare fuori.

Jeff-Giuseppe ha detto "A casa abbiamo un pianoforte. Mezza coda, l'abbiamo cambiato il mese scorso con quello vecchio. Regalo di Natale per tutta la famiglia. Ha un suono fantastico."

Lui ha un timbro ibrido, in compenso: una voce in transizione di crescita, resa ancora più incerta da venature di accento americano. Cerca di fare come suo padre, con i mezzi più scarsi che ha; cerca di tenere un tono caloroso, comunicare intenzioni positive, apertura totale.

Vittorio dice "Lo sai com'è composta la famiglia Foletti? Te l'ha spiegato, tua madre?"

"No," dico io, anche se in realtà me l'ha spiegato un paio di volte ma non stavo attento; non mi interessa neanche adesso.

"Allora," dice Vittorio, come se provasse una vera gioia a mettermi al corrente dei fatti suoi privati. "C'è Giuseppe qui, che è figlio di Marianne, poi c'è Marianne naturalmente, e c'è Nina che è figlia mia. E Gino, il cane. Scritto Geeno. La famiglia Foletti. Così hai il quadro completo."

Parla come il portavoce ufficiale dell'intera famiglia, come se la loro concordia fosse così perfetta e luminosa e leggera da aprirsi senza il minimo angolo d'ombra al primo estraneo che ci arriva.

Smetto di ascoltarli, cerco di farmi assorbire nella notte e nella vibrazione del motore, nel ronzio di stanchezza che ho dentro; stacco i contatti, non sono più raggiungibile.

Poi eravamo già arrivati: la Range Rover già svoltata nella notte per una strada minore in salita attraverso un bosco buio, terriccio e sassi che scricchiolavano sotto le grosse ruote; la strada minore già finita in uno slargo.

Vittorio ha fermato sotto un gran pavese di luci, teso sopra lo slargo come un tendone da circo simbolico natalizio. Ha detto "Ci siamo, caro Uto", si è girato verso di me per spingermi fuori. È saltato giù ed è andato a prendere dei sacchi di provviste da dietro; Jeff-Giuseppe ha preso la mia sacca da viaggio. L'aria era ancora più tersa e vuota e gelida di quella fuori dall'aeroporto: mi ha congelato in un istante il cuoio della giacca e dei calzoni, li ha fatti diventare duri e sottili come la pelle di un pesce sul ghiaccio di una pescheria.

La casa è una specie di grande scatola di legno chiaro e vetro, piena di luce gialla che rivela travi e mobili di legno chiaro e un albero di Natale e si diffonde fuori ad allagare lo slargo, fino ai margini del bosco nero e denso che lo racchiude. Vittorio Foletti fa strada con i suoi sacchi di provviste prese in città, Jeff-Giuseppe gli va dietro mezzo piegato dal peso della mia sacca da viaggio; io seguo per ultimo, a ogni passo vorrei fare un passo indietro.

Qualcuno apre una porta a vetri scorrevole, un grosso cane chiaro corre fuori a festeggiare Vittorio e Jeff-Giuseppe, viene a ficcarmi la testa tra le gambe e ansimarmi addosso. Gli do un colpo secco con il ginocchio, abbastanza rapido da non farmi vedere dai suoi padroni; il cane manda un guaito sordo, torna di corsa da Vittorio già arrivato alla porta a vetri.

L'altra metà della famiglia Foletti è subito dentro, Marianne la moglie e Nina la figlia del primo matrimonio di Vittorio come mi ha spiegato mia madre mentre non stavo attento, vestite di chiaro in uno stile simile ma molto diverse di colori e lineamenti, fanno cenni e sorrisi mentre i loro uomini entrano con me a rimorchio. Chiudono la porta a vetri appena siamo entrati tutti; è una specie di camera di decompressione vetrata tra l'esterno e l'interno, con armadi e panche e portascarpe, una seconda porta scorrevole prima del soggiorno. Le due donne dicono "Ciao!", dicono "Ben arrivati!" in una sovrapposizione di voci calde, sorrisi aperti, gesti di accoglienza.

Uto Drodemberg porge la mano, non prova neanche a sorridere. Ma ha stile, ha stile, basta che segua il suo istinto in queste cose. Stanco com'è, frastornato dal viaggio e dal salto di fuso orario, la sua persona magra e flessibile emana una vibrazione di attraenza che arriva a bersaglio e torna indietro: lo si può sentire in ogni minimo gesto e sguardo di risposta, nel traffico di occhiate e spostamenti e singole parole mandate avanti o lasciate cadere di lato. È che può fare qualunque cosa, se solo ha un pubblico, non importa quanto ridotto; basta che non sia chiuso in un abitacolo con solo un capofamiglia carico di giudizi-non-giudizi appena trattenuti e un figlio servo schiacciato senza rimedio.

Il capofamiglia si è tolto le scarpe, ha fatto scorrere la seconda porta a vetri ed è entrato nel soggiorno, mi ha spinto ancora più vicina sua moglie Marianne nel passare. Sua figlia Nina stava defilata più indietro dopo i primi saluti, castana e magretta, con gli occhi grandi, lineamenti simili a quelli di Vittorio. Vittorio non ha rinunciato a presentarci, anche se non ce n'era già più bisogno: ha scavalcato con la sua voce le voci degli altri, ha fatto cenni con una mano grossa.

VITTORIO: Uto, Kaliani, Nina. Marianne si chiama Kaliani, adesso.

MARIANNE: Ma tu chiamami come vuoi, Uto. Come ti viene più facile. Ben arrivato!

NINA: Ben arrivato.

(Occhiate-scandaglio di Marianne, ai miei capelli e alla giacca e ai pantaloni di pelle e agli scarponi; gli scarponi.)

MARIANNE: Ti dispiacerebbe toglierli? Stiamo sempre senza scarpe, qui dentro.

Sorride mentre lo dice, lo stesso identico sorriso di suo marito, e la sua voce è tutta soffusa di dolcezza pacata e soffice, ma questo non riduce affatto la violenza della richiesta.

Uto Drodemberg non risponde, fa solo un cenno con la testa, come se parlasse una lingua diversa e non capisse il significato preciso delle parole e in effetti è quasi così, è su una tavola da gioco straniera e non conosce le regole della casa. Il tono di Marianne è così gentile e garbato da far sembrare la sua domanda una domanda vera, a cui lui potrebbe rispondere "Sì, mi dispiace, preferisco tenermeli", ma il suo sguardo ha molti più angoli delle sue parole, luminoso com'è: è un vero guardiano di princìpi, difficile da eludere.

Così Uto Drodemberg slaccia le fibbie dei suoi scarponi da motociclista, con le dita che gli scivolano per la stanchezza e la rabbia e il senso di umiliazione, se li sfila e li appoggia sulla scarpiera, come se non gli costasse il minimo sforzo.

Poi si addentra nel soggiorno con lo sguardo più dritto che gli viene, anche se la sua attenzione è tutta distratta dai suoi piedi così scoperti e vulnerabili. Gli sembra che tutte le proporzioni della sua figura siano guastate dalla perdita degli scarponi, che senza il loro peso e il loro supporto tutto l'insieme soffra di una perdita miserevole di autorevolezza. Ha anche le calze bucate, il solo paio che si è portato, sono bucate in punta e si vede, e i pantaloni di pelle sono lunghi senza lo spessore della suola sotto, deve inginocchiarsi a fargli un risvolto per non strascicarli. Assume un'espressione da martire cristiano, per compensare: un'espressione nobile e incurante che gli impedisce di mostrare il minimo interesse per il soggiorno e per i mobili e il pianoforte a mezza coda e gli altri oggetti che lo occupano. La moquette è morbida come non gli è mai capitato di sentirne, dev'esserci uno strato di gommapiuma sotto che assorbe ogni passo, non fa che aumentare il suo senso generale di fuori luogo, fuori momento.

Vittorio trafficava nel frigorifero e negli armadi della cucina aiutato da Jeff-Giuseppe, Nina si teneva a metri di distanza con le braccia ciondolate lungo i fianchi, il cane Geeno andava avanti e indietro tra i membri della famiglia, per fortuna mi stava lontano. Marianne continuava a sorridermi, produrre frasi e gesti di accoglienza, spostare cuscini sui divani, fissarmi con uno sguardo azzurro senza filtri, senza battiti di palpebre.

MARIANNE: E la mamma come sta?

(Tono di partecipazione, luce di tristezza commossa negli occhi.)

UTO: Benissimo.

La ragazza Nina guarda da lontano, più smussata di linee com'è, non brutta anche se ha un golf almeno quattro misure più della sua che le nasconde qualunque forma. Traffici al frigorifero dei due uomini, Vittorio dà indicazioni a Jeff-Giuseppe in un perfetto tono benevolo. Sguardo-scandaglio di Marianne. Compassione-comprensione-commozione, buoni sentimenti convogliati in un'onda unica. Mi si avvicina e mi tocca la tempia con una mano, mi abbraccia con una specie di singhiozzo terribilmente soffice e profondo.

MARIANNE: Dev'essere stato terribile, per voi. Ma era questo il disegno, dobbiamo accettarlo. Vedrai che presto qui starai meglio, è un posto così ricco di energia spirituale. Ti vogliamo bene, tutti noi.

Si ritrae, per fortuna, ma di poco. Il suo accento tedesco è controllato come tutte le altre sue espressioni, temperato e smussato e addolcito fino quasi a togliergli la sua natura di arma d'attacco. Sguardo aperto, gesti aperti, movimenti aperti che sembrano fluire uno nell'altro.

Sguardi di Vittorio dal frigorifero. Sguardi obliqui dei ragazzi. Sorrisi da tutti i lati, sono preso in mezzo senza scampo; non mi ci ero preparato, per quanto mi fossi aspettato il peggio.

UTO: Sto benissimo, grazie.

MARIANNE: Certo. Ma vogliamo che tu stia ancora meglio.

Mi tolgo gli occhiali da sole, per farle vedere quanto sto bene: la luce calda mi invade gli occhi insieme ai loro sguardi e sorrisi, mi fa quasi barcollare. Devo fermare gli occhi su qualche oggetto per non perdere la testa, ancorarmi a qualcosa.

C'è un albero di Natale vicino al camino, palline di vetro colorato e fiocchetti e stelline su ogni ramo, con ai piedi un presepe fatto al traforo per aggiunta, quattro pacchi e pacchetti ancora lì; gli comunicano un senso così violento di non-appartenenza che vorrebbe correre a rimettersi gli scarponi e la giacca e scappare fuori nella notte, correre e correre e correre senza fermarsi.

MARIANNE: Starai nella stanza di Jeff. Là sopra.

C'è una scala di legno chiaro che sale su un lato del soggiorno, la indica.

UTO: Ma no, va benissimo anche qui sul divano, o in cantina.

NINA: In cantina?

Ride: la curva della sua fronte ostinata e anche sensuale, da giovane balenottera finta-innocente.

MARIANNE: Abbiamo già deciso, il letto è già fatto. Jeff dormirà sotto nella stanza degli ospiti. Gli fa piacere fare un piccolo sacrificio per il prossimo. È un dono meraviglioso per tutti noi, che tu sia venuto.

Pensavo, ecco un modo sicuro per farmi odiare da qualcuno prima ancora di conoscerlo. Ho alzato appena le spalle, per comunicare non-partecipazione, non-apprezzamento di un gesto non richiesto.

MARIANNE: Vuoi lavarti le mani, darti una rinfrescata? Di qua, Uto. Hai il tuo bagno di sopra, ma puoi usare anche quello dei ragazzi qui sotto.

Mi spinge in direzione del bagno dei ragazzi, con una mano infinitamente leggera e precisa sulla spalla per orientarmi meglio, comunicarmi calore e partecipazione.

Dietro la porta chiusa a doppia mandata ho lasciato scorrere l'acqua, mi sono guardato allo specchio e non ero sicuro di riconoscermi. Le vibrazioni del viaggio mi continuavano dentro: avevo ancora lo stesso rumore di fondo nelle orecchie, lo stesso senso di poggiare i piedi su una superficie illusoria, con il vuoto subito sotto. Avrei potuto essere chiunque altro, a guardarmi così; non c'era nessun particolare della mia faccia che mi desse una garanzia assoluta di essere mio. Mi sono bagnato i capelli, li ho riverticalizzati a colpi ravvicinati di mano, mi sono fissato negli occhi con la più grande intensità, ma questo non cambiava molto.

Poi ero stravaccato su un divano, in questo contenitore perfetto di vite altrui, a registrare in modo marginale i movimenti della famiglia Foletti tra la cucina e le stanze e il camino e l'albero di Natale, nell'odore di resina di pino che trasudava dalle travi e dai pannelli di rivestimento e dai mobili. La ragazza Nina nella sua stanza da qualche parte nella casa, Vittorio e Marianne intanati anche loro, Jeff-Giuseppe seduto per terra a gambe incrociate davanti alla televisione che mandava un programma di quiz, nebbiato e tremolato fino a essere quasi indistinguibile.

Gli dico "Non c'è niente di meglio?" Meno amichevole che posso, sguardo alla televisione non a lui.

Lui volta in alto i palmi delle mani con aria smarrita, dice "È l'unico canale che si riceve. La mamma non ha voluto mettere l'antenna parabolica. Dice che se no ci stiamo attaccati tutto il giorno."

"E *tu* cosa dici?" gli chiedo.

Lui mi guarda come se non capisse il senso della domanda, muove le labbra come un pesce incerto.

Sua madre intanto gli è arrivata davanti, vestita diversa da prima ma sempre di bianco e color albicocca pallido; gli dice "Spegni quella cosa e preparati, siamo pronti." Jeff-Giuseppe esegue e scivola via rapido; la madre fa una mezza giravolta verso di me, dice "Sei troppo stanco, o avresti voglia di venire con noi alla Kundalini Hall?"

Anche questa una finta domanda, non prevedeva affatto che io potessi rispondere davvero che ero stanco e preferivo restarmene lì. C'era un'attesa inflessibile nel suo sorriso e nel suo sguardo azzurro, nella sua figura nervosa sotto gli abiti di lana morbida: una specie di dedizione incondizionata a un programma, senza margini per compromessi o ripensamenti. Vittorio e la ragazza Nina sono riapparsi nel soggiorno, seguiti un istante dopo da Jeff-Giuseppe, anche loro con altri vestiti ma sempre chiari; sono passati oltre con sguardi lunghi e nuovi sorrisi, verso la prima porta scorrevole della camera vetrata di decompressione.

Sono andato a rimettermi gli scarponi e la giacca, ho seguito la famiglia Foletti fuori nel gelo cristallino della notte, pieno di rimpianto per il divano dov'ero stato seduto, per lo spazio protetto e isolato. Mi chiedevo se la mia era viltà, o inerzia, o una forma di curiosità passiva, senza direzione e senza contorni, che mi spingeva ad assecondare le situazioni in cui capitavo fino ai loro limiti estremi. Avevo questo modo di lasciarmi tirare al largo e a fondo; anche quando i miei sentimenti friggevano di insofferenza e fastidio, ce ne voleva prima che mi decidessi a venirne fuori. Dovevo conoscere bene il mio terreno, prima, e gli altri occupanti del terreno; ero un decifratore lento di segnali, un metabolizzatore lento di situazioni.

Sulla Range Rover seduto dietro tra Jeff-Giuseppe e Nina, confortato almeno dagli scarponi da motociclista ben saldi di nuovo ai piedi, dalla giacca di pelle come uno scudo di qualche millimetro al mio modo di essere. Odore di sapone neutro e di latte di mandorle della famiglia Foletti, ci sono solo io a sapere di sporco e muschio, non mi dispiace.

Marianne seduta di fianco a Vittorio sparge didascalie a mio uso: indica ai lati della strada sterrata nella luce bianca dei fari, dice "Il bosco è tutto della comunità, per cinquecento ettari." Dice "Non so se Vittorio ti ha già spiegato com'è fatta Peaceville."

Vittorio fa di no con la testa, con un movimento calmo e sereno da marito perfetto, solidità-concordia-armonia senza ombre.

Marianne dice "C'è il tempio, dove si prega e si medita. C'è la Kundalini Hall, dove si mangia e si tengono i discorsi e i concerti e le feste. C'è l'ashram, dove stanno quelli che sono più avanti nella loro ricerca o che sono soli o che stanno qui per brevi periodi. Poi tutti gli altri vivono nelle loro case sparse tutt'intorno."

"È questa la cosa particolare," dice Vittorio. "Ogni famiglia ha la sua vita e il suo spazio e tutto, va al centro spirituale quando vuole. È questa l'idea geniale del guru. Non è una specie di colonia spirituale, come tante altre comunità. Non è una specie di villaggio-vacanze o di residence spirituale, no? È una specie di *regione* spirituale, con un centro. Non devi stare tutto il tempo addosso agli altri. Non ce n'è bisogno."

"Ma sai che gli altri ci sono," dice Marianne, con una voce insufflata di ispirazione. "E sai che c'è lo Swami, sempre. Anche adesso che sta riprendendosi e non può fare uscite pubbliche. Tutto questo posto ruota intorno a lui. Non ha bisogno di farsi vedere. Non ha bisogno di dire niente. Sono quasi due anni che non fa un vero discorso, eppure ci comunica tutto quello di cui abbiamo bisogno."

Si gira a guardarmi, per essere sicura che queste informazioni mi arrivino; poi torna a indicare fuori, dice "Lì abita un amico di Jeff"; dice "Laggiù c'è la casa di Saraswati."

Ogni tanto con i sobbalzi della strada sterrata il mio ginocchio destro tocca il ginocchio sinistro di Nina; lei lo scosta subito ma lo stesso sento una leggera scossa elettrica, dalla gamba all'inguine e su per la spina dorsale. Odore di mela verde, leggermente acido e fruttato. Alone tiepido torbido intorno ai suoi movimenti. Non la guardo, guardo avanti nel doppio fascio dei fari: la strada che scende attraverso il bosco e raggiunge la statale.

Poi proprio quando mi sono assuefatto al semibuio e al semicontatto e ai respiri e all'assenza di relazioni frontali, ci siamo già: scorrimento finito, freni bloccati, portiere aperte, aria ghiacciata, contatto con la terra, fuori, notte estesa, spazio senza limiti; camminare, riprendere controllo di un'espressione. Vivrei solo negli stati intermedi, se potessi, senza punti di partenza o di arrivo o scopi da raggiungere; me ne starei immerso in un continuo traballamento provvisorio riparato dal mondo, con pensieri circolari non focalizzati, in attesa di niente. (O in attesa di tutto: cambiamenti e trasformazioni e aperture di nuovi orizzonti sorprendenti da un secondo all'altro, in una lettera nella casella della posta, in un oggetto per terra dove cammino, in un incontro non aspettato che produce reazioni a catena.)

Alla fine di un sentiero lastricato in pendenza c'era una specie di grande granaio di legno festonato di luci colorate; Marianne e Vittorio e Jeff-Giuseppe e Nina lo guardavano e guardavano in tutte le direzioni, sorridevano, si toccavano le braccia, traboccavano eccitazione e spirito celebrativo.

Marianne mi ha dato dei colpetti sulle spalle, ha detto "Benvenuto a Peaceville, Uto!" Vittorio ha detto "Sì, benvenuto!" Jeff-Giuseppe e Nina hanno ripetuto "Benvenuto", anche se un po' più timidi; e c'erano altre persone che passavano oltre verso il grande granaio festonato, sorridevano e facevano gesti affettuosi verso tutti senza distinzione.

Davanti alla porta vorrei girarmi e tornare indietro alla macchina, rinchiudermi a sonnecchiare mentre i Foletti celebrano il loro ultimo dell'anno quanto vogliono; magari morire assiderato senza che nessuno se ne accorga, guastargli la festa solo alla fine quando mi trovano irrigidito sul sedile come una statua di non-partecipazione e si guardano costernati tra loro e corrono intorno a cercare aiuto tra gli altri celebratori, troppo tardi.

Invece li seguo dentro, oltre la porta decorata di microlampadine intermittenti, in una grande sala inondata di luce gialla e calore, odore di incensi indiani e di spezie, curry e zenzero e cannella e chiodi di garofano, dove decine di persone vestite di chiaro in stile da campagna o in stile semindiano si tolgono le scarpe e si tolgono i cappotti e li dispongono su lunghe scarpiere e attaccapanni e si guardano intorno scalzi e si sorridono e si sfiorano le braccia e si parlano sottovoce, come in una grande tana collettiva o chiesa o refettorio o biblioteca, mentre vanno a passi attenuati e assorti verso un'altra porta.

Uto Drodemberg che attraversa l'atrio pieno di persone sussurranti e sorridenti, come una mosca che nuota nel latte. Vestito di cuoio tra tutte queste lane morbide, con gli occhiali da sole tra tutti questi sguardi senza filtri, nero in un lago di variazioni albicocca pallido e pesca e rosa tenue e crema e bianco avorio e bianco-bianco, i suoi capelli sbiondati a ciocche dritte tra le teste grigie e tagliate corte e pelate e le barbe e le code di cavallo e le treccine e i caschetti semimonacali. Nessuno si gira a guardarlo, ma sente benissimo il flusso di attenzione, la curiosità e lo stupore laterale. C'è questo contrasto fantastico tra lui e gli altri: come un assassino in un negozio di porcellane, come una chitarra elettrica distorta dall'overdrive in un'orchestra d'archi. Non male, a parte le tonnellate di noia: il contrasto gli manda adrenalina in circolo, gli tende i muscoli dello stomaco e delle gambe e della schiena, lo fa camminare ancora più elastico ed elegante del solito, gli fa assumere un'espressione ancora più carica di fascino.

Marianne si è tolta il giaccone imbottito e le scarpe come in una pantomima a mio uso, mi ha indicato la fila di attaccapanni e portascarpe dove lasciare anche le mie cose. L'ho fatto, con i gesti più incuranti che mi venivano, senza guardare gli altri membri della famiglia Foletti che si scappottavano e descarpavano senza smettere di spargere in giro gesti e sorrisi e parole semisussurrate di saluto e felicitazione.

Oltre la seconda porta c'era una sala ancora più grande e alta, davvero un granaio mistico con il soffitto travato di legno chiaro, il pavimento coperto di tappeti. Lunghe tavole strette e basse disposte a file orizzontali, sul fondo un piccolo palco e una poltrona illuminata da un faretto, la fotografia sagomata a grandezza naturale di un vecchio indiano con la barba bianca, guarnita di vere ghirlande di fiori bianchi e gialli e rossi. Odore ancora più intenso di spezie indiane, mescolato a odore di minestra e di farina di cocco; un coro mormorato e ripetitivo, sull'onda di una specie di nenia che andava e tornava. Ho seguito Marianne e Vittorio e i due ragazzi, dietro una fila di persone che si facevano riempire piatti di verdure crude e lenticchie e pasta e crema di sesamo e altri cibi per non-carnivori. Non avevo nessuna voglia di stare in fila né di mangiare, avevo in bocca un sapore metallico di viaggio e di sfalsamento di fusi orari, il ronzio alle orecchie non diminuiva; mi sono premuto gli occhiali da sole alla radice del naso, cercavo almeno di stare in piedi in una buona posizione.

Sul piccolo palco in fondo alla sala è salita una specie di monaca anziana vestita color pesca, produce una cantilena in un microfono che la diffonde da altoparlanti appesi alle pareti. Unisce le mani e fa piccoli inchini e mormora parole sulla fine dell'anno e sull'inizio dell'anno nuovo in un tono così soffice da essere quasi indistinguibile, come una vecchia zia che mette a dormire qualche nipote; c'è un riverbero che allenta ancora questi suoni, allunga ancora i gesti di accompagnamento. Tutte le persone nella sala sembrano sul punto di addormentarsi, tanto sono assorte e serene e sommesse, sedute a gambe incrociate sui tappeti davanti alle panche basse e lunghe su cui si piegano con una leggera ondulazione ritmica del busto per raggiungere i loro piatti di verdure e farinacei.

Una signora gelatinosa mi ha riempito il piatto delle stesse cose degli altri, mi ha sorriso e ha detto "Come stai?" come se avesse una particolare ragione di benevolenza. Non le ho risposto, ascoltavo il muggito collettivo che a intervalli le persone sedute producevano in risposta alla cantilena della semimonaca al microfono. Marianne mi stava di fianco, nel suo atteggiamento da guida e pungolatrice e interprete: ha detto "Il nostro amico Uto è arrivato stasera dall'Italia." La signora gelatinosa ha detto "Che bello" con un sorriso lungo, come se la notizia fosse della più grande importanza e del tutto irrilevante.

Avrei solo voluto che mi lasciassero in pace, ero sfibrato di stanchezza e mi facevano male gli occhi, mi faceva male la faccia solo a immaginarmi quanta tensione muscolare dovevano costare tutti i sorrisi che vedevo intorno.

Seduto tra Marianne e Vittorio Foletti sul tappeto a uno dei tavoli stretti e bassi, con le gambe incrociate che almeno mi nascondono i buchi nelle calze. Non ho fame e non c'è niente nel mio piatto che sembri in grado di sfamare davvero nessuno: solo grani e verdure e pasta morta fredda slavata. Guardo gli altri che mangiano.

Marianne alla mia sinistra manovra piccole forchettate precise, apre appena la bocca e mastica a lungo, ogni tanto distoglie lo sguardo dalla semimonaca sul palco per sorridere ai suoi famigliari e a me. Vittorio alla mia destra ramazza tutto a testa bassa da un piatto riempito il doppio degli altri, con più energia vorace di chiunque altro intorno. Sembra leggermente incongruo in mezzo a tutte queste persone esangui e pacate: un po' troppo terragno e impulsivo, portato ad altri cibi, altri toni di voce rispetto al mormorio pacato e benevolente che lo circonda. Ma poi si gira verso sua moglie e le sfiora un braccio e le sorride, e si vede quanto deve avere lavorato a mettere la sua natura sotto controllo, contenerla e indirizzarla. È convinto di essersi molto migliorato, deve esserne orgoglioso; ogni tanto fa un gesto quasi solo per verificare i suoi progressi, considerarli acquisiti.

Jeff-Giuseppe mangia nel modo impacciato che ha in tutto quello che fa: si tuffa nel piatto e si riempie la bocca ai limiti della capacità, deglutisce senza quasi masticare; si ricompone un attimo prima che sua madre guardi verso di lui con occhi di controllo benevolo, va avanti per cinque minuti a lavorare di mandibole su un singolo tortiglione di pasta fredda. La ragazza Nina in compenso non mangia niente: fa finta di trafficare con la forchetta, ma sposta solo il cibo da un punto all'altro del piatto con piccoli movimenti maniacali, forma un mucchietto che ricopre con il tovagliolo di carta per nasconderlo. Marianne se ne accorge benissimo ma non dice niente, non scuote neanche la testa; inspira soltanto.

Non c'è molta conversazione, in ogni caso; tutti devono attenersi alla regola "Molti sorrisi e poche parole", seguono assorti quello che succede sul piccolo palco dove la semimonaca anziana se ne va e ne arriva una più giovane di aspetto giapponese. Marianne si allunga verso di me, mi dice all'orecchio "È l'assistente principale dello Swami." Esse maiuscola. Soffio di respiro. Tepore da semicontatto. Odore di latte di mandorle. Reazione superficiale della pelle.

L'assistente principale comincia a parlare dello Swami, dice che sta meglio e che se Dio vuole tornerà presto tra noi, poi si mette a riferire quello che lui ha detto in occasione di capodanni passati, di come ogni ricorrenza può essere importante perché è comunque un'occasione di gioia semplice e di unione con gli altri, e un grande appuntamento per i bambini. Sto ad ascoltarla e la guardo ogni tanto e mangiucchio il cibo senza sale; la testa mi gira e mi ronzano le orecchie, due o tre onde di presvenimento mi salgono al retro del cervello. Marianne alla fine se ne accorge, dice "Stai bene, Uto? Sei pallido."

Le dico "Sto benissimo"; lei subito riassorbe la preoccupazione che le era filtrata nei lineamenti, sorride, torna ad ascoltare tutta rapita le parole dell'assistente principale del guru sul palchetto. C'è tanta buona disposizione e rispetto reciproco e discrezione profonda in questa sala, uno potrebbe agonizzare per ore sul pavimento prima che qualcuno si decida a interferire. Ho sonno, sono scosso e frastornato come un prigioniero di guerra in trasferimento forzato, vorrei essere a letto invece che seduto per terra senza nemmeno un appoggio per la schiena. Se mi guardo intorno in tutto questo granaio mistico non riesco a vedere nessuno della mia età, sono tutti dai trenta quaranta cinquanta fino a "davvero anziani", più qualche figlio. C'è un solo ragazzetto dell'età di Nina, e naturalmente si scambiano un paio di sguardi a distanza; ce n'è un paio dell'età di Jeff-Giuseppe. Mi immagino che razza di incubo dev'essere per loro vivere qui, prigionieri dei loro genitori e dello spirito generale in un'isola tagliata fuori dal mondo; credo che farei qualunque cosa per tirarmi fuori, al loro posto.

L'assistente principale del guru raccontava episodi del tutto ordinari della vita di lui come se fossero stupefacenti, in un tono pacato e zuccheroso che avrebbe potuto usare con degli scemi o dei bambini. Ci metteva appena un soffio di voce ma teneva il microfono ben vicino alla bocca, ogni minimo stacco di lingua e presa di respiro arrivavano amplificati alle orecchie di tutte le persone sedute. Faceva piccole smorfie di accompagnamento, seduta nella posizione del loto su un cuscino, smunta e scialba e priva di dubbi com'era. Alla fine ha detto "Adesso vedremo qualche minuto del nostro caro Swami, in attesa che lui torni di persona a parlarci, speriamo molto presto."

C'era un grande televisore con videoregistratore a un lato del palco, l'assistente del guru ha dato istruzioni a due devoti che l'hanno spinto avanti e l'hanno acceso: sullo schermo è apparso il guru, il vecchio indiano della fotografia sagomata a un lato del palco, seduto sulla poltrona che adesso era vuota e illuminata.

"Lo Swami," mi ha detto Marianne in un orecchio, e non ce n'era nessun bisogno, il suo fervore mi toglieva energie come un salasso ogni volta che mi respirava vicino o anche solo mi guardava. Mi chiedevo come faceva uno come Vittorio a vivere con lei; l'idea della sua capacità di resistenza mi riempiva di rabbia.

Nel televisore sul palco il guru parlava con un accento indiano, in un timbro alto anche se abbastanza musicale, con pause frequenti per sorrisi e gesti di benevolenza universale. Diceva "Solo pochi giorni fa era Natale, e tutti cercavamo di essere più buoni, no? Facevamo regali, ricevevamo regali, no? Ci ricordavamo di tutti i nostri parenti e amici. Anche quelli più lontani, no? Ed *eravamo* più buoni, anche. Eravamo pervasi di questi buoni sentimenti diffusi. Erano lì nell'aria. Ma adesso che non è più Natale? Adesso che è il trentun dicembre e diciamo che è l'ultimo dell'anno? Abbiamo già tutto un altro spirito, no? Siamo pieni di buoni propositi, però tutti riferiti a noi stessi, no?"

Mi guardavo intorno, e mi sembrava incredibile che centinaia di persone potessero stare sedute per terra a sorbire queste banalità generiche con tanta attenzione focalizzata, in un silenzio così intenso. Mi facevano rabbia i respiri collettivi, sincronizzati come se stessero ascoltando chissà quale concerto straordinario; mi faceva rabbia la concentrazione di Marianne sporta in avanti con il suo collo lungo, il profilo del naso implacabilmente dritto. Mi faceva rabbia lo sguardo da scuola di Jeff-Giuseppe, come cercava di non perdere una sola parola; lo sguardo da scuola più ipocrita di Nina, che forse pensava ad altro ma non l'avrebbe mai fatto capire.

L'unica presenza non del tutto accordata a questo mare di partecipazione era ancora Vittorio: stava seduto ben fermo, con lo sguardo ben mirato verso il televisore, ma c'era qualcosa che lo faceva sembrare leggermente incongruo, come quando mangiava. Credo che fosse una tensione nella sua mandibola, il modo che aveva di socchiudere gli occhi per mettere meglio a fuoco, inclinare la testa per favorire un orecchio sull'altro. Il piatto davanti a lui era vuoto lucido, non aveva lasciato neanche un filo di lattuga sciapa, e adesso stava proteso in avanti e stringeva gli occhi, la fronte gli si corrugava. A un certo punto si è girato verso di me, mi ha chiesto a bassa voce "Tu riesci a capire tutto?"

"Sì," ho detto io; l'unico vantaggio di crescere senza un'identità nazionale in tre paesi diversi era che parlavo tedesco spagnolo inglese e italiano quasi allo stesso modo.

Lui ha fatto di sì con la testa, continuava a guardare lo schermo sul palco. Si è girato di nuovo verso di me, a labbra strette ha detto "Io invece in certi momenti non capisco un cavolo di niente. Con le registrazioni, soprattutto. O la sera, quando sono stanco."

Sua moglie Marianne si è voltata a dargli un'occhiata severa; lui si è raddrizzato subito, come uno scolaro ripreso. Un secondo dopo lei ha allungato un braccio dietro la mia schiena per sfiorargli una spalla, stemperare subito la piccola tensione, farsi baciare la mano. Mi sono inclinato in avanti per non intralciarli; un'onda di insofferenza pura mi è salita attraverso la stanchezza e lo sfasamento e il ronzio alle orecchie.

Il guru nel video sul palco diceva "Cosa vuole dire poi che finisce l'anno? Che domani sarà un giorno completamente diverso da oggi? Proprio un altro genere di giorno, eh? Come un nuovo modello di macchina, con una carrozzeria e un motore nuovi di zecca. Non si vede l'ora di salirci su, no?"

Vittorio qui ha riso insieme a tutti gli altri, e c'era Marianne che lo guardava a intermittenza per confermargli lo spirito e i significati del discorso, ma era ancora teso, inclinava ancora la testa e socchiudeva gli occhi.

Il guru nel video diceva "Ma tutti i giorni sono molto diversi uno dall'altro. Ogni giorno l'anno finisce, è questo il fatto. Ogni ora, finisce l'anno. Però noi consideriamo il trentun dicembre una specie di grande confine, no? Una specie di diga che separa due masse d'acqua. Possiamo spostarci in quella nuova, lasciarci dietro quella vecchia, tutta sporca di scorie com'è ormai."

Aveva un tono conviviale, quasi frivolo per come si guardava intorno a raccogliere l'effetto delle sue metafore; giocava sulle pause, come se dovesse richiamare i suoi pensieri da una grande distanza. Mi chiedevo se la famiglia Foletti era stata lì ad ascoltare le stesse parole dal vivo; quanto si ricordavano a risentirle da un nastro, due o tre o quattro anni più tardi.

Il guru nel video ha detto "Allora va bene dire che è la fine dell'anno, ma solo se la consideriamo una convenzione di misura. O una festa. Altrimenti è un intervallo troppo lungo. Troppo, troppo lungo. C'è tutto il tempo di dimenticare tutti i nostri buoni propositi, non ricordarcene neanche uno. E dopo un po' dire 'Va be', quest'anno ormai è andato così, ci riprovo il prossimo', eh?"

L'uditorio nel nastro rideva, quello dal vivo rideva, concentrato sullo schermo molto più di come avevo visto nessuno concentrato sulla televisione o al cinema o anche a un concerto. C'era questa strana qualità di attenzione soffusa, dove sembrava difficile perfino distinguere tra oggetto e soggetto dell'attenzione.

Il guru nel video ha detto "Dovreste fare come se l'anno finisse ogni giorno. Come se finisse ogni ora. Ogni minuto. Ogni minuto dovreste pensare che l'anno sta per finire. Dovreste chiedervi 'Ho fatto tutto quello che dovevo? Sono soddisfatto?' Dovreste chiedervi 'Ho raggiunto la metà dei miei propositi?' Perché la vita non è come una partita di tennis dove avete un set e un altro set e un altro set, se uno va male potete pensare di far meglio nel prossimo. Non è come uno spettacolo con un tempo fisso, un film che dura due ore e potete controllare l'orologio e sapete esattamente quanto ve ne rimane ancora. La vita dura quello che deve durare, ma lo scopriamo solo nel momento preciso in cui finisce. Quando viene il signor Morte non possiamo dirgli 'No, guarda, non è ancora il momento. Io ho da fare, intanto vai da quello là che è più vecchio di me.'"

Vittorio ha indicato a Nina il suo piatto ancora pieno, le ha fatto un cenno interrogativo. Lei ha distolto lo sguardo, si è riparata nell'attenzione generale; Marianne ha guardato male Vittorio; Vittorio è tornato a guardare verso lo schermo.

Ma il discorso registrato è finito; l'assistente principale del guru spegne il videoregistratore e fa un inchino di saluto, sul palco sale uno che comincia a suonare una specie di accordeon su una nota di bordone e ci canta sopra "Hare Om. Hare Om. Hare Hare Hare Om" in una serie di modulazioni. Tutte le persone sedute nel granaio mistico ripetono le modulazioni dopo di lui, Marianne in un tono appena calante, Nina solo una volta su due, Jeff-Giuseppe nel suo registro incerto, Vittorio stonato senza margini di speranza. Io sto zitto a guardare e ascoltare; mi vergogno per loro, per la loro mancanza di spirito critico e di senso dell'umorismo, la loro incapacità di vedersi dal di fuori.

Quando mancano pochi minuti a mezzanotte, il suonatore di accordeon scende dal palco e ci risale la specie di monaca anziana che parlava all'inizio; guarda un vecchio orologio che ha in mano, dice "Ci siamo quasi." Comincia un conto alla rovescia degli ultimi trenta secondi, tutta la gente seduta si unisce in coro. A metà di ognuna delle lunghe tavolate basse c'è qualcuno con una bottiglia di spumante in mano, traffica con il tappo mentre partecipa al conto alla rovescia.

Arrivata a zero la specie di monaca anziana dice "Buon anno!" nel microfono; tutti gli altri dicono "Buon anno!" e si alzano in piedi e si scambiano abbracci e baci e carezze mentre gli stappatori di spumante lo versano in bicchieri di plastica che passano in giro. Marianne e Vittorio mi abbracciano e si abbracciano tra loro, Jeff-Giuseppe e Nina mi abbracciano e si abbracciano un po' più trattenuti dall'imbarazzo, poi Marianne mi trascina verso l'altra gente intorno per farmi festeggiare e augurare e sorridere da tutti quelli che riesce a raggiungere nella quieta mischia benevolente.

E le celebrazioni di capodanno mi hanno sempre fatto morire di tristezza, ma questa è ancora più triste del solito, per la distanza infinita dal mondo, la velatura attenuata e meditativa che ognuno mette alle sue espansioni, come se ci fossero mille ragionamenti profondi da fare anche in questo momento e tutto andasse inserito in una prospettiva molto più ampia e lunga, così che la piccola gioia del momento diventa ancora più piccola e tenue e patetica. Lo spumante non è nemmeno vero spumante, è succo d'uva frizzante senza la minima traccia di alcol, aggiunge una nota desolante agli scambi di brindisi e auguri.

Poi finalmente i Foletti sono stanchi, o almeno Vittorio lo è; si allunga a dire a sua moglie "Andiamo?", cauto come per una proposta rischiosa. Marianne esita, lo guarda e guarda me, si guarda intorno nel grande granaio spirituale saturo di sorrisi moltiplicati; alla fine fa di sì con la testa. Sorrisi sorrisi sorrisi da e per tutte le direzioni mentre ci alziamo, "Buon anno buon anno buon anno" da e per chiunque, sfioramenti di braccia e cenni a distanza mentre slalomiamo verso l'uscita.

Nell'atrio ci rimettiamo scarpe e giacche, come lumache nude che si riprendono i gusci; ho le dita piene di rabbia mentre mi riallaccio le fibbie. Marianne mi dice "Allora?", mi sonda a sguardi per vedere se sono colpito e conquistato dal luogo e dalla gente e da tutto il resto, se sono già convertito anch'io o almeno avviato alla conversione, almeno con un piccolo germe di preconversione nello sguardo. Non le do la minima soddisfazione, non rispondo ai suoi sorrisi né a quelli di Vittorio. Guardo Nina e Jeff-Giuseppe che trascinano i piedi verso l'ingresso, oltre gli scaffali pieni di libri sullo yoga e la cucina macrobiotica e i pensieri del guru; penso che nel loro modo inespresso devono essere abbastanza esasperati da questo posto. L'idea mi conforta, come mi conforta il fatto che Vittorio sembri leggermente incongruo e fatichi a capire l'inglese: mi sembrano piccole incrinature nel muro perimetrale della famiglia Foletti.

Mentre andiamo verso l'uscita Vittorio mette tre biglietti da dieci dollari in un cesto per le offerte. Tiro fuori un dollaro dalla tasca dei calzoni, faccio finta di volerlo mettere nel cesto insieme agli altri e invece quando passo per ultimo pesco rapido anche i trenta dollari di Vittorio, me li ficco in tasca. Mi sembra una compensazione parziale per i piedi scalzi e le voci smorzate e il fuoco incrociato di sorrisi e le prediche, la stanchezza che mi è dilagata nella testa insieme al senso di estraneità. Non sto cercando di giustificarmi o di dare un senso alla cosa; mi viene d'istinto, perfettamente naturale, senza veri pensieri connessi.

Fuori c'era un'anticipazione di neve nell'aria, come l'anticipazione di un'esplosione, ma il freddo crudele teneva tutto bloccato, con l'effetto di rendere più dirompente lo scoppio quando alla fine sarebbe arrivato.

L'ostaggio il primo dell'anno

Dormo. Dormo fondo e poi vengo grado a grado in superficie, in una specie di ascensione inevitabile da galleggiante di sughero che sale dal fondo melmoso attraverso l'opacità che diventa via via più trasparente fino a proprio sotto il piano argentato tremolante della luce violenta. Sono quasi sveglio ma riesco con uno sforzo a tornare sotto, nel torbido torpido della non-responsabilità e del non-movimento, più giù ancora dove i miei contorni si fondono fino a perdere forma con i miei pensieri. Ma ho dormito così tanto che mi costa fatica, ho il cervello e i nervi e i muscoli e le ossa saturi di riposo che mi ritrascina in alto, per quanto mi sforzi di tenermi sotto più inerte e pesante che posso. Muovo le mie pinne mentali in basso, mi tiro a forza verso il fondo ancora, punto la testa in giù e spingo con i piedi, cerco di sentire tutto il piombo dell'incuranza e della noia e della delusione, il fastidio del mondo che ho dentro. Voglio lasciare passare il tempo così, fare scorrere le ore fino a perdere il conto e il senso, dormire attraverso il primo dell'anno e arrivare alla notte dopo senza accorgermi neanche dei festeggiamenti e degli sguardi e dei sorrisi e di tutto il resto.

Ci sono stati lunghi periodi nella mia vita in cui mi sembrava di stare bene solo quando dormivo. Di mattina mi lasciavo strappare a forza fuori dal sonno da mia madre o dal mio fratellastro o dal mio patrigno, per attraversare la città e andare al conservatorio e a lezione privata e tenermi dritto in piedi o seduto dritto al piano e sostenere sguardi e atteggiamenti e posture, e ogni volta mi sembrava una violenza intollerabile. Mi aggiravo per tutta la giornata come un animale in territorio ostile, assediato tutto il tempo da rumori e traffici e spostamenti incomprensibili, affaticato e scalfito e logorato dall'attrito continuo di tutti gli spigoli e tutte le superfici abrasive della vita organizzata, con le orecchie urtate dai milioni di parole rovesciate in giro ogni secondo, gli occhi abbagliati dai continui messaggi di richiesta e minaccia e offerta e consiglio e attesa. Cercavo di ripararmi come sotto un bombardamento, cercavo di salvare la pelle; mi defilavo lungo i muri e dietro gli angoli, in attesa solo che venisse buio e nelle mie fibre nervose si fosse accumulata abbastanza stanchezza da permettermi di scivolare di nuovo nel sonno. Mi infilavo nel letto e spegnevo la luce, affondavo la testa nel cuscino come una foca che torna nell'acqua dopo essere stata trattenuta all'asciutto, o un ghiro imprigionato che finalmente riesce a correre verso il fondo della sua tana. Il margine sfumato tra quasi-sonno e sonno era l'unica parte della mia vita che riuscivo ad apprezzare, in una casa non mia e in una famiglia non mia in una città non mia in una nazione non mia. Andavo sotto poco a poco e assaporavo ogni istante dell'immersione, mi sentivo più libero dal tempo e dal peso insostenibile delle cose mentre scivolavo verso il fondo tiepido. Non mi serviva altro, non avevo bisogno di niente; pensavo che se un giorno avessi potuto sentirmi da sveglio come quando dormivo sarebbe stata una vita accettabile, non avrei avuto più bisogno di dormire così tanto.

Anche adesso vorrei dormire con tutte le mie forze, ma non ci riesco più. Mi schiaccio in profondità nel materasso, stringo gli occhi fino a farmi male ai muscoli delle palpebre, cerco di tagliare fuori la luce e i suoni che si propagano per la grande scatola di legno della casa. Cerco di richiamare tutta la stanchezza del giorno prima, creare uno spessore neutro e opaco tra me e il resto del mondo. Ma non c'è niente da fare, le voci e i movimenti della famiglia Foletti mi arrivano attraverso le pareti come le vibrazioni delle corde di una chitarra acustica attraverso la tavola armonica. Mi arrivano il registro ibrido di Jeff-Giuseppe e la voce di Nina smussata come i suoi lineamenti, il timbro ipercontrollato e didascalico di Marianne, le frequenze basse di Vittorio, i rumori di sedie spostate e di porte aperte e chiuse, di acqua che scorre nelle tubature, di tasti di pianoforte toccati e lasciati per non disturbarmi. Mi viene voglia di sprofondare ancora più al riparo del piumino, nella gommapiuma del materasso e attraverso il pavimento, giù nella cantina, sotto la terra del bosco come una talpa, a occhi chiusi, tiepido e basso sotto la famiglia Foletti nella sua casa di legno decorata di lampadine colorate. Mi viene voglia di non vedere e non sentire più niente, fare il morto se vengono a chiamarmi, respirare meno che posso, diventare invisibile e impercettibile.

Ma anche da questo stato sento i passi che salgono le scale, uno dietro l'altro sul legno ricoperto di moquette imbottita. Cerco di non pensarci, dissolvere la consistenza dei suoni e il loro significato, ma continuano sempre più vicini, attraverso gli strati sempre più sottili del mio sonno artificiale. C'è uno spazio di silenzio, e *toc toc* alla porta, la voce incerta di Jeff-Giuseppe che dice "Sei sveglio?"

Non rispondo niente, neanche un grugnito o una mezza parola; sto più fermo che posso, cerco di ridurre ancora il respiro, rimuovere il pensiero che ci sia qualcuno fuori che si aspetta una risposta. Non è facile; un istante dopo sono già ritrascinato nel mondo delle percezioni peggio di prima. Riesco a sentire l'incertezza di Jeff-Giuseppe fuori dalla porta, più rumorosa ancora del suo respiro e del fruscio dei suoi vestiti: il suo modo di stare fermo e affacciarsi dalla scala a guardare forse sua madre o Vittorio, in attesa di istruzioni. Riesco a sentire il suo sguardo, e lo sguardo di risposta della sua famiglia: lo *swooosh* di attesa e di perplessità che attraversa il soggiorno dal basso in alto e mi raggiunge attraverso il legno della porta e l'imbottitura del piumino sotto cui mi tengo nascosto.

Resto immobile; sento il rumore dell'imbarazzo-rinuncia di Jeff-Giuseppe, il rumore dei suoi piedi senza scarpe che si girano lenti e cominciano a scendere le scale, ogni piccolo strusciamento e scricchiolio amplificato fino quasi a farmi male ai timpani. Riprendo a respirare, ma è un respiro braccato da animale di brughiera che continua a tenersi piatto e fermo nel suo cespuglio quando sa di avere i cacciatori e i cani intorno e nessun altro riparo dove trovare scampo.

Infatti ci sono altri passi che tornano su, due volte più distinti e intenzionati dei primi, premono l'aria contro la mia porta prima ancora che una mano ci bussi sopra. È Marianne, lo sapevo prima ancora di sentire la sua voce: dice "Uto? Stai dormendo? Mi senti?"

Cerco ancora di restare piatto e fermo con il piumino sopra la testa premuto contro le orecchie, ma è una tattica patetica ormai, il respiro di Marianne e le sue buone intenzioni mi braccano senza più scampo: richiesta e attesa, richiesta e offerte di aiuto, richiesta e attenzione, come il risucchio di una pompa idrovora. Tutta questa orizzontalità protratta mi fa male alle giunture come un'influenza interminabile ormai, non ho più forze per cercare o anche solo fingere di dormire. Sono stanato ormai, allo scoperto ed esposto da tutti i lati; non c'è più altro da fare che aprire gli occhi e rispondere.

Mi alzo a sedere sul letto, come se mi svegliassi in quel momento, dico "Sì?"

Marianne ha già aperto la porta, è già mezzo affacciata dentro, c'è una luce bianca che le schiarisce ancora i capelli e gli occhi e i vestiti chiari. Tutta la stanza è piena di luce, in realtà: inondata dalle finestre senza tapparelle e dal lucernario proprio sopra la mia testa, mi rendo conto adesso di quanto fosse disperata la mia lotta per continuare a dormire.

Marianne dice "Buon anno nuovo! Ben svegliato! Cominciavamo a preoccuparci!" Energia dinamica e tensione spirituale in ogni suo gesto e sorriso e parola, il suo sguardo mi toglie energia nel modo più soffice.

Dico "Adesso mi alzo", chiuso in una posizione di difesa con le ginocchia raccolte.

Lei dice "Ti aspettiamo", richiude la porta anche se mi sembra che una continuazione del suo sguardo resti nella stanza, mentre vengo fuori da sotto il piumino e vado a raccogliere i miei vestiti da terra.

Uto Drodemberg in America, dove ha il suo vero palcoscenico naturale. C'è qualcosa nell'aria che dà un risalto diverso ai suoi lineamenti e alla sua figura, ai movimenti che fa davanti allo specchio sull'anta dell'armadio di Jeff-Giuseppe. I suoi capelli sembrano più gialli e abbaglianti di come sono mai stati, le sue gambe più dritte e lunghe nei calzoni di pelle nera, anche senza gli scarponi da motociclista. Basta che alzi un sopracciglio e sporga in avanti le labbra a cinque centimetri dallo specchio, sembra di vederlo proiettato su uno schermo gigante in una sala piena di gente. Va indietro di un passo e alza un braccio e lo ruota con un ginocchio sollevato, è incredibile come una mossa così semplice si carichi di forza di comunicazione in questa luce; slancia una gamba di lato e abbassa il busto, l'attenzione di migliaia di persone dà uno spasimo ai suoi movimenti. C'è questa enorme attesa potenziale intorno a lui: questi sguardi sguardi sguardi pronti a materializzarsi, già lì. È una responsabilità che lo rallenta e lo carica, gli fa battere il cuore e gli rende meno decifrabile l'espressione. Sorride, ma è un sorriso difficile da leggere; fa venire voglia di vederlo ancora più grande e ancora più da vicino, nel risucchio di attenzione che suscita. Sta per venire fuori dallo stato dormiente in cui ha dovuto tenersi finora: è pronto a esplodere fuori dai suoi limiti provvisori, diffondere energia allo stato puro, trascinare a sé chiunque gli si avvicini. Il cuore gli batte ancora di più, ma il sangue nelle sue vene è freddo quasi ghiacciato, come se andasse a tutta velocità su una Harley-Davidson senza giacca né casco in un mattino dei primi di gennaio. Non c'è nessun problema di controllo, anche se ha la pelle d'oca; basta che inspiri a fondo e dilati le narici, dia al suo naso un'espressione ancora più nobile di quella che ha per natura.

Sono sceso per le scale, a passi più lenti e misurati che potevo, senza posare lo sguardo su nessun punto preciso mentre planavo nella grande sala inondata di luce bianca da tutte le grandi finestre. Come in un videoclip, con la cinepresa che scende in avvitamento perfettamente fluida, contro gli sguardi di tutti ma come se non mi guardasse nessuno, equilibrio perfettamente centrato su me stesso.

Tutta la famiglia Foletti guarda verso di me, compreso il cane e Vittorio che sta tirando fuori dal forno un pane fatto in casa: Marianne dice "Buon anno!", Jeff-Giuseppe e Nina dicono "Buon anno!" Sorridono fino agli zigomi, con gli occhi che brillano come se non gli fossero bastate tutte le volte che l'hanno detto ieri sera; il cane scodinzola, Vittorio posa il pane sul bancone della cucina all'americana e dice "Buon anno!"

"Anno," dico io, nel tono meno leggibile che mi viene; guardo verso la camera vetrata di decompressione, dove ho dovuto lasciare la mia giacca con gli occhiali da sole in una delle tasche.

Loro non mi danno il tempo di andare a prenderli, vengono tutti intorno ad abbracciarmi e baciarmi, guardarmi con le migliori espressioni di affetto. Vittorio con un guanto-pattina a testa di giraffa sulla destra e un grembiale a scacchi bianco e rosso, Nina con i capelli a caschetto da brava bambina più magra ancora di come mi era sembrata la sera, Jeff-Giuseppe con sguardi ricorrenti verso i pacchi e pacchetti sotto l'albero di Natale, Marianne che sovraintende a tutti i minimi gesti della famiglia e li convoglia e indirizza tutto il tempo. Dev'essere come vivere in permanenza sul palcoscenico di un piccolo teatro, per loro: ogni attore con il suo piccolo faro e la sua piccola quota di pubblico garantito, un copione ben rodato e ricco di contenuti, la regista attenta alla visione d'insieme e al ritmo e alla gradazione dell'enfasi, pronta a trasformarsi in suggeritore alla prima incertezza.

Vittorio punta un dito sovraespressivo verso le grandi finestre, mi dice "Hai visto? In tuo onore, proprio."

Mi giro a guardare fuori e non l'avevo ancora fatto, avevo solo percepito il chiarore anomalo dell'aria e la densità del silenzio: grossi fiocchi vaporosi di neve scendono lenti fino a unirsi allo spessore bianco che ricopre tutta la radura davanti alla casa e gli alberi della foresta intorno. Walt Disney, più che la realtà, il primo dell'anno e tutto questo bianco nel grande soggiorno di legno chiaro, con la moquette chiara imbottita che dà la sensazione di camminare su una nuvola e i sorrisi e i vestiti chiari della famiglia Foletti, le calze di lana chiara ben fibrata che tutti hanno ai piedi mentre mi stanno intorno.

Poi Marianne, che non smette di percorrere lo spazio a sguardi in tutte le direzioni, dice "A tavola, a tavola! È quasi mezzogiorno!" e va a tagliare il pane mentre la famiglia con me sospinto in mezzo si trasferisce intorno alla tavola imbandita, in un'estensione vetrata del soggiorno che si sporge verso la radura coperta di neve. Fiocchetti e stelline dorati e argentati sui piatti e piattini lucidi sulla tovaglia stirata senza una sola piccola piega, tovaglioli racchiusi in anelli di legno con i nomi, barattoli di miele e di conserve fatte in casa, biscotti fatti in casa in cestini coperti di piccoli panni ricamati, grande teiera vestita di un copriteiera a forma di omino di neve; devono avere continuato ad aggiungere dettagli mentre aspettavano e aspettavano che io mi svegliassi. Una favola familiare davvero, immacolata e ultraconfortevole, curata in ogni minimo particolare come una pubblicità televisiva di biscotti più che un film, solo che qui è tutto in tre dimensioni e con gli odori e i suoni e gli spostamenti d'aria che rendono molto più vera e irreale la situazione.

Marianne è arrivata con il pane tagliato a fette in un vassoio di vimini chiaro, l'ha posato al centro della tavola come un simbolo di felicità famigliare, con una cautela da disinnescatore di bombe. Si è seduta e ha unito le mani e si è messa a recitare una preghiera in tedesco, con gli occhi socchiusi e un tono di fervore che mi faceva vergognare per lei peggio che con i cori la sera prima. Gli altri stavano fermi e guardavano nei loro piatti, Jeff-Giuseppe con le mani giunte come sua madre, Nina con uno sguardo più distante, Vittorio con un piccolo sorriso sulle labbra ma si prestava quanto gli altri a tutto il gioco ritualizzato, è stato ben zitto e fermo finché sua moglie non ha finito e detto di nuovo "Buon anno nuovo a tutti!" Gli altri hanno risposto in coro "Buon anno nuovo!"; i due uomini si sono buttati sul cibo.

Ho mangiato anch'io, intriso com'ero di senso di prigionia e di non-appartenenza, dell'ostilità istintiva che avevo per qualunque sistema di rapporti umani organizzati. Avevo fame, ma facevo resistenza passiva; non sorridevo quando loro mi sorridevano, non li guardavo negli occhi quando mi parlavano, non li ringraziavo per le loro continue profferte di cibi. Prendevo piccoli morsi finti-distratti, masticavo con i denti davanti i biscotti fatti in casa, il pane integrale fatto in casa con la marmellata fatta in casa, le patate dolci americane. E non mi è mai importato niente del cibo, ma mi dava fastidio la selezione vegetariana, ideologica e rigorosa quanto la sera prima alla Kundalini Hall, senza carni né uova né latticini né sale; gli sguardi di controllo e di approvazione che Marianne ci scorreva sopra. Mi veniva voglia di salsicce e omelette strafritte nello strutto, per contrasto: cotechini, zampe di maiale, teste bollite di bue, qualunque porcata.

Marianne mi ha raccontato il discorso che aveva fatto il guru prima di essere operato. Si illuminava tutta solo a citare le sue frasi più normali: socchiudeva gli occhi mentre pronunciava ogni parola, ispirata come se recitasse una poesia sublime. Diceva "Ha questa semplicità straordinaria. Questo modo meravigliosamente limpido di comunicarti le verità. Anche un bambino lo può capire, non c'è nessun ostacolo di linguaggio da superare."

Vittorio faceva di sì con la testa mentre mangiava; a bocca piena mi ha detto "Devi incontrarlo, appena si è rimesso. È un grande uomo, vedrai." Ma era preso dal cibo quanto Jeff-Giuseppe, mi avevano aspettato per ore ed erano famelici, spalmavano e versavano e tagliavano e mordevano e masticavano tutto quello che si trovavano davanti.

Marianne invece mangiava pane e marmellata e biscotti con il più grande controllo, percorsa com'era dall'esaltazione spirituale che le illuminava gli occhi e le riempiva di enfasi le parole. Diceva "Sono così *contenta* che tu sia qui. È così *importante* per te, e per noi." Accento tedesco sorvegliato e addolcito quanto i suoi gesti, soffuso e allungato, quasi tutti gli spigoli limati via anche se l'anima rimaneva di legno.

Coinvolgeva a sguardi i suoi famigliari, diceva "Non è vero? Non è *meraviglioso*?"

Vittorio e Jeff-Giuseppe facevano di sì con la testa, sorridevano, dicevano "Sì che lo è" senza smettere di mangiare. Mi sembrava che il cibo fosse una specie di schermo parziale dietro cui si riparavano, i loro gesti resi più ansiosi dalla sua sobrietà senza scampo.

Nina beveva solo tè, partecipava solo a mezzi sorrisi al clima generale. Suo padre e Marianne le spingevano vicino del cibo di continuo; lei faceva finta di non vederlo, al massimo mordicchiava un angolo di biscotto e lo posava subito, come se avesse già osato troppo. Vittorio le allungava una fetta di pane con margarina vegetale, le allungava la marmellata, le allungava un cestino di frutta secca, le allungava il bricco di latte di soia, diceva "Vuoi?" Lei faceva di no con la testa, si portava alle labbra la tazza di tè; le vedevo le braccia sottili attraverso il golf. Marianne la controllava a sguardi ogni poco, un paio di volte ha allungato una mano a carezzarle i capelli. Nina ha sorriso, ma ho visto i muscoli del collo che le si irrigidivano.

Sono due donne così diverse, a vederle in questa luce del mattino pieno di neve: Marianne bionda angolosa nervosa, bianca pallida quasi trasparente, ultramisurata in ogni movimento, razionale-irrazionale, focalizzata e persistente senza tregua; Nina più smussata di lineamenti e mediterranea di colorito, ma magra sottonutrita e incerta del suo corpo, nascosta sotto i vestiti larghi, con tutti i suoi braccialettini di stoffa colorata ai polsi e lo sguardo che scappa. Ogni tanto mi pare di leggere dei piccoli guizzi di conflitto tra loro: microschegge di irritazione o di raffronto che balenano per meno di un istante nella piega sottile tra un gesto e l'altro, si dissolvono subito come pure impressioni. So leggere queste cose quando ci sono, non credo che nessuno sappia farlo meglio di me; ma ho bisogno di tempo per esserne sicuro, non posso ancora giurarci.

Vittorio allunga le mani in giro per la tavola e si accaparra tutto quello che c'è di commestibile, mastica con energia rimarcata ogni boccone, lavora di mandibole e deglutisce nel modo più sottolineato forse per compensare la mancanza di sapore e di tentazioni, raspa via dalla tovaglia le briciole di pane con gesti quasi violenti. Si gira verso Marianne e le tocca una mano, si gira verso sua figlia e le scarruffa i capelli e le dice ancora "Mangia", si gira verso Jeff-Giuseppe e lo scuote per una spalla con forza, si gira verso di me e mi dice "Uto! Come va?" Si gira verso tutta la sua famiglia, dice "Siete contenti?"

"Sì!" risponde tutta la famiglia.

"Ma quanto?" dice lui, nella sua voce incalzante da megafono ben orientato. "Così così, o molto?"

"Molto!" rispondono Jeff-Giuseppe e Nina, si girano a guardare i pacchi e pacchetti ancora sotto l'albero di Natale.

"Molto molto molto!" dice Marianne con tono da fanatica.

Vittorio dice "Ci sono altri posti al mondo dove preferireste essere in questo momento?"

"No!" risponde la sua famiglia.

"Questo è il mio posto preferito di tutto il mondo!" dice Nina, mi manda una fitta sottile di delusione attraverso il cuore.

"È il primo dell'anno più fantastico nella famiglia più fantastica del mondo!" dice Jeff-Giuseppe, con gli occhi verso i regali da aprire.

"Speriamo che *tutti* siano altrettanto felici, in questo momento!" dice Marianne con uno sguardo che include anche me tra milioni e milioni di abitanti del mondo.

Io ho la nausea, mi viene da vomitare. Mi piacerebbe farlo, sul loro tavolo di scena in questo teatrino melassato: rovinargli la festa, vederli correre con stracci e catinelle d'acqua, vedere come se la cavano a ripulire la loro moquette superimbottita.

Jeff-Giuseppe però dice "Non guardiamo i regali?" già mezzo alzato e proteso verso l'albero di Natale; e lo ammazzerei per la sua insistenza, mi chiedo perché diavolo abbiano dovuto aspettare il primo dell'anno ad aprirli. Marianne dice "Certo", e anche Nina si alza, Vittorio dice "Guardiamo, guardiamo."

Sono andato verso la scala per risalire nella mia stanza più rapido che potevo, sottrarmi alle loro scene di sorprese famigliari. Marianne mi ha intercettato proprio quando mi sentivo già quasi in salvo, ha detto "Tu non li guardi, i regali?"

Mi ha stretto un braccio con una mano carica di sollecitudine insistente, mi ha trascinato indietro, all'albero di Natale. Non ho avuto altra scelta che chinarmi a guardare insieme a loro i quattro pacchi e pacchetti infiocchettati, e tutti e quattro avevano scritto *Uto* sopra, mi è venuta una vera vertigine da abisso di disagio puro.

Ho cominciato a scartarne uno, con lo stomaco annodato e un desiderio di fuga insopportabile nelle gambe. Tutta la famiglia Foletti mi stava intorno, in un incrocio stretto di gesti e sguardi, sentimenti amplificati e mandati avanti senza la minima traccia di senso della misura; non riuscivo neanche più a capire che parte di recita e che parte di sincerità, che parte di intenzione didascalica, che parte di compiacimento ci fosse.

Nel primo pacco c'è una grossa scatola di legno, nel secondo un libro di pensieri del guru, nel terzo delle matite di legno grezzo, nel quarto un paio di calze di lana color albicocca pallido. Ogni spacchettamento è una specie di tortura, mi scottano le dita e mi scotta la faccia per l'attenzione con cui la famiglia Foletti segue i miei gesti e le mie espressioni; per la concentrazione affettuosa e implacabile con cui mi stanno addosso.

Regali così giusti, anche: così utili e naturali, senza scritte né imballi industriali di plastica o cartone, scaturiti ognuno da un'attenzione perfettamente mirata eppure dallo stesso spirito. Parti di un esercizio su un tema, più che semplici oggetti nati da ispirazioni casuali; pesanti come dichiarazioni di princìpi, messe sotto l'albero di Natale a illustrare ed esemplificare concetti più vasti.

Sto in piedi al centro della famiglia Foletti con i loro regali tra le mani, mi sembrano accuse materializzate al mio non averne portato nessuno per loro, al mio non saperli apprezzare; non so dove metterli, cosa farne.

Marianne mi indica la scatola di legno, dice "Questa l'ha fatta Vittorio. Vedi i buchi sopra? È per contenere qualcosa, ma anche per lasciar passare l'aria, no?"

Hanno tutti questo modo di dire "No?" come il guru; forse non se ne rendono neanche conto, forse lo fanno di proposito.

Vittorio mi dà un'occhiata a distanza, in attesa di complimenti o ringraziamenti; non gli dico niente, guardo via. Marianne mi dice "Le calze le ho fatte io, spero che ti vadano giuste. È una lana elastica, in ogni caso, vedrai che ti si adattano ai piedi."

Io spero solo che la smetta, mi lasci scivolare via con il suo regalo e quelli dei suoi famigliari; ma continua a starmi addosso con lo sguardo azzurro infervorato di buone intenzioni, non mi molla. Dice "Le matite sono da parte di Nina, credo. Il libro te lo regala Jeff."

Faccio di sì con la testa, con meno enfasi che posso, cerco di tagliare fuori la sua voce e gli sguardi degli altri. Non riesco a credere di essere stato così cretino da arrivare qui senza prevedere davvero tutta la situazione, non riesco a credere di averci pensato in modo così superficiale. Guardo verso la scala come un animale in trappola; guardo verso le porte vetrate con un impulso disperato di essere fuori, lontano dalla casa, lontano da me stesso così cretino.

Marianne se ne rende conto, è talmente percettiva e allerta tutto il tempo e questo mi fa sentire ancora più in trappola; dice "Non hai ancora visto lo studio di Vittorio, e il suo laboratorio, e le serre."

Gli altri membri della famiglia sono sazi dello spettacolo del mio spacchettamento; Jeff-Giuseppe dice "Se vuoi ti ci porto io" sull'onda dell'euforia che gli gira ancora nel sangue.

"Usciamo tutti," dice Vittorio. "Andiamo a fare un giro."

È già quasi arrivato alla camera vetrata di decompressione, con Jeff-Giuseppe e il cane dietro, prima che io possa dire che non mi interessa, non ne ho voglia.

Cerco di ripararmi dietro gli oggetti che ho in mano, li alzo insieme alle carte scartate, ma Marianne dice "Lascia pure a me. Tu vai, vai." Mi toglie tutto di mano, mi spinge verso la porta, dice a me e ai due uomini "Andate voi. Intanto io e Nina sparecchiamo." Nina le dà un'occhiata rapida, non sembra del tutto convinta ma sorride subito dopo, le dà un bacio. I miei passi vanno al contrario del mio istinto, attraverso il soggiorno e oltre la prima porta scorrevole a vetri.

Fuori la neve continua a cadere fitta, il silenzio ancora più denso della sera prima, ogni movimento rallentato e abbagliato nella luce bianca violenta. Ho tirato fuori di tasca i miei occhiali da sole, me li sono messi. Camminavo in un modo diverso, quando li avevo: acquistavo una specie di equilibrio superiore, più impermeabile alla pressione continua del mondo.

Vittorio si è allontanato di una ventina di passi dalla casa, ha fatto un paio di giri su se stesso con le braccia in fuori, scarponi da boscaiolo ai piedi, grosse gambe da artista-lavoratore nei calzoni di velluto a coste larghe, faccia in alto per lasciarsi cadere la neve sulla fronte e sugli occhi e in bocca. Ha detto "Non è una meraviglia incredibile?"

Parlava forte, ma lo spessore della neve già caduta tutto intorno smorzava le sue parole appena pronunciate, non lasciava nessun alone di risonanza. Ha gridato "Eh?", a me e a Jeff-Giuseppe e al paesaggio silenzioso.

Il cane ha abbaiato, Jeff-Giuseppe ha detto "Sì!" nella sua voce ibrida. Ma Vittorio non aveva bisogno di vere risposte: ha gridato "EEEEEH?" traboccante di energia e di stupore e di compiacimento per la sua energia e il suo stupore; e solo a girarsi poteva vedere la sua grande casa di legno con dentro le sue due donne nella sua radura al centro del suo bosco, come un grande bambino cresciuto e realizzato che può concedersi di essere ingenuo nel proprio terreno protetto, senza rischi. Il cane Geeno ha abbaiato più forte, rinculava di qualche centimetro a ogni abbaio. Vittorio ha raccolto un mucchietto di neve a piene mani, ha gridato "NON È FANTASTICO?"

"Sì!" ha stridulato di nuovo Jeff-Giuseppe. Saltava in giro come un giovane canguro, si è chinato a raccogliere anche lui della neve ma Vittorio è stato più svelto, gliene ha tirato una palla prima che lui avesse il tempo di compattare la sua.

Si sono inseguiti nella neve alta, ben coperti e attrezzati al freddo com'erano, soffiavano fuori vapore e grugnivano e ridacchiavano mentre cercavano di colpirsi e schivarsi. Jeff-Giuseppe ha preso Vittorio a un braccio; Vittorio ha gridato "Colpito!", ha tirato la sua palla a me invece che a lui.

Mi ha preso sul collo, e non me l'aspettavo: l'impatto e il gelo bagnato mi hanno provocato una smorfia di rabbia così intensa che lui mi ha chiesto subito "Ti ho fatto male?" Sorriso-sorriso ansimante, spessori di buone intenzioni nello sguardo che mi spingono indietro a forza, a rileggere il suo gesto in una buona luce.

"No, no," ho detto io, ma gli avrei sparato, se avessi avuto una pistola. Invece ho compattato anch'io una palla di neve, l'ho tirata a Jeff-Giuseppe per rifarmi, con tutte le forze e da pochi metri di distanza. Jeff-Giuseppe ha detto "Ouch", si è portato una mano al collo, aveva le orecchie rosse.

La neve continuava a cadere, fiocco a fiocco a fiocco accresceva lo spessore di bianco e di silenzio, senso di distanza dal resto del mondo. Avevo paura; mi chiedevo perché ero lì, senza progetti né intenzioni definite, abbandonato nei dati di fatto come un naufrago davvero.

Vittorio continuava a guardarsi intorno con stupore almeno in parte recitato, almeno in parte mandato avanti e richiamato indietro secondo gli insegnamenti del guru e di Marianne. Mi ha detto "Allora? Cosa ne dici, Uto?"

"Eh," ho detto io, con tutti i muscoli contratti di fronte all'invadenza delle sue espressioni e dei suoi gesti.

Lui ha guardato ancora in alto, come se stesse assistendo a qualche miracolo dal cielo bianco; mi ha detto "Cosa cavolo ci fai con quegli occhiali da sole?"

"Mi riparo dalla luce," ho detto io, sforzandomi di non avere un tono di giustificazione.

"Ma in un giorno come questo?" ha quasi gridato lui. "Perché devi ripararti da una meraviglia così GRANDE?" E come con Marianne, sentivo il flusso continuo di princìpi e convinzioni acquisite che mi premeva addosso, l'irradiazione a cui Jeff-Giuseppe e Nina dovevano essere sottoposti tutto il tempo. Ha gridato "C'è da togliersi tutti i ripari, semmai! Tutti gli schermi e i filtri e le velature che ti impediscono di VEDERE! Tirati via quei cavoli di occhiali, UTO!"

Non me li sono tolti, naturalmente, e ho continuato a guardare in basso piuttosto che in alto, tenere le mani nelle tasche della giacca.

Jeff-Giuseppe mi seguiva con lo sguardo, attento come un giovane animale in cerca di riferimenti. Suo padre ha scosso la testa, alzato le spalle; troppo impregnato di comprensione e benevolenza universale per insistere oltre.

È sceso costeggiando la casa lungo una leggera pendenza dove aveva spalato un sentiero nella neve; Jeff-Giuseppe e il cane e io l'abbiamo seguito. Guardava i muri di legno della casa come se guardasse una persona o un animale: con lo stesso genere di partecipazione, lo stesso attaccamento venato di apprensione. Mi ha detto "Quattro anni fa qui non c'era niente. C'era il bosco", ha fatto un gesto come per fare sparire la casa.

Ho guardato il bosco, alzato appena le spalle, spinto le mani più in fondo alle tasche; speravo solo che Vittorio scivolasse sulla neve in pendenza, battesse il sedere per terra.

Lui ha detto "L'ho costruita quasi tutta io. Pezzo per pezzo, in pratica. Invece di far fare ad altri, assumere un architetto e un'impresa e tutti i manovali e muratori e tecnici e specialisti.

Sai quando poi magari ti lamenti di come è venuta? Qui l'unico responsabile sono io. Ho fatto i disegni e ho comprato il legno e l'ho tagliato, ho battuto i chiodi uno per uno."

Guardava la casa e guardava me e guardava Jeff-Giuseppe, in attesa di echi naturali.

Ha detto "Mi sono fatto aiutare quasi solo per le fondamenta e le travi portanti e per le cose che non riuscivo a spostare da solo. Poi naturalmente Giuseppe è stato un grande collaboratore."

Jeff-Giuseppe ha sorriso a questa gratificazione, ma incerto; oscillava con lo sguardo tra Vittorio e me, zampettava nella neve.

Vittorio ha detto "Ogni volta che ci penso, mi stupisce. Ogni volta che penso a tutto il *lavoro* che c'è voluto a metterla insieme. A tutta la fatica. Per chiudere uno spazio dove prima c'era il bosco, metterci dentro quello a cui tieni e proteggerlo. Le persone e lo spirito." Mi guardava; ha detto "È una specie di miracolo, no?"

Ho alzato le spalle; gli occhiali scuri aiutavano a ripararmi dai suoi tentativi di invasione.

Lui ha preso una pala appoggiata al muro dove era arrivato a liberare il percorso qualche ora prima, si è messo a spalare via la neve mentre scendeva a ritroso. Me lo vedevo fare questo lavoro di primo mattino, quando la sua famiglia, tranne forse Marianne, era ancora nel più profondo del sonno: rosso in faccia per il sangue che affluiva, mani perfettamente solidali al manico di legno, colpo di respiro violento a ogni colpo di pala; la neve volava via in un percorso ad arco, cadeva sullo spessore di bianco non toccato.

Il cane e Jeff-Giuseppe gli vanno subito dietro nel solco spalato, io seguo a qualche passo di distanza. Sto attento a non scivolare, mi farebbe troppa rabbia finire a terra sulla scia delle sue didascalie di felicità famigliare.

Spala via la neve fino al lato nord della casa, dove un tratto di muro esterno non è ancora completo e si vedono i pannelli interni di isolante attraverso una protezione di fogli di plastica. Posa la pala e torna indietro al lato ovest, ci costringe a precederlo in fila rovesciata. Apre una porta; il cane e Jeff-Giuseppe e io lo seguiamo dentro.

Dentro fa freddo come fuori, ma per fortuna c'è un pavimento di tavole di pino grezzo, non ci si deve togliere le scarpe come nel resto della casa. Grandi tele dipinte e mezzo dipinte e appena preparate e ancora bianche, appoggiate alle pareti e una sopra l'altra, per terra e su grandi cavalletti. Barattoli e tubetti di vernice nuovi e quasi del tutto spremuti, pennelli di varie dimensioni, boccette di solvente, stracci, piatti, bicchieri opachi di colore. Odore di trementina e di olio, di grasso, di legno. Luce ancora più che nel soggiorno, dalle grandi finestre e da un doppio lucernario sopra le nostre teste: ancora più una scatola di vetro, una specie di moltiplicatore luminoso che fa vibrare i pigmenti sulle tele e quelli nei barattoli e tubetti.

Vittorio fa un gesto a indicare intorno, dice "Ecco qui." Più schermato che fuori, meno pressante e frontale. C'è un'ombra leggera di esitazione nel suo modo di fare, rispetto alla convinzione vibrante ottonata da sassofono suonato a pieni polmoni di quando parlava della sua casa pochi minuti fa. Ha un'aria quasi timida mentre indica un quadro sul cavalletto più vicino e dice "Non so ancora cosa diventerà."

Mi avvicino a guardare: le tracce delle pennellate, i tratti di colore che fanno emergere sulla tela una specie di paesaggio rivoltato fibrillante di luci, sempre meno riconoscibile man mano che mi avvicino. Non sono brutti quadri, anche se mi dà fastidio riconoscerlo: hanno una forza essenziale quasi primitiva, al di là delle spiegazioni. Mia madre mi ha detto che Vittorio è uno dei pittori più importanti che ci sono in giro, non solo in Italia ma anche in America e nel resto del mondo; ma questo naturalmente non vuole dire molto, ho visto abbastanza schifezze di pittori importanti.

Lui adesso non mi guarda, cammina tra i suoi quadri, ne scosta qualcuno per farmelo vedere. Dice "A volte ne inizio due o tre o anche quattro alla volta, finché scopro qual è che non posso fare a meno di dipingere."

Jeff-Giuseppe deve conoscere a memoria questi discorsi e tutte le tele una per una; guardicchia appena, si china a grattare il collo al cane, a parlargli come se gli interessasse molto.

Vittorio scosta qualche altra grande tela appoggiata alla parete, giusto abbastanza per farmi dare un'occhiata; me ne fa vedere alcune di quelle più piccole, impilate dorso a dorso sul tavolo di legno grezzo. Alla fine mi dice "Sono tutti così influenzati dall'atmosfera di questo posto. Non ero mai riuscito a lavorare in uno spirito così positivo, prima di venire qui."

Ho fatto di sì con la testa: una semplice escursione verticale di qualche millimetro, non volevo gratificarlo in nessun modo. Tutta l'energia e la serenità di cui loro continuavano a parlare e mostrarsi così carichi aveva solo l'effetto di farmi sentire più perso e fuori gioco, trattenuto a forza lontano dal mondo. Ma i quadri non erano brutti: ci passavo sopra lo sguardo, registravo le vibrazioni dei colori con il variare della mia distanza.

Uto Drodemberg la star, il collezionista. Uno sguardo per la pittura da lama di coltello. Basta che scorra gli occhi su una tela e capisce se è interessante o non vale niente. Non ha pazienza: giudica nello spazio di un secondo, passa oltre. Giudizio implacabile, un fascio laser di intuito puro. Anche un pittore famoso come questo Foletti ne è consapevole, la sua energia comunicativa e la sua sicurezza si smorzano come quelle di un dilettante, per quanto si sforzi di non farlo capire. Uto Drodemberg non si lascia andare a commenti verbali, il suo giudizio è affidato a minime variazioni di espressione. Potrebbe dipingere lui stesso, se ne avesse voglia. Gli verrebbe meglio di chiunque, se solo riuscisse a mantenere l'attenzione abbastanza a lungo.

Vittorio spiava le mie espressioni a occhiate intermittenti, camminava da un punto all'altro della grande stanza. Ha acceso una piccola stufa elettrica, l'ha spenta prima che potesse produrre la minima onda di calore nel gelo dello studio. Ha sistemato dei pennelli in un barattolo, soffiato sopra una tela coperta di segatura. Forse si aspettava un mio commento di qualche genere, e il fatto che io stessi zitto e senza espressioni leggibili lo innervosiva; alla fine ha detto "Va be', volevo solo farti vedere lo studio, non i quadri", ha quasi spinto fuori me e Jeff-Giuseppe e il cane.

Ha recuperato i suoi modi di prima appena richiusa la porta: ha guardato la neve che continuava a cadere e quella depositata tutto intorno sul paesaggio, ha quasi gridato "Cosa può essere qualunque quadro rispetto a QUESTO?", ma era una specie di ammissione di debolezza.

L'ostaggio compie un gesto

Sveglio nel modo più definitivo a neanche le sei del mattino, così nervoso e sfalsato da non riuscire a restare più a letto in nessun modo. Ho dovuto alzarmi e vestirmi, guardare fuori dalla finestra che dava ancora sul buio, guardare tra i libri e i quaderni di Jeff-Giuseppe sugli scaffali.

Quattro libri del guru, dedicati personalmente a lui in una calligrafia larga e non del tutto ferma; potevo immaginarmi lo sguardo chiocciato di sua madre mentre glieli firmava. Un'enciclopedia americana per ragazzi; libri di storia e geografia e inglese per la scuola; qualche romanzo italiano e americano scelto probabilmente da Marianne nel suo stile di prevaricazione beneintenzionata. Un diario, tutto date e nomi e appunti di scuola, senza la minima rivelazione su quello che succedeva dietro la facciata della famiglia Foletti; tra le ultime pagine la foto staccata da una rivista di una ragazzona bionda nuda fotografata attraverso un filtro sfumacontorni. Una scatola di biscotti al cocco, quasi vuota. Fotografie della famiglia Foletti, in piccole cornici e no: insieme al guru davanti alla Kundalini Hall, sorrisi-sorrisi; in piazza San Marco a Venezia; su un terrazzo forse milanese, tutti molto pallidi; su una spiaggia tropicale, senza Nina, Vittorio contento del suo torace.

Mi immaginavo la vita di questo ragazzo di quattordici anni, tra madre e patrigno e guru e scuola e isolamento dal mondo, avrei voluto aiutarlo in qualche modo a venire fuori dalla prigione morbida e luminosa in cui era chiuso. Però mentre ci pensavo mi sono visto riflesso nello specchio del suo armadio, e non mi è sembrato di essere in una situazione molto migliore della sua. Mi sono visto inerte e inefficace e insoddisfatto quasi quanto lui, con cinque anni in più e un carico di atteggiamenti molto più faticosi da mantenere, fatica esistenziale dalla punta dei capelli alle dita dei piedi.

Mi sono sdraiato sul letto a sfogliare uno dei libri del guru, ma facevo fatica a distinguere il senso delle frasi, c'era una tale densità di parole come anima e ricerca e valore profondo e verità da provocarmi un senso dolciastro di saturazione in cinque minuti.

Sono rimasto piatto sulla schiena a guardare il buio attraverso il lucernario, cercavo di pensare a una via d'uscita praticabile dalla mia situazione e non me ne veniva in mente nessuna. Pensavo a tutto il tempo che avevo perso fino a quel momento, ai tentativi patetici e non convinti che avevo fatto di trovare una direzione: come uno che costruisce minuscole barricate e ci sale sopra in belle pose a fronteggiare un'inondazione di noia senza argini né limiti. Mi sentivo infinitamente stanco senza avere fatto niente, e compiaciuto di essere stanco, e nauseato di essere compiaciuto di essere stanco. Ero pieno di nebbia, mi saliva dallo stomaco al cuore alla testa, densa e lattiginosa come il cielo che cominciava appena a sbiancarsi sopra di me.

Sono uscito dalla stanza e sceso nel soggiorno, attento a non produrre il minimo scricchiolio sugli scalini di legno. Geeno il labrador è venuto fuori da dietro un angolo a scodinzolare e premermi contro le gambe in cerca di carezze, l'ho spinto via. C'era odore di zucchero e di cannella e di antiparassitario naturale per cani, l'albero di Natale lampeggiava le sue lucine colorate intermittenti. Ho staccato la spina del trasformatore: spento. Il gran pavese luminoso fuori nello spiazzo invece era ancora ben acceso, faceva uno strano effetto con i suoi aloni rossi e verdi e blu nell'alba ancora incerta. Non nevicava, ma la neve caduta era molto più alta del giorno prima, aveva coperto i percorsi spalati da Vittorio e tutte le impronte di piedi. Il silenzio era intollerabile; mi veniva da gridare, sfasciare oggetti per terra, anche se non sarebbe stato facile su un pavimento così ammortizzato.

Camminavo attraverso il soggiorno, fino alla cucina all'americana; ho aperto il grande frigorifero, guardato l'ordine dei barattoli e le bottiglie e i pacchetti disposti dalla mente meticolosa di Marianne, come un paesaggio interiore perfettamente sotto controllo. Pensavo al gioco di ruoli tra lei e Vittorio, a come lavoravano tutto il tempo alle loro due parti complementari perfezionate negli anni, ognuno per consentire all'altro di recitare meglio e con più rilievo. Ascoltavo la sottile vibrazione del frigorifero e scorrevo lo sguardo tra le griglie cromate dei ripiani, mi veniva in mente il gioco di ruoli tra mia madre e il suo secondo marito, tra il suo secondo marito e il mio mezzo fratello, tra loro e me. Mi venivano in mente le alleanze di facciata e le strategie occulte e gli imbrogli e le simulazioni e i finti equivoci, le buone intenzioni e le cattive conseguenze, i sentimenti manifestati e gli impulsi repressi. Pensavo che ogni famiglia è una specie di associazione a delinquere, dove chiunque può legittimare i suoi peggiori difetti e dare un risalto senza proporzione alle sue qualità limitate; pensavo ai meccanismi di amplificazione e di smorzamento che ogni famiglia riesce a creare per questo, alle doppie e triple paratie con cui si insonorizza dal mondo di fuori. Guardavo il frigorifero da dentro, e mi sembrava che ogni famiglia fosse un meccanismo altrettanto semplice e complesso, fatto di cablaggi e condutture, riscaldatori, vasche di decantazione, evaporatori, schermi isolanti, sistemi di raffreddamento, ammortizzatori, guarnizioni e rivestimenti, smalti di superficie. Mi veniva un senso di vertigine a pensarci; come se quello che un attimo prima vedevo da molto vicino si allontanasse in un telescopio rovesciato di percezioni.

Ho richiuso il frigorifero, fatto qualche passo nel soggiorno cercando di molleggiarmi più che potevo sulle ginocchia; ho provato una scivolata su una gamba mentre con una mano facevo finta di tenere il microfono. Il fuoco nel camino era spento, il riscaldamento centrale mandava appena un alito di aria calda dalle bocchette sulle pareti. Mi muovevo attraverso questo teatrino per rappresentazioni famigliari come un virus in un organismo sano addormentato: parte gratificazione all'idea, parte angoscia, parte frustrazione pura; oscillavo tra queste scaglie di sentimenti a piccoli scatti ravvicinati.

Ho aperto piano la porta subito oltre la cucina, da dove la famiglia Foletti entrava e usciva nella scena del soggiorno, mi sono fermato nel corridoio. Attraverso un'altra porta si sentiva un respiro mezzo russato da giovane ghiro, Nina o Jeff-Giuseppe immersi nella profondità serena del loro sonno da prigionieri non-protagonisti.

Subito oltre c'era uno studiolo, con un fax e due telefoni, fogli e cartellette sulla scrivania, estratti bancari e libretti d'assegni e copie di fatture, fax arrivati e da spedire, fotocopie di vaglia internazionali. Mi faceva lo stesso effetto che guardare la sala macchine di una nave: era lì il motore che permetteva a tutta la famiglia Foletti di andare avanti e stare ferma e manifestarsi nel mondo, riversare all'esterno atti di positività costruttiva, parole, sorrisi, rappresentazioni di sé.

Ho attraversato lo studiolo, fatto qualche altro passo sulla moquette elastica del corridoio, e ho sentito un doppio ansimio da dietro la porta della stanza di Vittorio e Marianne: un registro grave e uno più acuto in cui giocavano piccoli stacchi di voce, parole soffiate mugolate indistinguibili. Mi sono girato di scatto per tornare indietro, ma ho urtato un tavolino nel corridoio, è andato giù con uno spostamento d'aria e scricchiolio di legno; l'ho tirato su in un soffio, sono volato fuori dal corridoio e dallo studiolo e oltre la porta, nel soggiorno di nuovo, ho pescato un libro a caso dalla libreria, mi sono buttato all'indietro sul divano a sfogliarlo.

Fotografie del cratere di un meteorite preistorico in Siberia. Ritmo respiratorio accelerato. Pensieri come lepri in dieci direzioni diverse. Io che corro fuori a salti attraverso la neve; Marianne che con disgusto depurato a forza in un sorriso freddo mi spiega quanto poco bello sia intrufolarsi come ladri nell'intimità altrui; Vittorio in pigiama, fuori finalmente dalla sua benevolenza universale, a gridarmi che sono un intruso e un guardone, cacciarmi di casa.

Non è che l'idea mi preoccupasse molto, anzi. Forse l'incursione nella loro zona e il tavolino caduto erano solo un tentativo inconscio di uscire dalla mia condizione intollerabile di ospite-ostaggio. Avevo passato tutta la vita a fare l'ospite-ostaggio, se ci pensavo; non avevo mai controllato un territorio molto più esteso di una stanza. Diciannove anni intrappolato in un tessuto di vite altrui, ritmi e voci e orari e telefonate e ingressi e uscite altrui; l'unica cosa che ero riuscito a fare era stata compensare e compensare, costruire schermi interiori dietro cui ripararmi. Mi ci ero abituato così tanto che in certi momenti mi sembrava di non avere bisogno di niente per vivere, poter resistere a qualunque genere di interferenze. Mi sembrava di essere una specie di piccolo guru di me stesso, in certi momenti: di avere un equilibrio difficile da intaccare. Però adesso riuscivo a vedermi abbastanza bene dal di fuori, rifugiato sul divano in casa Foletti nel mezzo di una foresta del Connecticut coperto di neve a decine di chilometri dal primo centro abitato da gente normale, e non mi sembrava di essere in una grande posizione. Mi sembrava di essere affaticato e vulnerabile, assediato da tutti i lati, minato di incertezza.

Ma Vittorio e Marianne non sono arrivati, l'aria del soggiorno è rimasta perfettamente immobile e silenziosa, sentivo solo il cane che mordicchiava un osso finto. Ho rallentato il ritmo del cuore, ripreso controllo; mi sono alzato, ho passato una mano tra i capelli per raddrizzarli, ho fatto una giravolta. Fuori il bianco del paesaggio stava riacquistando intensità man mano che la luce aumentava e nel giro di pochi secondi un'energia fredda e intensa mi è salita dentro, mi sono sentito abbagliare dalla sensazione precisa di essere al centro della scena al centro della terra, sotto gli occhi del mondo.

Uto Drodemberg che si alza all'alba, con la più grande naturalezza, quando gli altri sono ancora persi affondati nel sonno più opaco. Non ha bisogno di dormire e non ha bisogno di mangiare, non ha bisogno di niente, lo si vede da come è magro e flessibile, senza sovraccarichi. Il prodotto di una vita difficile, eppure è proprio da lì che ha tratto le sue qualità migliori, la sua capacità di reagire in modi non convenzionali a situazioni ostili. C'è una dimensione ascetica nel suo spirito, una forza senza limiti nella sua struttura leggera; potrebbe vivere d'aria, mettere una mano sul fuoco senza farsi male, camminare a piedi nudi nella neve. Potrebbe dimostrare le tesi meno dimostrabili, sostenere qualunque sfida, accettare scommesse a cento contro uno. Non ha niente da difendere, nessuna posizione di rendita da salvare, non c'è margine di rischio che sia troppo alto per lui. È un eroe. Musica che sale, rock-sinfonica o piano solo. Mozart, o anche musica indiana. Cambiate pure disco, si adatta comunque ai movimenti di Uto Drodemberg che va verso la porta a vetri.

Non è un'ispirazione: non sto a pensare, costruirmi immagini mentali. Sono le immagini che pensano *me*, o è la musica o il paesaggio o la luce, non lo so. In ogni caso vado nella camera vetrata di decompressione per uscire, e invece di mettermi gli scarponi e la giacca mi tolgo anche le calze, mi tolgo il gilè e la camicia, resto in maglietta e calzoni, faccio scorrere la porta a vetri esterna, esco a piedi nudi nella neve alta.

È strano, perché a questo punto non mi aspettavo di sentire freddo, tanto era perfetta la mia noncuranza mentre uscivo, e invece il freddo mi arriva addosso così intenso e profondo e cattivo da farmi bloccare dopo tre passi. Mi investe come un'onda e mi sale dalla pianta dei piedi attraverso il corpo come una fitta di dolore molto concentrato, mi attraversa la testa e le orecchie e la schiena e i fianchi e lo stomaco come un milione di spilli simultanei lunghi dieci centimetri.

Ma ormai è tardi per tornare indietro e rientrare in casa, anche se non c'è nessuno a guardarmi. Cerco di togliere corrente alle mie sensazioni immediate, sentire oltre e guardare oltre e pensare oltre come ho letto di scorsa nel libro del guru a proposito della ricerca della verità, e non è facilissimo, il gelo ritarda solo qualche frazione di secondo e mi assedia con ancora più accanimento. Faccio finta di niente, continuo a camminare nella neve che mi arriva quasi al ginocchio, inspiro dal naso ed espiro dalla bocca, cerco di lasciar scivolare la mia attenzione sul bianco esteso, farla scorrere in orizzontale nella perfetta immobilità dell'aria.

Poco alla volta funziona: acquisto una specie di patina protettiva a ogni passo, il sangue mi rifluisce dentro alla rovescia ma non sembra più gelato, sembra al calor bianco. Non ho idea di perché lo faccio, se è per dimostrare qualcosa a qualcuno o per spirito di teatro o perché questo posto ispira gesti del genere, con tutte le aspettative di spiritualità che ci sono in giro e le parole e le immagini del guru e tutto il resto. Forse non c'è nessuna ragione, come per la maggior parte delle cose che succedono nella mia vita, è solo un impulso che cerco di assecondare, senza tante domande o pause di riflessione.

Cerco di dare slancio alla mia andatura, già che ci sono: alzo le ginocchia e le braccia a ritmo, come una specie di trampoliere orientale che attraversa una risaia. È divertente; mi sembra di toccare appena la neve, rimbalzo sulla superficie soffice e sono già oltre, i miei passi lunghi il doppio del solito, senza la minima fatica. Una volta ho visto un video di un gruppo rock australiano dove facevano una cosa simile, ma sulla sabbia e al rallentatore e con chissà quanti effetti speciali; questo è molto più naturale e viene cento volte meglio. Mi sento leggero, consistente-inconsistente, in controllo di ogni minimo muscolo eppure su un'onda di pura immaginazione. Posso andare in lungo verso il triplo festone di luci colorate, posso girare intorno, saltare in alto. Posso immaginarmi un movimento e farlo; farlo e immaginarmelo con una frazione di secondo di ritardo, non c'è limite. È divertente.

Poi sento un colpo nel silenzio perfetto, stoppato dalla sordina diffusa di tutta la neve intorno come una spaccatura improvvisa dell'aria immobile, mi fa una strana impressione violenta. Mi blocco a metà passo, il cuore mi si blocca: resto sospeso nel mio fiato condensato, con ogni genere di pensieri irrazionali che mi passano nella testa. Mi chiedo se può essere lo scatto di passaggio a un'altra dimensione, come il botto di un aereo a reazione che oltrepassa la barriera del suono; se per caso ho innescato qualche processo irreversibile; cosa sono diventato, dove sono.

Ma c'è un secondo colpo altrettanto netto del primo, e appena giro la testa vedo Vittorio che spacca ciocchi di legno con una scure. Lo vedo prima del secondo colpo, in realtà, anche se per qualche ragione registro il suono prima delle immagini: alza la scure per tutta l'estensione delle braccia e la cala di schianto sul pezzo di tronco che ha davanti, lo spacca in due senza nessuna difficoltà di mira o di equilibrio. Le due metà ricadono da un lato e dall'altro, come una questione risolta o un dato di fatto raddoppiato, con la stessa oggettività neutra e implacabile del gelo che d'improvviso mi assedia di nuovo a trecentosessanta gradi.

Vittorio mi ha visto, si ferma con la scure in mano, bloccato anche lui a metà movimento. Non dice niente, ed è probabile che in quattro anni di questo posto si sia abituato a qualunque tipo di manifestazione con possibili connotati spirituali, ma non ci vuole molto a capire che è colpito. Ci guardiamo da forse venti metri di distanza, come due animali di specie diverse, ognuno incerto del grado di pericolosità dell'altro. Lui irrorato di sangue caldo che gli arrossa la faccia, protetto dal suo giaccone imbottito di piuma e dalla sua struttura muscolare e dal suo grasso corporeo e dagli scarponi e dai guanti, io scalzo e in maglietta e magro e credo pallido come la neve; non troveremmo qualcosa da dirci neanche se ci provassimo. Nessuno dei due cambia espressione; poi lui distoglie lo sguardo, butta di lato i due mezzi ciocchi spaccati.

Io torno verso la casa, di corsa e senza più nessun ritmo suggestivo, perché ora che lo spirito si è rotto il gelo mi si sta richiudendo intorno nel modo più feroce. E vedo Marianne dietro i vetri della sala da pranzo, mi guarda fisso con una mano su un fianco. Non mi immaginavo che mi vedessero; non avevo voglia di fare uno show per nessuno in particolare. È tremendo scoprire tutto questo pubblico adesso, vorrei non essere mai uscito, tornare indietro-veloce e cancellare tutto. Non è un sentimento che rallenta la mia corsa nella neve verso la porta a vetri, con il cuore che mi fa male per lo sforzo di convogliare sangue contro la resistenza accanita del gelo che mi sta assiderando.

Marianne è già nella camera vetrata di decompressione quando ci arrivo, con una coperta di lana chiara tra le mani. Dice "Tieni." Parte apprensiva parte ammirata, parte credo incerta di riconoscermi.

Le dico "No grazie", anche se lo sguardo mi scivola sulla fibra della coperta chiara e soffice e calda e ci si perde come in un miraggio. Devo fare uno sforzo per stare dritto invece di accartocciarmi su me stesso, respirare normale, non tremare in modo visibile, non battere i denti.

Marianne dice "Ci sono quindici gradi sotto zero, lì fuori. Ho visto il termometro sulla finestra della camera da letto."

Dico "Sì?" con tutto il distacco che riesco a fare affiorare ai miei lineamenti, ma la mia lingua fatica a staccarsi dal palato, le mie orecchie sono troppo anestetizzate per giudicare il risultato. Mi rimetto la camicia, con mani così insensibili e irrigidite che non riesco a infilare i bottoni nelle asole.

Marianne segue i miei gesti con il più vicino e partecipe degli sguardi. Indica fuori, dice "Ti ho visto, prima."

"Sì?" dico io, poco più chiaro, cercando di frenare il tremito della mandibola.

Lei mi guarda in un modo soffuso di rispetto e di commozione e di considerazioni profonde, come se pensasse che le parole non bastino. Non c'è traccia di diffidenza o scetticismo nei suoi occhi, non c'è la minima ironia, non c'è distanza eppure non la capisco; mi viene un brivido attraverso il corpo come se dovessi starnutire o scoppiare a ridere, ma non starnutisco né rido. Lascio perdere i bottoni della camicia, me la infilo nei calzoni così com'è. Indico fuori con un quarto di gesto, tanto i miei muscoli sono bloccati dal freddo; dico "È una bellissima mattina."

"Sì," dice Marianne, fa di sì con la testa, sorride. Ricettiva, attenta, accurata, riflessiva, vede significati dove io non ne vedo.

Mi passo i piedi sulle gambe dei pantaloni di pelle per cercare di asciugarli, un piede alla volta mentre sto in bilico sull'altro, e non me li sento neanche più, mi rimetto le calze bucate con gesti molto imprecisi.

Marianne continua a guardarmi, con le labbra socchiuse come se volesse chiedermi qualcosa ma non me lo chiede. Nervosa, anche, sul filo di un'intensità che potrebbe sembrarmi ridicola o patetica o irritante se non fossi quasi assiderato.

Le sono passato oltre, nel soggiorno denso di calore, con un vero sforzo per misurare i passi; sono andato dritto verso il camino acceso, mi sono lasciato cadere nella poltrona più vicina al fuoco.

Molto dopo Marianne era ancora lì vicina alla porta scorrevole dell'ingresso, con la coperta di lana chiara ancora tra le mani, il suo modo molto equilibrato di stare in piedi. Mi ha detto "Vuoi un caffè d'orzo?"

Ho detto solo "Aha", ho fatto appena di sì con la testa.

Al tempio-fungo

Verso le undici e mezza di mattina sdraiato sul letto tra noia e torpore, antenne verso l'esterno. Ascoltavo i rumori dal resto della casa, sfogliavo senza attenzione il libro del guru che Marianne mi aveva regalato per interposta persona. Avevo due o tre immagini di me in movimento per il mondo, ma non riuscivo a seguirle a lungo, le lasciavo dissolvere a metà passo e dovevo ricomporle da capo. Ogni tanto mi guardavo allo specchio dell'armadio; avrei voluto essere più sicuro dell'effetto delle mie espressioni.

Passi sulle scale di legno. Muscoli contratti, allarme-allarme, in piedi al centro della stanza in una posa difensiva: testa bassa e spalle alzate, una gamba più avanti dell'altra. Vittorio che sale per fare battute sul mio passo del trampoliere nella neve mentre lui spaccava legna, chiedermi come sto e se ho bisogno di parlare di qualcosa. Sguardo-offerta d'aiuto, univoco e implacabile, l'arroganza umile dei buoni che hanno tutto. Aprire la porta e dargli una testata al plesso solare con tutte le forze prima che abbia il tempo di rendersi conto di niente; o buttarmi per terra e fare il morto, saltare in piedi e correre fuori di casa appena lui scende a cercare aiuto. O saltare dalla finestra, anche se è una finestra alta e malgrado tutta la neve sotto mi romperei quasi di sicuro qualche osso, dovrei trascinarmi via in modo pietoso.

Ma non è Vittorio che bussa alla porta e dice "Uto?" È Nina, timida e distratta da altri pensieri; dice "Sei lì?" con l'impaccio di chi è stato mandato.

Così dico "Entra"; esco dalla mia posizione di difesa nel decimo di secondo che le ci vuole ad aprire, mi passo una mano tra i capelli per riverticalizzarli.

Quando è due passi nella stanza sembra meno impacciata della sua voce poco prima: ha un modo abbastanza diretto di guardarmi negli occhi, dire "Marianne vuole sapere se hai voglia di venire con noi al tempio."

"Quale tempio?" le chiedo, cercando un tono di voce noncurioso, non-esitante. Non mi dispiace che sia salita lei, con questo suo profumo di gommapane, di mela verde dalla polpa bianca.

"Il tempio," dice lei, alza le spalle. Magra all'osso, non credo che potrebbe esserlo molto di più con la struttura che ha. Se mangiasse è probabile che la sua figura naturale sarebbe stagna e ben piantata, come suggeriscono gli zigomi larghi ereditati da suo padre; dev'essere di questo che ha paura. Mastica un chewing-gum, ho visto il pacchetto sul tavolo del soggiorno, al fluoro e vitamina C senza zucchero, è impossibile trovare qualcosa che faccia male in questa casa.

Mi è venuto anche da dirle una frase prefabbricata, del genere "Perché non ti siedi un momento?", ma non ci sono riuscito. Non ero mai stato molto bravo ad attaccare bottone con le ragazze; tutto quello che riuscivo a fare era lavorare alla mia immagine, diventare più interessante e suggestivo che potevo in modo che fossero loro a fare la prima mossa. Se non la facevano, non avevo gesti o parole di riserva, ero a terra.

Le ho detto "È divertente, al tempio?", con la testa mezzo inclinata per vedere come lei reagiva, pronto a sorridere. Lei ha solo stretto le labbra e alzato le spalle di nuovo; il suo sguardo correva lungo le pareti e sul pavimento, era già fuori dalla stanza.

Sono sceso dietro di lei per le scale, le ho guardato il sedere magro sotto la stoffa dei calzoni; dopo i primi gradini guardavo me dal di sotto per capire che effetto facevo visto dal soggiorno.

Jeff-Giuseppe era seduto sul pavimento a mettere insieme un puzzle della città di Londra, è saltato in piedi appena Marianne è arrivata a dire "Andiamo, allora?" Gambe nervose, braccia che oscillavano libere a ogni spostamento del bacino: passione e slancio e capriccio e zelo, forse desideri e bisogni non confessati che dal fondo protetto della sua vita premevano sulla superficie luminosa.

Nina non l'ha quasi guardata, è andata nella camera vetrata di decompressione a vestirsi. Marianne l'ha seguita con uno sguardo teso, parte apprensione parte disapprovazione ma ogni sentimento infuso di benevolenza; si è girata verso di me, ha detto "Che bello che vieni anche tu."

Ho fatto di sì con la testa, mi sono rimesso gli occhiali da sole.

Marianne ha detto a Jeff-Giuseppe "Vai a chiamare papà"; lui è scattato subito, nel suo modo impreciso e volenteroso da figlio di mamma, si è infilato scarponi e giaccone e cappello, ha fatto il giro intorno alla casa per bussare allo studio di Vittorio.

Pensavo che anche mia madre aveva cercato per anni di farmi chiamare papà il suo secondo marito, e ogni volta le dicevo "Chi?" Nella famiglia Foletti invece ogni rapporto e gesto e sentimento aveva la sua etichetta giusta, ogni persona sembrava a suo agio nel suo ruolo; mi faceva paura, mi faceva rabbia.

Alla fine ci siamo caricati tutti sulla Range Rover. Marianne ha insistito perché io mi sedessi davanti di fianco a Vittorio, non capivo se per spirito di sacrificio verso gli ospiti o per non farmi stare ginocchio contro ginocchio con Nina. Non ero mai sicuro di queste cose, per tutta la mia ipersensibilità agli sbalzi continui negli umori e nelle decisioni femminili; ne avevo solo percezioni sfumate, come un pescatore che intuisce una presenza di pesci in un tratto di mare ma non sarebbe in grado di quantificarla sulla carta o di spiegarla; avevo sempre dubbi e incertezze fino a ridosso dei fatti.

Vittorio intanto era tutto preso dal suo ruolo di autista e conduttore della famiglia: guardava la strada, teneva le mani ben ferme sul volante. Marianne dietro si è messa a cantare "Om" tutta ispirata e lui le è andato dietro, Jeff-Giuseppe e anche Nina le sono andati dietro, tutto l'abitacolo vibrava di note concordi.

Proprio verso la fine della strada privata Vittorio ha frenato di scatto, fatto pattinare la Range Rover sulla neve per qualche metro. Indicava sulla destra, ha detto "Guardate."

Abbiamo guardato tutti: c'era un gruppetto di quattro o cinque cervi affacciati dalla boscaglia, fermi e perplessi.

Vittorio ha spento il motore; siamo rimasti immobili a guardare. I cervi stavano immobili come noi, con la testa in avanti e tutti i muscoli tesi, ci fissavano e fiutavano l'aria. Il paesaggio era altrettanto fermo, inondato di neve e di luce bianca com'era. Eravamo tutti congelati in una specie di fotografia panoramica che bloccava i nostri movimenti e i nostri pensieri e i nostri stati d'animo e le complicazioni tra noi; avremmo potuto restare lì per sempre.

Poi Jeff-Giuseppe ha tirato giù il suo finestrino, e i cervi sono scattati via tra gli alberi in meno di un secondo; sono rimaste solo le loro impronte sulla neve.

Marianne da dietro mi ha posato una mano sulla spalla, ha detto "Hai visto? Erano venuti per te."

Vittorio ha dato un'occhiata rapida alla mano di Marianne, proprio mentre lei la ritraeva; ha detto "Sì. Sono venuti per salutarti." C'era questa concordia ultracollaudata tra loro, ostinata e fonda, ricopriva la minima crepatura prima ancora che uno potesse registrarla.

Marianne ha detto "Che meraviglia, eh?" Sorrideva a suo figlio e a Nina e a me, cercava di comunicarci il suo stupore didascalico. Non capivo nemmeno perché fossero tutti così colpiti, non mi sembrava un evento tanto straordinario vedere dei cervi in una zona coperta per centinaia di chilometri di foreste. È che coltivavano lo stupore con la più grande cura: prendevano l'evento più insignificante come un segnale da interpretare e rileggere fino a capirne il senso profondo.

Vittorio ha aspettato qualche secondo prima di rimettere in moto, arrivare alla strada principale e da lì guidare fino al tempio.

È una specie di fungo di legno in cima a una collina, come una torre di controllo da aeroporto ma molto più grande e con finestre sottili invece delle vetrature; come un ufo posato in un punto dominante sulla pianura.

Abbiamo lasciato la macchina e ci siamo avvicinati a piedi, con Vittorio e Marianne che indicavano intorno e mi spiegavano la storia della costruzione senza che io registrassi niente. Jeff-Giuseppe e Nina venivano qualche passo più indietro, meno comunicativi dei loro genitori ma del tutto rassegnati. Siamo saliti per una scala esterna di legno, entrati in una sala-spogliatoio-ingresso calda come una piscina coperta.

Di nuovo ci si deve togliere le scarpe per passare alla parte più interna, lasciarle insieme alle giacche. Marianne mi dice in un orecchio "Una volta seduti bisogna stare più fermi e silenziosi che si può." Ha una vera eccitazione infantile di fronte a queste cose, le fa vibrare la voce e lo sguardo su una frequenza rapida. Vittorio passa oltre con la sua figura massiccia, non gli leggo niente nello sguardo. I due ragazzi eseguono i gesti prescritti, inerti.

Dentro la pianta è circolare, una fenditura stretta e lunga in cima al tetto fa entrare una lama di luce che scende attraverso lo spazio non illuminato fino a un cerchio di cedro rosso, al centro della grande sala. Signore anziane dal sedere di elefante, hippy di mezza età velati di grigio, ex ragazze sbiondate e arrossate di henné, semimonache quasi rapate, apparenti turisti americani medi. Seduti a gambe incrociate, guardano silenziosi la luce sul tondo di cedro.

Marianne mi fa cenno di sedermi per terra, come Vittorio e Jeff-Giuseppe e Nina e tutte le altre persone sotto la cupola. Lo faccio, senza nessuna voglia, senza divertirmi; mi sento scemo come a una recita scolastica.

Il pavimento è coperto di una moquette morbida e imbottita quanto quella di casa Foletti; il silenzio è venato solo dai fruscii delle ultime persone che entrano e scelgono un punto dove sedersi nella posizione del loto. Respiri, soffi, aggiustamenti. Poi si sente suonare una campanella, e tutti si bloccano come sono; il silenzio diventa fondo da fare paura, come se la grande sala circolare si fosse staccata da terra, salisse davvero come un ufo nello spazio.

Cerco di stare fermo anch'io, guardo la lama di luce che scende dall'alto e illumina il legno rosso, guardo il pulviscolo luminoso che attraversa, ma non riesco a concentrarmi. Mi piacerebbe anche: sarei felice di provare qualche genere di suggestione intensa, entrare in trance o in uno stato di stupore mistico, ricevere all'improvviso percezioni straordinarie. È che sono troppo consapevole dei limiti della situazione, dei culi da elefante delle signore sedute e della calvizie mal portata dei vecchi hippy, della posizione rigida di Vittorio seduto tutto intento dieci metri alla mia destra con le mani sulle caviglie. Avrei bisogno di un contesto meno naïf, forse, di una scenografia più accurata, comparse migliori, ragazze carine. Avrei bisogno di un vero pubblico più esteso, per poter entrare davvero nella situazione.

Uto Drodemberg che levita, a gambe incrociate com'era seduto sul pavimento. All'inizio si stacca solo di qualche millimetro dalla moquette, non ce ne si accorge quasi ma si stacca, c'è proprio uno spazio vuoto sotto. Sorride, con i gomiti ben aderenti ai fianchi, le mani sulle ginocchia a palmi in su, l'indice e il pollice che si toccano. Gli sguardi di tutti gli arrivano addosso da tutti i lati. Lui continua a salire lento e regolare al centro della cupola di legno, sostenuto a mezz'aria e portato ancora più in alto dallo stupore delle persone sedute. Stupore-ammirazione, attenzione densa come l'aria sotto l'ala di un aereo, lo sostiene e gli provoca una specie di solletico diffuso fino al cuore. Sale e sale, senza fatica e senza pen-

sieri, nella lama verticale di luce che a tratti lo fa sembrare quasi trasparente, e gli viene molto più facile che nuotare, molto più esaltante. Quando è vicino alla fenditura vetrata in cima alla cupola da dove entra la luce, guarda sotto, con un sorriso carico di tutti i significati del mondo. L'attenzione generale che lo sostiene è così intensa che potrebbe farlo arrivare fino alla luna, se lui volesse. È più di qualunque concerto rock, più di qualunque film o videoclip o scena di libro: l'onda di risposta lo intride fino all'anima di energia pura. Potrebbe fare qualsiasi cosa, in questa condizione, non ci sono limiti. Potrebbe mandare avanti o indietro il tempo, risolvere tutti i problemi del mondo, far tornare giovani le vecchie semimonache vestite color pesca e snellire le signore con i culi da elefante, far tornare i capelli in testa agli hippy pelati che lo guardano con il naso in aria. È una condizione così semplice da raggiungere, anche, così accessibile e divertente. Si stupisce solo di non averci mai provato prima, non essere levitato sopra tutti gli spigoli e le barriere e le superfici abrasive e le difficoltà meccaniche che gli hanno reso difficile la vita a terra fino a questo momento. Era solo questione di trovare la chiave, ci voleva così poco a salire e lasciarsi fluttuare nell'aria, guardare sotto con questo divertimento ultraconcentrato.

Ma non ci riesco. Guardo la lama di luce, e non mi succede niente. Non mi sento levitare, non sento grandi o medie o piccole trasformazioni dentro di me. Sono distratto, continuo a guardare le altre persone sedute a occhi chiusi e gambe raccolte: una donna grassa che produce un sibilo sottile dal naso con ogni respiro, un sopravvissuto degli anni sessanta con una coda di cavallo lunghissima e sottile, una semimonaca dalla testa quasi calva piccola come una lampadina. Poi c'è la famiglia Foletti, dispersa in vari punti, madre e figlio vicini da una parte con i loro profili simili, Nina assorta per conto suo, Vittorio raccolto come in preparazione di un incontro di catch o di lotta cinese. Stringe le mani grosse sulle caviglie, e mi sembra di percepire il suo sforzo per adeguarsi a questo posto depurato e smaterializzato, fare contenta sua moglie e tenere insieme una famiglia fatta di pezzi diversi. È un vero sforzo fisico, mi sembra, e lo impegna ai limiti delle sue risorse, senza margini per pause o distrazioni; fa rabbia e fa quasi pena, a guardarlo così.

Poi sono fermo in questa posizione da chissà quanto e non ne posso più, i muscoli delle gambe e della schiena mi fanno male, le espressioni assorte delle persone sedute intorno alla luce verticale mi sembrano sempre più irritanti. Non ho nessuna voglia di restare zitto e immobile fino al suono dell'altra campanella; mi viene da mettermi a gridare al più forte e più stridulo della mia voce, dare un calcio a qualcuno e farlo imbestialire, provocare un corto circuito di buone intenzioni.

Invece comincio a inclinarmi in avanti, abbasso la fronte fino a toccare il pavimento, abbasso le mani sopra la testa, le faccio scorrere sulla fibra lanosa della moquette, scivolo avanti e indietro. Flessibile sono flessibile, non mi viene male, sento gli sguardi indiretti di tutti quelli seduti che fanno finta di essere perfettamente assorti a occhi chiusi; rialzo lento il busto e le braccia, unisco le mani in una specie di movimento di danza balinese. L'attenzione c'è, anche se non da farmi levitare fino in cima alla cupola: c'è quest'onda moderata, attraverso le palpebre semichiuse e le posizioni raccolte e le piccole sfere di concentrazione, me la sento arrivare addosso. Mando un braccio in avanti, l'altro indietro e li faccio ruotare, giro il busto di lato e lo abbasso di nuovo, in rotazione sopra il pavimento; raccolgo gli sguardi-non-sguardi di tutte le persone immobili a gambe incrociate. Non è male, non sarebbe un brutto video se ci fosse qualcuno con una cinepresa, i movimenti sono già sincronizzati perfetti sulla musica che ho in testa.

Marianne sonda il terreno

Nel pomeriggio Marianne è venuta a portarmi una tisana di melissa, mentre ero mezzo sdraiato sul divano nel soggiorno con un libro di storia delle religioni in mano e nessun pensiero focalizzato in testa.

Ha posato la tazza sul tavolino davanti a me, e una ciotola di biscotti alle mandorle, guardava me e il divano come se volesse sedersi ma non osasse. Non le ho detto niente, ho preso un biscotto, fatto finta di leggere. Avevo questa tecnica di invisibilità: consisteva nello sfumare i contatti visivi e mentali con chi mi stava davanti, allontanarmi dentro fino a sparire anche fuori. Non funzionava sempre, dipendeva anche dalla persistenza degli altri.

Con Marianne per esempio non ha funzionato: si è seduta sul divano, anche se più sull'orlo che poteva, con il busto proteso in avanti e gli avambracci sulle ginocchia. Desiderio di comunicazione, buoni intenti, aspettative, richieste; narici dilatate, naso delicato bianco arrossato, sguardo azzurro che sondava e risondava la breve distanza.

MARIANNE: Ti interessa?

(Indica il libro che lui ha in mano.)

UTO: No.

MARIANNE: Certo.

(Sorride; in pratica non c'è mai un momento in cui non lo faccia.)

MARIANNE: Sono così contenta che Jeff e Nina abbiano l'occasione di conoscerti.

(Uto prende un altro biscotto dalla ciotola, tiene lo sguardo fisso sul libro.)

MARIANNE: Jeff è pieno di ammirazione per te, lo conosco bene. È in una fase in cui ha bisogno di punti di riferimento accessibili, modelli da seguire. Anche Nina ti studia, non credere. È così incerta, in questo periodo. Non sa bene cosa fare con la scuola, non sa se vuole restare qui o tornare in Italia da sua madre. Non mangia niente, ha questa forma di anoressia abbastanza seria. Siamo molto preoccupati per lei. Molto.

(Lui prende un sorso di tisana, non chiude il libro, non la guarda.)

MARIANNE: È una forma di ricatto affettivo, è in tutti i manuali di psicologia. L'abbiamo portata da quattro medici diversi, ma non è una cosa che si può risolvere con le medicine, e degli psicologi non si fida. Dice che si fida solo dello Swami, ma finora nemmeno lui è riuscito a farla mangiare. Vittorio pensa che sia colpa sua, è una cosa che lo fa disperare. Sta cercando con tanta intensità di costruire la felicità per tutti noi, non riesce a capire dove può avere sbagliato con lei.

La mia tecnica di invisibilità non funzionava per niente, era inutile insistere. Ho posato il libro, mi sono seduto più dritto.

Marianne mi ha detto "Stai bene?"

"Benissimo," ho detto io, appoggiato all'indietro con la migliore espressione di sofferenza che mi veniva.

Marianne continuava a sondare i miei lineamenti, ha detto "Dev'essere stato così difficile, per te. È meraviglioso che tu sia riuscito a reagire in questo modo."

Ho detto "Sì?"; mi veniva da ridere.

Lei ha indicato il pianoforte a mezza coda all'altro lato del soggiorno, ha detto "Suonalo quando vuoi. In qualsiasi momento. Voglio dire, sentiti libero di fare quello che ti pare, in questa casa."

Le ho detto "Grazie" senza nessuna enfasi, nessun colore nella voce. A volte è anche una questione di tempo, per l'invisibilità, bisogna che gli altri si rendano conto che non ci sei.

Marianne ha detto "Anche se hai voglia di parlare. Noi non vogliamo forzarti, preferiamo che sia tu a decidere."

"Non è che ci sia molto da dire," ho detto io. Avrei voluto rompere l'assedio, più che altro, visto che non riuscivo a diventare invisibile.

Lei alla fine si è alzata; ha detto "Comunque sappi che siamo felici che tu sia qui con noi."

L'ho guardata scivolare via al margine del mio campo visivo, mi chiedevo se la mia posizione di ostaggio stava peggiorando in modo costante.

Vittorio cerca di comunicare

Vittorio nella camera vetrata di decompressione, con addosso un giaccone a scacchi e una sciarpa e un berretto di lana, batte sulla porta scorrevole interna, fa gesti verso di me.

Sono in uno stato perfetto di inattività, il suo richiamo mi disturba come un atto di guerra. Provo a non reagire, lasciare dissolvere la sua presenza, ma lui fa scorrere il vetro interno, dice "Uto? Non mi daresti una mano a mettere su dei pannelli?"

E naturalmente ci sono milioni di cose che preferirei fare prima di dargli una mano con i pannelli, ma provo anche uno strano piacere rovesciato all'idea di farmi esasperare completamente da lui e dalla sua famiglia, da questo luogo spirituale del cavolo. È una sensazione che conosco: una specie di attrazione per il fastidio, o un bisogno di accumulare elementi di rancore. Così mi alzo e vado a mettermi gli scarponi e la giacca nel freddo intermedio tra i due vetri scorrevoli; esco dietro Vittorio.

Lo seguo nel percorso intorno alla casa che lui ha già spalato di nuovo nella neve, senza girare la testa quando mi indica qualcosa, senza rispondere alle sue osservazioni.

Sul lato nord della casa ci sono già alcuni pannelli di legno appoggiati al muro da finire, una scala, una cassetta di attrezzi. Vittorio prende una manciata di chiodi e si ficca in tasca un martello, sale sulla scala. Da sopra mi indica i pannelli, dice "Me ne passi uno?"

Ne prendo uno, e gli spigoli aguzzi e gelati mi fanno male alle dita, mi aumentano di altre dieci volte il fastidio e il rancore, il piacere rovesciato per il fastidio e il rancore. Avrei voglia di scuotergli la scala, invece, farlo cascare giù con tutte le sue buone intenzioni costruttive.

Gli passo il pannello; lui si ficca i chiodi in bocca e lo tira su con una mano sola, lo preme nella posizione giusta contro il telaio di legno, prende un chiodo e comincia a martellarlo con grande energia.

Poi ha appena fissato il primo pannello, e riprende a nevicare: fiocchi grandi e fitti, come una cascata bianca quasi del tutto silenziosa. Vittorio guarda in alto, sembra sul punto di dire "Porca miseria" o qualcosa del genere, ma non lo dice: vedo l'impulso che gli affiora sui muscoli della faccia e si blocca, si dissolve quasi subito. Sta fermo, soffia fuori l'aria; nel giro di due secondi riesce anche a sorridermi. Dice "Pazienza. Montiamo quelli che sono qui fuori, il resto lo facciamo un altro giorno."

Mi fa impressione vedere quanto si è addestrato a tenere sotto controllo anche i suoi istinti più rapidi: li fa stare al piede a comando come il cane Geeno, li fa camminare sul lato giusto del marciapiede quando avrebbero voglia di correre, li fa rotolare su un fianco e alzare le zampe nel modo più inoffensivo quando avrebbero voglia di mordere. Mi chiedo quanto ci ha messo, quanto gli costa. La sua natura lo spingerebbe così visibilmente in un'altra direzione; mi chiedo che conseguenze a lungo termine può avere questo genere di controllo.

Lui resta ancora qualche secondo a guardare la neve che cade fitta, poi dice "Mi passi un altro pannello, per piacere?"

Glielo passo, avvelenato di nuova rabbia all'idea che nemmeno gli venga in mente che possa non piacermi stare lì sotto a fare l'aiuto manovale nella neve.

Lui non aveva il minimo dubbio, sollevava e premeva e martellava con tutte le sue forze, inchiodava pannelli al telaio di legno in modo da chiudere a sandwich gli spessori argentati di isolante.

"È semplice, eh?" ha farfugliato. Si è tolto i chiodi di bocca per parlare meglio, se li è ficcati in una tasca dei calzoni; ha detto "In questo paese è una specie di gioco da bambini costruire case. In Italia con i mattoni e la malta e il cemento è tutto così *definitivo*. Il paese è coperto di mostruosità definitive, dalle Alpi fino giù alla punta."

Lo guardavo dal basso, da sotto le suole a carrarmato dei suoi scarponi da boscaiolo, con la schiena gelata e il freddo crudele che mi entrava nelle ossa. Non facevo molti movimenti, a parte allungargli le tavole di legno quando me le chiedeva o porgergli altri chiodi, non certo abbastanza per scaldarmi quanto lui che non si fermava un solo istante.

Ha detto "Queste sono capanne, più che vere case. Anche quelle che sembrano più imponenti, sai con i colonnati neoclassici e i patii presidenziali e tutto il resto? Se dai un colpo violento su un muro qualsiasi, lo passi da parte a parte. Sai come nella storia dei tre porcellini?"

È strano sentirgli dire queste cose mentre ci lavora con tanta energia fisica, i muscoli e i polmoni impegnati allo spasimo. Mi sembra di leggere nel suo tono un risentimento appena avvertibile per questa casa, che si estende come un'ombra leggera all'idea di averla costruita per questa famiglia in questo luogo in questo paese. È così poco avvertibile che non ne sono affatto sicuro, mi dà solo una piccola lama sottile di speranza.

Lui dice "Fa anche tenerezza, una casa fragile. Hai questo diaframma di legno e vetro tra te e l'universo, ti ripara dal freddo e dal buio ma sai che è solo fino a un certo punto. Sai che non puoi farci affidamento più di tanto, o per più di tanto tempo. Sai che se smetti di riscaldarla e di tenerla in ordine e di tenerla insieme ci mette poco a tornare una grossa scatola di assi di legno che se ne vanno in pezzi ognuna per conto suo."

Mi guardava dall'alto della scala, per capire se avevo capito; ha ripreso a battere chiodi nel legno come una furia. Ho dato un calcio alla neve, per il freddo e la rabbia di dover ascoltare questi discorsi semimetaforici dal basso, per il suo tono di chi ha capito tutto della vita. La neve mi cadeva sulla testa e sulle orecchie e sulle mani, mi si attaccava alla pelle con una lentezza gelata implacabile.

Vittorio dice "Un altro", si fa passare un altro pannello di legno. Dice "Chiodi", si fa passare altri quattro o cinque chiodi. Prende il pannello con una mano sola senza posare il martello che ha nell'altra, lo solleva all'altezza giusta, in una specie di gioco d'equilibrio molto sobrio e concreto. Non ha paura di cadere dalla scala, ed è così chiaro che non rischia di farlo: non gli può capitare. È lì sopra, attaccato con la forza delle sue gambe, delle sue convinzioni senza ombre né incrinature.

Dice "Pensare che quando Marianne mi ha parlato di Peaceville la prima volta, mi sembrava l'ultimo posto al mondo dove avrei potuto vivere."

Bam bam bam, il costruttore concretatore di rapporti solidi con il mondo istruisce il povero magretto orfanato sbandato che guarda a testa in su coperto di neve e pieno di rabbia al calor bianco.

Dice "Lontano dalla città, lontano da tutte le menate che avevo? Lontano da tutti i traffici e le complicazioni e gli incontri e le telefonate e gli appuntamenti, da tutto il gioco di possibili sorprese che mi ero messo su? Mi sembrava la morte, solo a pensarci."

E lo è, avrei voluto dirgli, se rivolgergli la parola non mi fosse già sembrato un cedimento alla sua intollerabile violenza comunicativa. Mi chiedevo se nella sua mancanza di dubbi gli veniva per caso in mente che io potessi essere meno che contento a fargli da passatore di pannelli di legno sotto la neve; se riusciva a immaginarsi anche solo come puro esercizio mentale una piccola parte del fastidio e del rancore che provavo.

Lui va avanti, martella e inchioda, sale e scende e sposta la scala e ci risale, chiude a colpo a colpo il muro esterno della casa che si è costruito. Potrebbe continuare così per giorni interi, inchiodare un intero villaggio intorno alle sue convinzioni sedimentate.

Dice "Davvero. Mi consideravo tanto libero e in movimento solo perché non avevo un *luogo*. Sai l'artista senza vincoli né impegni, no? Era come se avessi vissuto in un corridoio per anni, ero convinto di essere libero solo perché non ero mai entrato in nessuna *stanza*."

Bam bam bam bam. Vorrei anche sapere chi tra lui e Marianne ha cominciato questa storia dell'enfasi sulle parole, la doppia sottolineatura di significati: chi ha contagiato chi.

Dice "Mi ci ero affacciato, al massimo, senza staccarmi dagli stipiti delle porte. Sempre con l'idea che la stanza che cercavo non era proprio quella e che ne esistevano tante altre, che la vita di un artista è ricerca continua e forse il suo destino è di restare fuori. Continuavo ad andare su e giù come un topo in trappola, non mi rendevo conto che anno dopo anno ci stavo morendo, in quel corridoio."

Poi ha finito i pannelli, per fortuna: ha guardato sotto e non ce n'erano più, sembrava deluso di non poter finire tutto il muro esterno malgrado la tormenta di neve. Io sono arretrato, fuori portata se mi avesse chiesto di aiutarlo ancora.

Scende dalla scala, va indietro nella neve alta, guarda l'effetto d'insieme, mi guarda per avere un commento.

Non commento. Lui non sembra contrariato; sorride, prende la scatola dei chiodi e va verso una porta, dice "Non hai ancora visto il mio laboratorio."

È una stanza grande come il suo studio anche se un po' meno luminosa, fredda quasi quanto fuori, con un bancone da falegname e una sega circolare e una piallatrice a banco, seghe e martelli e lime e raspe e pialle di varie dimensioni appesi alle pareti, fogli e tavole e blocchi di legno di diversi tipi su lunghe mensole, barattoli di colla, barattoli di cere e smalti.

Sul tavolo e appese a una parete ci sono quattro chitarre acustiche in varie fasi di lavorazione; Vittorio si asciuga le mani con uno straccio, ne prende una finita, me la porge.

È grossa, sul modello di una Gibson J 200 ma più leggera e più ornata, con un intarsio di legno sulla paletta, un intarsio circolare di madreperla intorno alla buca. Rifinita abbastanza bene anche a guardarla da vicino, un lavoro quasi professionale se non fosse per le incollature un po' smarginate, le stuccature alle giunte del legno.

Vittorio mi passa lo straccio, dice "Ti dispiace asciugarti?"

Gli ridò la chitarra, mi asciugo le mani con un gesto rallentato dalla rabbia e dall'incredulità. Non ho solo le mani bagnate, sono tutto bagnato e congelato per averlo aiutato fuori sotto la neve, è pazzesco che non si renda conto che è colpa sua.

Lui mi guarda con la chitarra protesa, dice "Non la provi?"

"Non suono la chitarra," dico io a labbra strette. "Suono il piano."

"Va be', ma sei un musicista," dice Vittorio. Dice "Dammi un'opinione", me la spinge tra le mani.

Premo le corde con le dita semiassiderate, le pizzico con la destra: ha un suono da cassetta della frutta, forte ma senza nessuna qualità armonica.

Vittorio mi guarda, raggiante, senza il minimo dubbio che io sia entusiasta, dice "Eh?"

"Eh," dico io. Provo un accordo più in alto sulla tastiera: l'intonazione è sfalsata, i capotasti non devono essere alla distanza perfetta. Il manico è troppo largo, faccio fatica a premere le corde. È chiaro che gli vengono meglio i muri della liuteria; gliela restituisco.

Lui si rigira la chitarra tra le mani con il più grande orgoglio; dice "Pensa che è nata come un gioco, questa storia. Una volta ho visto la pubblicità di una ditta che fa kit per strumenti musicali, ne ho ordinato uno. Avevo finito di lavorare alla casa, volevo qualcosa per impegnare le mani. Poi la prima chitarra mi è venuta così bene che ho continuato a costruirne, senza kit. Ho comprato i legni e gli attrezzi, faccio tutto io."

Ha riattaccato la chitarra al suo sostegno, mi ha indicato un piegafasce a caldo, morsetti di varie lunghezze. Ha detto "Ho regalato la prima al guru, anche se naturalmente non suona. Ma è stato così felice, diceva che era il regalo più bello che avesse mai ricevuto. Le altre le do a chiunque sappia tirarci fuori della musica. C'è parecchia gente che suona, qui. Il mese scorso hanno fatto un concerto alla Kundalini Hall con tre chitarre, tutte mie."

Non riuscivo a credere che potesse investire energia anche in questo, e parlare con tanta enfasi di strumenti così mediocri, non rendersi conto di non avere nessun talento specifico. Pensavo che doveva essere uno degli effetti della sovraindulgenza e dell'entusiasmo omnidirezionale di Peaceville: era probabile che uno finisse per perdere qualunque spirito critico, convincersi che la qualità dei risultati dipendesse solo dalla bontà delle intenzioni.

Lui sposta attrezzi sul bancone, sposta barattoli di colla, spazza via segatura con la mano, si guarda in giro con molto più orgoglio di quando mi faceva vedere i quadri nel suo studio. Dice "La cosa che mi piace è l'idea di costruire uno strumento che non so suonare. Di costruirlo per altri. Dopo essere stato io così a lungo l'unico fine di qualunque mia attività, come dice Marianne, no? Non è meraviglioso?"

Non gli rispondo niente; mi sembra che Marianne sia riuscita a farlo diventare scemo, più che altro, gli abbia lavato il cervello fino a convincerlo a essere quello che vorrebbe invece di quello che è. Il freddo è insopportabile, peggio che fuori in realtà, c'è una piccola stufa elettrica ma è spenta, Vittorio non pensa neanche ad accenderla. Mi chiedo come fa a non congelarsi, se è per lo strato adiposo e i grossi muscoli che lo proteggono, per il flusso di intenti concreti positivi che gli scorrono dentro ventiquattro ore su ventiquattro.

Dice "Passo quasi più tempo qui che nel mio studio a dipingere, ormai. Mi sembra di ricavarne delle cose più *belle*, alla fine."

Mi fa vedere i tipi diversi di legno allineati in tavole e blocchi sulle mensole, dice "Palissandro indiano, mogano, acero, noce, per i fondi e le fasce. Abete sitka canadese, abete europeo, abete di Engelmann, per le tavole armoniche. Ogni legno dà un suono leggermente diverso, ha un colore suo. L'acero per esempio è più secco e brillante, il mogano è più morbido. Il palissandro è brillante sugli acuti, ma ha anche dei bassi caldi. Sono differenze sottili, ma ci sono."

Non credo che le si senta molto sulle sue chitarre, comunque; né queste conoscenze devono essere molto radicate, perché vedo *Come costruire una chitarra acustica* appoggiato in fondo al tavolo, *Il liutaio moderno* e *Il liutaio completo* su uno scaffale. È probabile che se li studi mentre lavora, guardi le figure per capire come fare; si è lasciato convincere che è bello mettersi nella posizione di chi deve imparare tutto, ci crede.

Indica intorno, dice "Ma costruisco tante altre cose, a parte le chitarre. Purché siano di legno. È un universo, il legno. È fantastico, ti ci potresti perdere."

Passo una mano su una tavola, mi conficco una piccola scheggia nel palmo. Me la tolgo con i denti, ma ho la schiuma alla bocca per l'esasperazione, i nervi mi friggono.

Vittorio mi fa vedere due sgabelli di pino in un angolo, ne prende uno e lo posa in mezzo alla stanza. Dice "Siediti."

Lo guardo a distanza, mi sembra un qualsiasi sgabello a tre gambe, forse un po' rozzo. Lui mi incalza, dice "*Siediti*." Ha questo modo inarrestabile di muoversi muoversi e guardare guardare e fare gesti fare gesti, convogliare attenzioni e intenzioni attraverso lo spazio come se fossero pecore o mucche in un prato.

Provo a sedermi per farla finita: è un qualsiasi sgabello a tre gambe, nemmeno tanto comodo, non c'è niente di particolare da apprezzare.

Vittorio invece mi gira intorno come se avesse un piccolo miracolo sotto gli occhi. Dice "È solo uno sgabello, ma lo vedi che meraviglia? Ancora meglio delle chitarre. Ancora più di uno strumento, no?"

Mi sono alzato e sono andato in giro, ho preso una pialla in mano e mi è caduta per terra, pesava più di come mi aspettavo. Vittorio si è tuffato a raccoglierla, ha saggiato la lama sul palmo della mano per controllare se si era rovinata. Anche qui è riuscito a non avere il minimo gesto o sguardo di irritazione o di rimprovero: ha detto "Non importa", sembrava vero. Ha messo a posto altri attrezzi, spostato scatole, fissato meglio un paio di ganci al muro. Non riusciva a stare inattivo per più di qualche secondo, e più si muoveva più sembrava contento di farlo, più gli venivano in mente nuove attività. Non si accontentava di concentrarsi solo su se stesso; ogni tanto si fermava a sondare le mie reazioni, cercava di drizzare le orecchie come sua moglie. Ha detto "Mi ha raccontato Kaliani che anche tu sei bravo con il legno. Gliel'ha scritto tua madre."

"Ho solo fatto una cuccia per un cane una volta," ho detto io. "Ma è venuta malissimo, e il cane è finito sotto un tram la settimana dopo. Stritolato."

Vittorio ha mosso appena la testa, ha detto "Mi dispiace"; non doveva essere facile sbilanciarlo davvero.

Mi chiedo se anche lui si è fatto dare dal guru un nome indiano, e qual è, perché non lo usa. Non mi era mai capitato di incontrare nessuno così visibilmente contento di sé e della propria situazione, così spinto a una propaganda continua della sua vita e delle sue scelte, come se avesse una ricetta per la felicità da distribuire gratis a tutti. È una cosa che mi crea uno stato di vera fatica fisica, come sostenere un'onda continua sulla fiancata di una piccola barca.

Lui non se ne rende neanche conto, o non gli importa, o è proprio a questo effetto che mira; continua a sistemare intorno, dice "Non hai idea, quando vivevamo a Milano ero totalmente frustrato da questo punto di vista. Avevo un piccolo laboratorio nella casa in Toscana, ma era una dimensione così limitata, così parziale. Del resto mi sembrava giusto rovesciare tutta la mia energia nei quadri. Non disperderla altrove, no?"

Stavo appoggiato di spalla a una parete, con lo sguardo a metà strada tra il mio punto e lui, abbastanza rabbia in circolo per non farmi congelare.

Vittorio ha detto "C'è questa divisione rigida, di solito, no? Il lavoro e il tempo libero. Le cose che fai per la gloria e per i soldi e le cose che fai per divertirti e sentirti bene. Ti sembra normale e giusto che siano divise, ti sembra che ci voglia una parte di sublimazione per caricare di intensità il tuo lavoro. Se ti rimane un fondo insoddisfatto ti sembra che si tratti solo di lavorare di più, no? Guadagnare di più, comprarti più cose. Una casa più grande, una macchina migliore. Conquistarti un'altra donna, no?"

Non ho neanche fatto di sì con la testa, malgrado la pressione continua del suo sguardo cerca-conferme. Non avevo mai avuto questo genere di problemi, tra tutti i problemi che avevo avuto; non ero certo mai stato a sublimare niente per convogliare intensità in nessun lavoro. Non avevo nemmeno mai avuto un lavoro, a meno di non considerare lavoro il conservatorio; mi sembrava assurdo che lui non se ne rendesse conto, tanto aveva bisogno di uno specchio o di un piano di risonanza: bastava che mi guardasse per capire la distanza che c'era tra noi.

Ha detto "Quando ho conosciuto Marianne dipingevo come un pazzo. Rovesciavo tutta l'energia e l'ansia e i desideri insoddisfatti che avevo nei miei quadri. Ma quando i galleristi avevano venduto tutto ed erano uscite le buone recensioni e le mie quotazioni erano salite ancora ed erano arrivate richieste dai musei di Tokyo e di Amburgo e il compiacimento si era un po' dissolto, mi chiedevo 'A cosa serve? A che scopo?'"

Mi sembrava che ci fosse una buona dose di compiacimento anche in questi discorsi, se volevamo parlare di compiacimento; la sua voce mi andava contropelo, mi grattava i nervi.

Lui mi ha guardato come se si aspettasse un piccolo applauso muto, almeno un cenno della testa. Ha detto "Dipingevo come un pazzo, per nascondere i dubbi che avevo. E più avevo dubbi più dipingevo come un pazzo. Tagliavo fuori tutto il resto, cercavo di non pensarci. I problemi di Nina e la mia infelicità di fondo, la mancanza di senso nei rapporti che avevo. Il mio lavoro era diventato una specie di anestetico locale, mi permetteva di vivere senza sentire niente nella regione del cuore e dell'anima. Mi permetteva di dimenticare tutte le questioni aperte della mia vita, e in più sembrava che il mondo me ne fosse *grato*. Erano tutti lì a dirmi quanto erano importanti i miei quadri, come se dipingessi per il bene dell'umanità, invece che per me stesso."

Gli ho girato la schiena, ho guardato fuori dalla finestra ma sentivo che continuava a fissarmi, aveva un bisogno disperato di mantenere il contatto.

Ha detto "Sottraevo attenzione alla mia anima e la convogliavo tutta nel lavoro. In certi periodi non me ne restava nemmeno più per fare una telefonata a Nina la sera o passare a trovare un amico. Ogni giorno mettevo in moto tutte le mie forze, e le obbligavo a restare nel campo cintato di una tela, no? Poi appena si esauriva l'onda di adrenalina, mi guardavo intorno e c'era il *vuoto*. La mia vita era trascurata come un prato senz'acqua, come dice il guru. Non c'era *niente*, al fondo. Non avevo costruito niente, non avevo coltivato niente, non avevo dato niente di me alle persone che mi erano vicine. Ero una specie di fantasma, Uto. Quando me ne rendevo conto mi venivano delle crisi di depressione terribili. Terribili. Passavo delle ore a pensare a come ammazzarmi. Se non l'ho fatto è stato solo perché ho incontrato Marianne."

Cerco di non stare a questo gioco, togliere qualunque ombra di partecipazione alla mia postura, ma non è facile, con uno che ti parla a tre metri di distanza con tutta la forza della sua voce, carico in ogni fibra di impulsi di comunicazione come un propagandista della propria vita.

Dice "Marianne aveva scoperto i libri del guru attraverso una sua amica. Era venuta qui nel Connecticut per un mese, quando ci siamo incontrati aveva già deciso di tornarci. Stava a Milano per far finire la scuola a Giuseppe, ma naturalmente l'altra ragione era che doveva conoscere me e io dovevo venire qui. Questo l'ho saputo dopo, allora non sapevo niente. Allora vedevo solo una bella tedesca bionda con una luce di serenità negli occhi come nessun'altra donna che conoscevo."

Si mette a ridere, con un blocchetto di legno in mano; dice "Ma ho fatto una resistenza assurda, non hai idea. Ho tirato fuori tutta l'ironia e il razionalismo e il disincanto più freddo che avevo per demolirgliela, la sua serenità. Lei mi ha dato un libro del guru da leggere, gliel'ho commentato e messo in ridicolo riga per riga, frase per frase. Come distruggere un giardino di fiori meravigliosi con un machete, non so."

Continuavo ad arretrare verso la porta, mangiato dal freddo e dal rancore com'ero, sono arrivato con una mano alla maniglia. Avrei voluto aprirla di scatto e gridargli "NON ME NE FREGA NIENTE DI COME SEI ARRIVATO A QUESTA FELICITÀ STRAORDINARIA INSIEME ALLA TUA FAMIGLIA FORTUNATA!" e correre fuori, non fermarmi fino al paese più vicino e prendere il primo autobus o treno o la prima macchina che passava, farmi portare in qualsiasi posto in qualunque direzione purché fosse lontano da lì.

Lui dice "Però Marianne non si è lasciata smontare, per quanto io ci provassi. È una donna talmente forte. Mi ha detto 'Io vado comunque con Giuseppe, tu fai quello che vuoi.'"

Pausa per vedere se reagisco in qualche modo. Dovrei mostrarmi stupito o sgomento, sembra, forse ammirato. Non muovo di un millimetro i miei lineamenti.

Dice "Ed è venuta qui da sola, con Giuseppe."

Pausa di nuovo. È sicuro che la cosa abbia una rilevanza universale, che io possa trarne spunti e lezioni per migliorare la mia vita. Potrei prendere una pialla e tirargliela addosso, dalla rabbia; invece tolgo di tasca gli occhiali da sole, me li metto con grande lentezza.

Vittorio dice "All'inizio ho provato sollievo, ma è durato solo qualche giorno. Una settimana, forse. Poi ero *perso*, completamente. Sai come un cane abbandonato, che corre in giro da un punto all'altro, travolto dalla totale mancanza di riferimenti? Cercavo di continuare la mia vita di prima, e non ci riuscivo. Ho provato a raddoppiare il lavoro, uscire con tutte le donne che conoscevo, bere e fumare e sniffare tutto quello che trovavo, mi sembrava che niente avesse più il minimo senso. Mi sentivo come un marziano sulla terra, non capivo neanche più i nomi delle cose. Non mi ero reso conto affatto di cos'era Marianne per me, fino a quel momento. Le ho telefonato, ed ero sicuro che lei non volesse neanche più sentir parlare di me, dopo che mi ero comportato in modo così orrendo. E lei invece di buttarmi giù il telefono mi ha detto solo 'Ti aspettiamo.' Sai nel tono più dolce e naturale del mondo, senza la minima traccia di sorpresa? Il mattino dopo ho preso il primo aereo che ho trovato, sono venuto qui."

Si è bloccato di nuovo in attesa di reazioni, ma a questo punto si è reso conto che ero corroso di non-partecipazione come una batteria d'automobile in una mattina di gennaio; ha detto "Hai freddo? Torniamo in casa, se vuoi."

Fuori almeno la luce slavava i contorni degli oggetti attraverso le lenti dei miei occhiali scuri, il movimento mi teneva in circolo il sangue meglio della rabbia pura. Abbiamo camminato intorno alla casa sotto la neve che continuava a cadere, l'aria mi sembrava quasi calda adesso che potevo sottrarmi al campo chiuso dei discorsi di Vittorio.

Lui ha detto "È che io non lo sento mai, il freddo. Non ci penso mai. Il guru ancora meno di me. Devi vederlo, ha solo la sua tunica di lana molto leggera, qualunque tempo faccia. Alla sua età, no? Dice sempre che il freddo e il caldo sono delle pure concezioni mentali, dipende da te sentirli oppure non accorgertene neanche."

Ho detto "Io me ne accorgo", con poca voce e mal calibrata dopo essere stato zitto così a lungo; non mi importava di rovinare l'effetto di quando ero uscito mezzo nudo nella neve.

Vittorio non intendeva lasciar cadere i suoi discorsi adesso che eravamo all'aperto; ha detto "Sono venuto qui, e ho conosciuto il guru e la gente che vive qui, è cambiato tutto. Per la prima volta in vita mia ho trovato un *senso*. È stata una cosa sconvolgente. Come rinascere, no? Scopri che tutto era già lì sotto i tuoi occhi, solo che non riuscivi a vedere niente."

Se riuscisse a vedere la violenza insopportabile di tutti questi discorsi, intanto. La neve mi cade sugli occhiali, i fiocchi si spampanano e colano sulle lenti; vado avanti come una specie di cieco ostinato.

Vittorio calca i suoi scarponi dalle grosse suole, fa presa nella neve con la stessa protervia positiva delle sue parole nell'aria. Dice "È la differenza tra andare da qualche parte e restare fermi. Tra un trenino elettrico che gira e gira in tondo nel tuo soggiorno, e un treno vero che ti porta in un paesaggio nuovo, sempre più in alto."

"E quale sarebbe, il paesaggio?" gli ho chiesto a bruciapelo, perché ero esasperato dal suo tono e da tutti i suoi gesti, dalla sua insensibilità congenita travestita da sensibilità estrema.

"Ma *questo*," ha detto lui, con un gesto vago e violento della grossa mano. "La spiritualità, la ricerca. La sorpresa."

Gli andavo dietro con le orecchie che mi facevano male, le mani che mi facevano male nelle tasche della giacca di cuoio rigido come un cadavere di animale assiderato. Mi sembrava che lui fosse responsabile anche di questo: del freddo e del disagio, del senso di esilio e di estraneità. Pensavo a tutte le situazioni divertenti che dovevano esserci in quello stesso momento nel resto del mondo, mi sembrava assurdo ascoltare uno che ti spiega quanto è perfetta e illuminata la sua vita. Ho detto "Quindi è il paradiso, questo posto?"

Vittorio mi ha rivolto una specie di sguardo improvviso di guerra: un riflesso rapido negli occhi che contrastava con il suo atteggiamento generale come un cane da difesa in una pasticceria. Per un attimo mi è sembrato che fosse sul punto di rispondermi con una frase feroce, o addirittura darmi un calcio o un pugno, venirmi addosso di schianto e buttarmi nella neve: ho contratto i muscoli, mi sono angolato verso di lui in previsione di un impatto.

Ma lui quasi subito ha sorriso, ha detto "No. È solo un posto molto sereno, dove c'è gente che cerca di migliorarsi. Che cerca di non stare affondata nella pura materia. Che cerca di riflettere. Di aprirsi. Di scoprire dei valori e di proteggerli. Lo capirai meglio quando incontrerai il guru."

Non ho detto altro, l'ho seguito ancora più contrariato e rigido intorno alla casa.

Marianne cerca di comunicare

Marianne è più leggera di suo marito, anche se la sua è una leggerezza ricercata con ostinazione intensa, contro la corrente della sua natura di fondo. Il suo sguardo chiaro mi fa quasi paura a tratti; il suo modo di parlare soffice e sorridere tutto il tempo.

Mi porta fuori anche lei, sul lato sud-ovest della casa dove c'è una piccola serra ben incernierata e riscaldata. Dice "Abbiamo la nostra lattuga e gli spinaci e le coste e tutto il resto. In primavera abbiamo anche le fragole e gli asparagi. Piacciono tanto anche al guru. Dice che le nostre verdure hanno un sapore diverso da quelle che coltivano gli altri, anche se usano gli stessi nostri metodi biodinamici. Dice che ci sente una speciale dolcezza mediterranea. Che sono più tenere."

Non commento, ma con lei ho uno sguardo più flessibile che con Vittorio: non sto tutto il tempo a fare muro, schermare qualunque sentimento. È che sono sempre riuscito a comunicare meglio con le donne che con gli uomini, non ci posso fare niente. Non so se è per un gioco di seduzione o cosa; se è perché con loro posso bypassare almeno parte delle spiegazioni e i confronti e le commisurazioni e i giochi di posizione in cui si consumano i rapporti tra uomini.

Poi Marianne è abbastanza una bella donna, anche se ha forse vent'anni più di me, e mi sembra ogni tanto di leggere una scintilla di attrazione sotto la sua serenità spirituale così depurata: una luce di contrabbando che passa nel suo sguardo e lo illumina per una frazione di secondo. C'è questa attenzione sottile mentre si gira verso di me o anche solo fa un gesto: spilli di curiosità magnetica che mi arrivano agli occhi e alle gambe e alla punta dei capelli. Per il resto mi tratta come un povero orfano ipersensibile, sta attenta a farmi sentire a casa, farmi sentire il calore della sua famiglia. Non parla mai di quello che è successo al marito di mia madre a Milano, ma è chiaro che l'idea le corre sotto i pensieri quasi ogni volta che ha a che fare con me, accentua ancora la sua cautela.

Dice "È bello, no?" Indica intorno: l'aria e la neve, la casa, il bosco, l'inverno, l'intero continente. Lei e Vittorio sono così tarati con cura una sull'altro, dicono le stesse cose con le stesse parole, non c'è spazio per la minima discordanza. Dice "Ed è così *semplice*. Se pensi che c'è gente che non ci arriva mai. Magari rovescia la sua energia in mille direzioni diverse, e non ci arriva mai." Mi guarda; dice "È meraviglioso che possiamo condividere queste cose con te."

Mi premo gli occhiali da sole alla radice del naso. Cerco di immaginarmi com'erano tra loro prima di venire qui: Vittorio parte distratto parte intrigato, lei parte fragile parte determinata, già con questa luce spiritata nello sguardo. Le loro discussioni prima di venire qui: la resistenza da orso razionale di Vittorio, i probabili pianti di lei; le probabili scene patetiche di Giuseppe che non sapeva di stare per diventare Jeff-Giuseppe ma forse già se lo sentiva. Cerco di capire il senso del doppio ansimio nella loro camera da letto alle sei e mezza di qualche mattina fa; che genere di attrazione c'è, se anche quella è depurata e corretta e rindirizzata come tutti gli altri loro sentimenti da quando vivono in questo posto.

Dentro casa le sto vicino presso il bancone della cucina all'americana, mentre mescola farina di grano e di cocco e pasta di mandorle e miele per farne biscotti. Nina chiusa nella sua stanza come quasi sempre, Jeff-Giuseppe con Vittorio ad aiutare dei vicini in non so quale lavoro. La casa immersa nel suo silenzio da astronave che fluttua nello spazio.

Marianne dice "Siamo così felici, adesso", e la sua frase si accorderebbe quasi perfettamente alla luce nella grande scatola di legno chiaro del soggiorno, alla non-perturbazione dell'aria, se non fosse per un'oscillazione appena percettibile nei suoi occhi. Dice "Ma non è stato facile. Ho dovuto fare una vera lotta, per venire qui."

"Vittorio me l'ha raccontato," le dico, assorto come sono nei gesti con cui versa l'impasto dei biscotti negli stampi di alluminio a forma di stelle e mezzelune e delfini.

"Sì?" dice lei, senza dubitare che le loro due versioni possano non coincidere. Dice "Stavamo per lasciarci per sempre. Ci eravamo già lasciati, in pratica. Vittorio diceva che non poteva rinunciare alla sua vita, ma io sapevo che non potevo continuare con la mia. A farmi consumare dal traffico e dal rumore e dall'ambizione e dalla gelosia e dall'invidia e dalla competizione sociale e da tutto il resto. E Jeff stava cominciando a prendere tutti i vizi peggiori, passava il tempo attaccato alla televisione ad assorbire qualunque cosa. Parlava solo di marche di jeans e di scarpe, voleva mangiare solo i surgelati e le merendine che vedeva nelle pubblicità. Non leggeva niente, non pensava, stava crescendo senz'anima e senza spessore, senza nessun vero interesse al mondo."

"Madonna," le ho detto. Le guardavo il naso dritto, la pelle bianca e sottile delle tempie dove si poteva leggere qualche minuscola vena bluastra. La sua serenità così ostentata e messa avanti aveva l'effetto quasi di sterilizzarle i lineamenti e lo sguardo, renderli alieni.

"Sì," ha detto lei. "Per questo ho deciso di partire comunque con Jeff, anche se voleva dire non vedere più Vittorio. Era una questione di vita o di morte, ormai."

"E Vittorio?" le ho chiesto, mentre le guardavo le mani, il movimento delle spalle sotto il golf di lana morbida. I suoi gesti avevano una sicurezza collaudata, rassicurante come se le venisse da una tradizione di generazioni di impastatrici di biscotti e custodi di grandi scatole di legno luminose; eppure anche nei suoi gesti mi sembrava di intravedere un margine sottile di dubbio, una piccola luce tagliata che avrebbe potuto anche aprire una crepa da un momento all'altro nel suo modo di fare, incrinarlo nel modo più drammatico.

Lei ha detto "Vittorio all'inizio è stato terribile, ha messo un muro tra di noi. Ma era solo una forma di resistenza, aveva paura di cambiare perché ne aveva ancora più bisogno di me. Non hai idea di com'era, allora. Era un altro uomo, totalmente."

Mi guardava, come se fosse chiaro in che senso; c'era questa strana confidenza automatica adesso, mi provocava una sensazione dolciastra nelle ossa.

Ha detto "Poi dopo due settimane è venuto qui e ha conosciuto il guru e l'altra gente, e si è trasformato. Da un giorno all'altro, davvero. Ha deciso di comprare il terreno e ha costruito questa casa quasi da solo; avresti dovuto vedere come lavorava. Ha smesso di dipingere per quasi un anno, la casa e questo posto erano molto più importanti per lui. È diventato amico dello Swami, devi vederli, insieme. È diventato uno dei principali finanziatori del centro di ricerca spirituale e dell'ashram. Ha scoperto che qui abbiamo bisogno solo di una piccola parte di quello che gli sembrava indispensabile in Italia, il resto ha deciso di darlo agli altri. Io credevo di conoscerlo meglio di chiunque, ma è stato come veder venire fuori un'altra persona. È meraviglioso come la gente può cambiare."

Ho fatto appena di sì con la testa, ma non ne ero affatto convinto. Pensavo anzi che la gente probabilmente non cambia affatto, tira solo fuori diverse parti di sé a seconda della situazione e del momento, di con chi ha a che fare. Se andavo indietro-veloce nei miei ricordi, mi sembrava di essere rimasto lo stesso identico da quando avevo tre anni, con lo stesso identico senso di frustrazione iperconcentrata.

"La gente si evolve," ha detto Marianne. "Lo Swami lo dice sempre. Ma ha bisogno dell'alimento giusto e del clima giusto.

È come con le piante. Tieni una pianta chiusa in una stanza senza luce, o su un davanzale affacciato su un viale pieno di traffico, viene su tutta grigia e storta e senza linfa. Ma se la metti in piena luce, e le dai tutta l'acqua di cui ha bisogno, allora vedi come cresce."

"Perché Vittorio com'era, prima?" le chiedo, anche se non mi interessa davvero, ma sono preso in questo gioco di confidenza. Non mi ricordo niente di quando erano venuti in visita dai miei cinque anni prima, e mia madre mi aveva costretto a fare la mia performance da scimmia ammaestrata al piano.

Marianne dice "Era così preso da sé e dal suo lavoro, non riusciva mai a trovare abbastanza tempo per me e per Jeff. O per Nina. Se cercavo di farglielo capire si infuriava, dava la colpa a me. Diceva che volevo mettermi in competizione con i suoi quadri. Che volevo mettere in competizione mio figlio con sua figlia. Che ero gelosa e immatura e fissata. Che ero pazza, anche. Che lui aveva bisogno di essere libero e io cercavo solo di imprigionarlo. Mi faceva disperare, mi sentivo così avvilita e umiliata. Ha sempre avuto questa energia incredibile, solo che la riversava tutta nella pittura e nei suoi rapporti sociali, nel suo bisogno di seduzione e di gratificazione, noi eravamo una minuscola parte della sua vita."

Sono andato più indietro, non volevo darle l'impressione di starla a sentire troppo; mi sono appoggiato di schiena al lavello, guardavo di lato.

Marianne si passa nei capelli una mano impolverata di farina di cocco, comincia a guarnire di nocciole e mandorle a pezzetti i biscotti nelle loro formelle. Dice "Poi beveva. Beveva in un modo terribile, non per il piacere di farlo ma solo per perdere il controllo, andare fuori. Fumava di tutto, prendeva qualunque porcheria gli dessero, con la scusa di essere un artista. E mi faceva impazzire con le altre donne. Mi raccontava bugie tutto il tempo, non si preoccupava neanche di trovarne di credibili. Una volta sono andata nel suo studio mezz'ora prima del giusto e l'ho trovato con una mezzo svestita, è scappata fuori come una ladra. Una volta a una festa si è chiuso nel bagno con una giornalista. Sotto i miei occhi, praticamente, era così ubriaco. Il giorno dopo non si è neanche giustificato, mi ha detto che aveva bisogno di essere libero, di lasciarlo perdere se non mi andava bene così. Ha detto che aveva già divorziato dalla madre di Nina, per poter fare quello che voleva. Gli veniva una voce tremenda, quando diceva queste cose, fredda e violenta e implacabile."

Parla tutta animata dai sentimenti che descrive, e nel mezzo del suo racconto animato si ferma e sorride, per dimostrarmi quanto è in un altro territorio rispetto a quegli stati meschini, che meraviglioso distacco ha raggiunto rispetto a se stessa. Non ho più voglia di farle da spalla in questo gioco, c'è una strana fatica che mi indebolisce le ginocchia.

Lei dice "Ero arrivata al punto che non osavo più andare a trovarlo nel suo studio, per paura di scoprirlo con qualcuna o trovare delle tracce. Non credevo più a niente di quello che mi diceva, qualunque donna con cui lui avesse a che fare mi sembrava una minaccia. Soffrivo di gelosia in modo terribile. Lo Swami dice sempre che i sentimenti sono una forma di energia pura. Io ci avrei potuto illuminare un quartiere, con la mia gelosia. Mi bruciava le viscere, mi consumava viva. Stavo impazzendo, davvero."

Mi fa ridere che continui a parlare di sé e Vittorio come se adesso fossero due altre persone; mi chiedo quanto quello che dice della loro trasformazione è vero, quanto è truccato come nelle fotografie di prima e dopo delle cure dimagranti.

Dice "Ero diventata meschina. Misuravo tutto, paragonavo il tempo che Vittorio dedicava a me e quello che dedicava agli altri, i minuti che passava con Nina e quelli che passava con Jeff. Facevo raffronti e calcoli, come una specie di contabile dei sentimenti. Gli leggevo di nascosto le lettere. Gli leggevo l'agendina per vedere che nomi di donne c'erano. Vivevo per l'orologio e per il telefono. Mi si era ristretto il cuore in un modo terribile, mi ero dimenticata quasi tutto quello che avevo imparato qui a Peaceville la prima volta."

Nel frattempo aveva finito di guarnire i biscotti, ha tirato fuori due teglie, ci ha disposto sopra le formelle di alluminio a una a una. Ha sorriso di nuovo, come un gabbiano che veleggia in alto e guarda giù dove prima si era affannato a zampettare; ha detto "Poi è stato tutto così diverso, una volta qui. È venuta fuori una parte di noi che avevamo tenuta chiusa dentro per anni e anni. E Vittorio è diventato un altro."

"In che senso?" le ho chiesto, con le ciglia socchiuse.

"Lo vedi com'è," ha detto Marianne, con un gesto verso fuori. "È *qui*. È con noi. È attento, è generoso, è affettuoso. Non gli interessa più scappare via, non gli interessano più le altre donne. Ha dei valori profondi. Ci crede, li mette in pratica."

"Un vero miracolo, no?" ho detto io, nel modo che avevano loro di dire "No?"

Lei si è girata a guardarmi, ed eravamo più vicini di come mi era sembrato fino a quel momento; e a dispetto delle sue parole e del suo tono e dei suoi sorrisi ho visto di nuovo passare la luce sottile di esitazione nel suo sguardo. Ha detto "Sì, proprio"; ha deglutito, inspirato dalle narici nervose, si è passata di nuovo una mano tra i capelli.

Guardavo i biscotti nelle teglie, le tracce di farina sul bancone.

Marianne ha detto "Lo so che non sei scettico come vuoi far credere, Uto."

"In base a cosa lo dici?" le ho chiesto, anche se non avevo dubbi di esserlo.

"In base a quello che sei," ha detto lei. "Hai questo modo di stare lì zitto a guardare e registrare, passare tutto ai raggi X, ma dentro sei una persona profondamente spirituale."

"Se lo dici tu," ho detto. Mi faceva piacere che parlasse di me, qualunque cosa dicesse: l'attenzione costante, senza vuoti o interferenze.

"Non lo dico," ha detto lei. "Lo *so*." Così perentoria, anche; così certa di vedere le cose giuste per le ragioni giuste, al di là di qualunque schermo e ostacolo e impedimento materiale. Ma cauta: ogni sfumatura della voce e piccolo muscolo della faccia controllati per non ferire e non creare apprensioni, non darmi l'idea di essere sotto giudizio o sotto processo. Serenità convogliata, rifluita nell'equilibrio leggero e preciso dei suoi gesti, nella distribuzione di peso e cura e controllo, senza strappi e senza pressioni eccessive.

Ho detto "Allora sai delle cose che io non so."

Sarei andato ancora avanti, su questo crinale sottile tra stuzzicamento e curiosità e visioni di passo lungo, gioco e mancanza di senso dell'umorismo, ma abbiamo sentito trapestare all'ingresso secondario.

Era Vittorio che entrava con gli scarponi da boscaiolo in mano, rosso in faccia per qualche sforzo fisico al freddo, coperto di segatura fino ai capelli. Ha detto "Disturbo?" in un tono di scherzo angolato che mi ha fatto contrarre i muscoli dello stomaco.

Marianne ha detto "Certo che disturbi" in un tono equivalente; ha infilato la prima teglia di biscotti nel forno, con un movimento forse un poco più veloce del necessario.

Contatti con i ragazzi

Jeff-Giuseppe suona il piano, male. Sta seduto insaccato al mezza coda giapponese bianco e allunga il collo per leggere Chopin sullo spartito, struscia con i polsi troppo bassi e molli sul bordo della tastiera. Lo guardo senza ascoltarlo, ho una cassetta di percussionisti del Madagascar in cuffia al massimo del volume e sto leggendo un libro sulla prima guerra mondiale preso dalla libreria alle mie spalle, ma non ho il minimo dubbio che suoni male.

Gli dico "Tieni la schiena dritta, rilassa le spalle. Non allargare i gomiti, alza i polsi." Probabilmente grido, con questi suoni di legni incalzanti nelle orecchie; Jeff-Giuseppe si tira su di scatto, stringe i gomiti ai fianchi come se qualcuno gli avesse dato una scossa con un bastone elettrico. Suona senza passione e senza talento, senza divertirsi, non ci vuole molto a capire che lo fa solo per accontentare sua madre. Ma da come reagisce appena gli dico qualcosa, forse comincia a non poterne più di fare il bravo figlio diligente e bene addestrato. Dev'essere la prima volta da quattro anni che ha sotto gli occhi un modello diverso da quelli che gli mettono davanti i suoi. Mi osserva tutto il tempo, studia come sono vestito, studia i miei movimenti; devo essere una specie di mito per lui, in questo posto di buone intenzioni e buoni gesti e buone parole e noia concentrata.

Mi tolgo la cuffia, poso il libro, vado fino al pianoforte.

Per forza è un mito, basta vedere come cammina, la densità elastica dei suoi passi, la mancanza di intenzioni ovvie. Attraversa la stanza, e non cerca niente, non chiede niente, eppure nessuno potrebbe dire che cammina a vuoto. Per un ragazzino di quattordici anni tagliato fuori dal mondo, deve essere una specie di rivelazione. Un riferimento vivente, accessibile e inaccessibile, nello stesso spazio dove lui si muove con tanta goffaggine e incertezza. Sullo stesso divano dove lui sta seduto a fare da pubblico obbligato ai discorsi dei grandi, davanti allo stesso pianoforte comprato dal suo patrigno per gratificare le aspirazioni artistiche di sua madre. C'è da fargli battere il cuore di ammirazione e di insicurezza, ansia disperata di non essere escluso dal suo campo di attenzione.

Uto Drodemberg gli dà un colpo secco al centro della schiena, come si potrebbe dare a un cane da addestrare.

UTO: Stai dritto. Mettici un po' di dignità.

JEFF-GIUSEPPE (voce rotta, da mutante): Così?

UTO: Così sei troppo rigido, sembri un cane impagliato. Dritto ma rilassato, non ci riesci?

JEFF-GIUSEPPE: Eh, ci provo.

UTO (con l'indice in alto a sinistra dello spartito): Riparti da qui, vai.

Jeff-Giuseppe ci riprova: zoppica sui tasti con i polpastrelli bianchicci, come giovani lumache di mare, molli e contratte dall'ansia di corrispondere alle aspettative.

Uto Drodemberg ascolta solo una quarantina di note, poi lo tira via per un braccio: un gesto lungo, come uno sguardo di passaggio davanti a uno specchio in un corridoio.

UTO: Togliti. Ti faccio vedere io.

Si siede sulla panchetta, gira il pomolo per regolare l'altezza. Scioglie i polsi, prende un respiro, attacca. Sono una quindicina di giorni che non suona, ma la musica viene fuori come ce l'ha in testa, solo un po' più fredda per la natura giapponese del piano. Meccanica fin troppo facile, legni asciugati ai raggi infrarossi, sterilizzati; come una moto giapponese rispetto a una Harley-Davidson, iperaffidabilità e assenza di carattere. Ma poi dipende da chi c'è al manubrio, anche una moto giapponese può tirare fuori l'anima. Uto Drodemberg oscilla appena con il busto, da un lato all'altro; potrebbe anche stare del tutto immobile, ma gli piace l'effetto, l'onda che gli passa attraverso e produce una schiuma di note. Anche la testa si muove, a piccoli scatti impetuosi riflessivi, i capelli gialli quasi verticali enfatizzano ogni passaggio di sentimento. Le dita lavorano bene, rapide ed elastiche, forti e delicate dove devono, padrone della tastiera; non risentono per niente della mancanza di esercizio. Anzi, la mancanza di esercizio gli fa bene: alza il livello della sfida, gli allerta i nervi, lo spinge oltre. Non ha bisogno di studiare e ristudiare, non ha bisogno di spartiti davanti, gli basta aver letto la musica una volta ed è sua; è sempre stato così da quando ha cominciato a suonare, la può tirare fuori fino all'ultima piccola nota calibrata ai limiti dell'avvertibilità.

In concerto potrebbe mettersi un mantello nero, stivali fino al ginocchio, camicia bianca con jabot. E le luci vanno studiate diverse da quelle diffuse e senza rilievo dei concerti classici: un occhio di bue solo su di lui, filtri colorati per seguire i passaggi emotivi nella musica. Sconvolgere il pubblico di mummie della musica classica fossilizzata e coperta di polvere, sconvolgere il pubblico di zombie della musica rock morta in gabbia, estenuata nella ripetizione di stereotipi e modi di fare. La prima star transmusicale, milioni e milioni di dischi venduti a gente che non si era mai sognata di ascoltare qualcosa di così complesso prima. Trascinata sotto la superficie della musica, nelle correnti inquietanti e difficili in continua variazione, senza più riferimenti o certezze fisse a cui appoggiare l'orecchio per rassicurarsi. Uto Drodemberg che gioca al di là dei perimetri e delle forme sedimentate, libera energia pura come una specie di sciamano musicale. La gente piange

*e ride e si lascia trascinare, non ha più nessun controllo su quello
che sente.*

Ho smesso di colpo a metà di un passaggio, mi sono alzato con
un movimento ben riuscito. Battiti del cuore ravvicinati, respiro medio-veloce, ma non credo che si vedesse. Jeff-Giuseppe
era paralizzato in piedi a un lato del piano, con più sgomento
che ammirazione negli occhi. Ho fatto finta di non registrare,
fatto finta di non vedere Nina entrata nel soggiorno e ferma a
pochi passi dalla porta.

Nina ha detto "Madonna. Pensavo che fosse Jeff. Non riuscivo a crederci."

Jeff-Giuseppe ha riso, scosso com'era: ha prodotto uno dei
suoi ragli da mutante, detto "Sì, magari."

Io non ho detto niente, guardavo fuori dalle grandi finestre.
Vittorio e Marianne andati a comprare qualcosa in città, il paesaggio coperto di neve, immobile. Cercavo di rallentare il sangue e rallentare il respiro, mantenere un'espressione neutra.
Dovevo ancora lavorarci un po', se volevo arrivare alla vera im-
perturbabilità del genio.

Nina si è avvicinata al piano, guardava la tastiera, guardava
me come se mi vedesse per la prima volta. Ha detto "È pazzesco, come suoni." Di colpo fuori dal riparo del suo ruolo di
figlia di Vittorio e di ragazza difficile che non mangia niente,
fuori dalla sua camera dove stava chiusa tutto il giorno, fuori
dalla sua timidezza distante. Quasi sfrontata, adesso che era
allo scoperto: piantata sui piedi in modo simile a quello di suo
padre anche se più attraente, mi guardava con un'attenzione
quasi violenta, ho visto quanto era ostinata la linea della sua
fronte.

Ho detto "Non pensavo che ti interessasse, la musica." Avevo un tono di provocazione nella voce, uncinato; ma sentivo
una specie di solletico nel sangue a fissarla così.

Lei ha inclinato appena la fronte ostinata, ha detto "E perché?"

"Così," le dico. Siamo faccia a faccia a breve distanza, parte insistenti e parte legati di imbarazzo tutti e due, parte avanti e parte trattenuti, con Jeff-Giuseppe che fa da pubblico silenzioso e accentua la risonanza sorda di queste sensazioni. Le dico "Non è che si capisca molto, di cosa pensi." Piccoli scatti vuoti al cuore, sensazione tiepida all'inguine.

"Perché di te?" dice lei, mi viene addosso con lo sguardo come una giovane capra. Dice "Stai sempre zitto."

"Invece dovrei parlare?" le chiedo. "Fare un resoconto in diretta di tutto quello che mi passa per la testa?" Ma non sono su un terreno così stabile, non sono tanto sicuro del mio sguardo né della mia voce, mi viene fuori fin troppo arrogante per questo gioco elastico. Forse c'è troppa luce e di nuovo non ho con me gli occhiali da sole, forse mi sono esposto troppo a suonare e questo mi impedisce di bilanciarmi bene.

Nina ha scosso la testa, è rimasta a contatto d'occhi ancora due secondi e si è girata, se n'è tornata nella sua stanza, mi ha lasciato lì come uno scemo con Jeff-Giuseppe.

Jeff-Giuseppe mi guardava ancora nel suo modo da ammiratore incondizionato; ha indicato il piano, mi ha chiesto "Quanto devi studiare, per suonare così?"

"Mai," gli ho detto, ma pensavo a come mi ero lasciato travolgere dall'insicurezza con Nina solo un minuto prima; a come non riuscivo a usare le mie immagini di me e le mie frasi pensate quando più mi servivano.

Jeff-Giuseppe ha detto "*Wow*! Certo che hai un vero dono, allora." E mi faceva pena e mi faceva rabbia, con il suo sguardo privo di giudizi autonomi, le sue parole orecchiate nei discorsi di Marianne e in quelli del guru e dei ripetitori del guru.

Gli ho detto "È una specie di malattia, invece. Come essere daltonici o spastici o dislessici, non so. Non è una cosa che ho chiesto o cercato. Non so cosa farmene. Non me ne importa niente." Mi era salito dentro un senso di incertezza totale, senza contorni o immagini connesse, desideri non chiari già estenuati prima di avvicinarsi ai loro possibili percorsi di realizzazione. Pensavo che avevo diciannove anni e c'era una specie di fossato tra me e le cose, invece di ridursi con il tempo continuava a diventare più largo e profondo. La realtà mi faceva l'effetto di un pianoforte sordo e svogliato, i suoi tasti non rispondevano a nessuno sfioramento o tocco leggero; bisognava rinunciare alle sfumature, martellare fino a farsi male per tirarne fuori qualcosa.

Per compensare chiedo a bruciapelo a Jeff-Giuseppe "Come cavolo fai a vivere in questo posto?"

"In che senso?" dice lui, con uno sguardo che dalle mie labbra se ne va in giro per il soggiorno come un pesce smarrito.

Dico "È una specie di colonia sulla luna, madonna."

"Non è vero," dice lui, in tono di panico. "Si sta bene."

"Cosa vuole dire, si sta bene?" gli chiedo, senza lasciargli tregua. "Perché parli in questo modo indefinito? Ti vedi come un esponente della tua famiglia, più che una persona?"

Lui dice "Ho solo quattordici anni", con una piega di imbarazzo agli angoli degli occhi. È questa sua vulnerabilità consapevole e accettata che mi incrudelisce, questo suo offrirsi come vittima incapace di decidere o anche solo desiderare qualcosa di suo.

Gli dico "Guarda che quattordici anni non sono così pochi. Se continui a fare il bravo bambino ancora per qualche tempo, non ne esci più. Sei fregato a vita."

"Cosa dovrei fare?" chiede lui, nel suo accento ibrido, nel suo timbro da mutante. Non cerca di mantenere una linea di difesa, non si sottrae: sta lì a guardarmi, goffo e incerto nei vestiti chiari che gli ha comprato sua madre, con occhi che mendicano istruzioni.

Gli dico "Dovresti smetterla di essere così *buono*. Di beccarti tutto quello che ti passano i tuoi. Tutte le loro menate del guru e del tempio, e aiutare i vicini e il dono e lo spirito e quanto siamo felici e quanto è semplice e bello, la preghiera ogni volta che si siedono a tavola per mangiare. Dovresti pensare a un modo di andartene di qua il prima possibile, se non vuoi restarci per sempre."

Jeff-Giuseppe solleva un piede, si appoggia con le mani alla mezza coda del pianoforte. Senza guardarmi dice "Tu non stai ancora con i tuoi, a Milano?"

"Io non ce li ho neanche, i miei," gli rispondo, con una violenza da cane stuzzicato nel suo recinto. "Mio padre ha mollato mia madre quando avevo sei anni. Ci ha spediti via dal Cile senza pensarci un attimo, è stato così gentile da accompagnarci all'aeroporto. Il secondo marito di mia madre è saltato in aria con tutto l'edificio, il pezzo più grande che hanno ritrovato è stato un piede. Ho un fratellastro che mi odia. Una madre psicolabile. Sai che bella famiglia."

Lui fa mezzo giro verso la parete, con lo sguardo ancora più basso, dice "Non volevo dire che..."

"E comunque anche quando ero lì era come se non ci fossi," lo taglio corto io. "Me ne potevo andare in qualunque momento, loro lo sapevano benissimo. Non gli rivolgevo neanche la parola. Andavo in cucina di notte a prendermi da mangiare, quando ero in casa di giorno stavo chiuso in camera mia a doppia mandata. Il piano lo suonavo solo quando non c'era nessuno."

Lo so che baro: che gioco sul ricatto, mi nascondo dietro le circostanze per non riconoscere la pura inerzia vile che mi ha portato a consegnarmi ostaggio in questo posto, tra tutti i posti al mondo dove avrei potuto andare. Non c'è tanto gusto a rifarsi su un ragazzetto in crescita pieno di problemi di identità, non mi fa sentire particolarmente forte o nobile; la cattiveria mi si gira quasi subito in amarezza acida corrosiva, mi toglie l'aria dai polmoni.

Jeff-Giuseppe non se ne rende conto, sta lì abbacchiato all'idea di aver tirato in ballo la mia famiglia in modo così poco diplomatico, dopo tutto quello che deve avergli raccontato sua madre. Pensa di avere riaperto chissà quali ferite, non sa più cosa fare. Si gratta la testa, guarda fuori dalle vetrate per vedere se per caso arrivano gli adulti in soccorso.

Non gli dico altro; gli faccio un cenno di saluto da film, me ne vado attraverso la moquette elastica del soggiorno, su per le scale con l'andatura più incurante che mi viene.

Incontro il guru convalescente

Di fianco al camino a leggere un libro sull'aikido con Ki. La libreria dei Foletti mi fa l'effetto di una pescheria dove siano esposti in maggioranza pesci non commestibili: devo frugare per trovare qualcosa che si avvicini almeno a un sarago liscioso o a una sardina. I libri leggibili sembrano sopravvissuti per caso, tra le raccolte di discorsi del guru e l'enciclopedia del pensiero veda e i saggi sul buddismo zen e la storia dell'induismo e le parabole e i racconti morali per bambini. Ne scopro uno ogni tanto, arrivato qui forse dalla vita precedente di Vittorio, o filtrato in qualche modo nella selezione depurata in vendita nell'atrio della Kundalini Hall. Lo leggo nel modo discontinuo che ho di solito, dalla fine a metà alle prime pagine e poi per i capitoli intermedi se il mio interesse riesce a sopravvivere. Non è un metodo, perché seguo solo la mia pigrizia e il mio istinto, ma quasi ogni volta mi sembra che partire dalle conclusioni renda inconsistenti le premesse, e inutile tutto il lavorio di mezzo; con i romanzi come con i saggi. Un altro effetto secondario di questo modo di leggere è che poi mi ricordo fino all'ultima parola, o nota se è una partitura: attraverso i nervi ottici tutto mi si trasferisce dentro e non riesco più a liberarmene, resta lì a disposizione in attesa solo di essere richiamato fuori. I miei insegnanti al conservatorio diventavano pazzi, erano convinti che la mia svogliataggine fosse una strategia di facciata dietro cui nascondevo un animo di studioso implacabile.

Non si rendevano conto che *ero* svogliato, assorbivo note e informazioni e dati e immagini senza volerlo affatto.

Uno dei capitoli del libro sull'aikido con Ki spiegava che il centro dell'energia dell'universo si trova dieci centimetri sotto l'ombelico di ogni persona, la quale di solito non ne è consapevole. Questo in parte mi faceva ridere, perché pensavo a quante persone c'erano in giro al mondo, e negli angoli più distanti, ognuno con il centro dell'universo dieci centimetri sotto l'ombelico; in parte mi dava delle suggestioni. Avevo sempre pensato di avere un atteggiamento abbastanza orientale, alla fine, abbastanza distaccato dalle cose materiali e dai sentimenti e dai legami terreni. C'era una buona scelta di filosofie e religioni interrelate tra cui scegliere, anche, solo a guardare tra i libri di casa Foletti e quelli nell'atrio della Kundalini Hall, con tutte le loro copertine piene di fasci di luce e foglie magiche e occhi sognanti, i titoli dove ricorrevano associazioni simili di vocali e consonanti. Erano tutte etichette diverse per uno stesso prodotto, mi sembrava, non ci voleva così tanto a inventarsene un'altra ancora. Mi avrebbe divertito pescare un po' di elementi da fonti diverse e mescolarli in una nuova versione, metterci sopra un copyright a mio nome. Mettere in piedi uno show spirituale con musica, agganciare un pubblico più giovane. Kung-fu mistico. Scorrevo il libro sull'aikido con Ki, mi si moltiplicavano le immagini nella testa.

Si possono fare dei test di dimostrazione e di convincimento. Si può provare a sollevare Uto Drodemberg quando non è concentrato sul Ki. Non ci vuole niente, pesa solo cinquantatré chili anche se è alto uno e settantacinque. Chiunque può farlo. Un forzuto dalla fronte alta due dita si fa avanti e lo prende sotto le ascelle e lo solleva, senza il minimo sforzo. Poi lo posa per terra e fa quattro passi indietro, muscoli gonfi contratti, gambe di rana gigante piantate larghe. Uto Drodemberg si concentra sul Ki, abbassa il punto di gravità. Socchiude gli occhi, prende un respiro lungo, piega ap-

pena le ginocchia e spinge piano in fuori il bacino, in dentro il sedere. Sente il peso infinitamente stabile dell'universo dieci centimetri sotto il suo ombelico, un flusso invisibile di energia cosmica che gli passa attraverso da parte a parte e lo ancora a terra. Non c'entra con il sesso, è più in alto, non c'è niente di ambiguo. Uto Drodemberg fa un cenno molto lieve con la testa e il forzuto viene avanti, faccia ottusa, capelli tagliati a spazzola. Passa le giornate in palestra, è abituato a sollevare centinaia di chili di ferro, far cigolare le macchine da muscoli. Ha un rapporto bovino con la vita, immune da dubbi o suggestioni. Viene avanti, con le grosse cosce che strusciano una contro l'altra, i bicipiti gonfiati come palloni pieni d'acqua. Te lo vedi con le donne, uno così, o al cinema, o mentre scende dalla sua macchina e tenta di intimidire qualcuno di meno massiccio e ottuso. Ti immagini cosa mangia, le bistecche e le uova e le polveri superproteiche, gli anabolizzanti per bestiame d'allevamento. Torna alle spalle di Uto Drodemberg e lo prende sotto le ascelle come prima, flette un poco le grosse gambe per dare slancio al sollevamento. (Ci sono centinaia e centinaia di persone di pubblico, naturalmente, è un teatro pieno, o uno stadio all'aperto di sera. L'attenzione è compatta, senza la minima incrinatura. Sguardi e sguardi e sguardi che convergono su Uto Drodemberg e sul forzuto, migliaia di persone con il fiato sospeso.) Poi il forzuto spinge in alto con tutta la forza dei suoi muscoli anabolizzati, e non riesce a smuovere Uto Drodemberg di un millimetro. Si sforza più che può, spinge con le gambe e con gli addominali e con i dorsali e i bicipiti e i tricipiti, stringe i denti e diventa rosso in faccia, non gli serve a niente. Uto Drodemberg è inchiodato a terra, non si solleva di un millimetro. Perfettamente sereno, senza espressioni se non un accenno molto sottile di sorriso, la sua figura leggera non è contratta né tesa. Il forzuto prova al limite estremo delle sue forze, stringe le mascelle in uno spasmo di orgoglio animalesco, sembra sul punto di scoppiare. Alla fine cede di schianto e lascia cadere le braccia, paonazzo per lo sforzo e la frustrazione, se ne va tra le risa e le grida ironiche del pubblico. Uto Drodemberg riapre gli occhi, viene avanti fin sull'orlo del palco, fa un inchino come alla *fine di un concerto. Le migliaia e migliaia di persone battono le mani più forte che possono, piangono, ridono, gridano il suo nome. Uto Drodemberg sorride, assorbe il flusso di energia collettiva. È un'onda che potrebbe far diventare santo qualcuno, potrebbe farlo volare davvero.*

Suona il telefono. Suona il telefono. Nina viene nel soggiorno di corsa, fa un tuffo per prendere la cornetta in tempo, non so da chi si aspetti di essere chiamata. Dice "Sì, sì. Certo. Grazie." Mette giù e mi guarda, dice "Non lo sentivi?"

Alzo il libro per farle vedere che stavo leggendo; lei senza registrare dice "Bisogna andare a vedere il tramonto", corre fuori dal soggiorno.

Guardo fuori dalle vetrate, ma vedo solo il bianco della neve e il cielo opalino che sta cominciando a perdere luce come un televisore in via di spegnimento. La voce di Nina nel corridoio che porta alle stanze più interne grida "Krishna ha telefonato che bisogna andare a vedere il tramonto! Subito!"

Due secondi dopo Marianne è già nel soggiorno con Jeff-Giuseppe, lo sospinge a gesti frenetici verso la camera vetrata di decompressione. Gli dice "Corri ad avvertire papà, presto!" Dice a me "Muoviti Uto, ci restano pochi minuti!"

Mi alzo solo perché lei è in questo stato di agitazione inarrestabile, con gli occhi che le lampeggiano e i capelli biondi in movimento, le gambe che la portano verso la prima porta scorrevole e indietro per controllare che anch'io e Nina la seguiamo. Nina corre, si infila le scarpe e la sciarpa e il cappello e il cappotto e i guanti nel tempo che io impiego ad allacciarmi gli scarponi. Jeff-Giuseppe e Vittorio arrivano dal lato della casa come se si trattasse di sfuggire a un terremoto, Marianne dice ancora "Presto, presto!" Vengo trascinato nella corsa generale alla Range Rover, non cerco neanche di fare resistenza.

In macchina non ci sono tentativi di conversazione, solo un unico spasmo di aspettativa concentrata. Vittorio va veloce per la strada coperta di neve, Marianne e i due ragazzi dietro guardano fuori dai finestrini. Non c'è traccia di tramonto, e anche se ci fosse non riuscirei a capire la ragione di precipitarsi così. Cerco di leggere nel profilo di Vittorio segni di irritazione per essere stato interrotto nel suo lavoro, ma non ne vedo: sembra troppo preso dal suo ruolo di guidatore rapido e preciso della famiglia, concentrato sui gesti da fare, lo spazio da percorrere.

Marianne dietro invece è tutta fibrillante, guarda i ragazzi e guarda me e guarda fuori dal finestrino con la testa inclinata per vedere il cielo, non sta ferma un attimo. Jeff-Giuseppe si picchietta le mani sulle ginocchia come se suonasse la batteria, guarda fuori anche lui, si imbarazza solo quando si accorge che lo guardo duro. Nina c'è e non c'è, si mordicchia le labbra, guarda fuori ma poi abbassa gli occhi, si tira sulla fronte la falda del cappello a piccolo paralume.

Mi sembra di riuscire a vedere il modo silenzioso in cui lei e Marianne competono tutto il tempo per l'attenzione di Vittorio: la doppia corrente alternata, sotto i sorrisi e le recite di concordia famigliare. Nina che sta zitta e non mangia e continua a dimagrire, Marianne che parla parla e moltiplica i suoi slanci e le sue affermazioni, Vittorio che fa finta di non accorgersi della competizione, si tiene equidistante tra le sue due donne e il ragazzo. Ha costruito un contenitore per tutti i suoi affetti e lo protegge dai dubbi con un accanimento sordo, da cane da guardia che non vuole leggere sfumature. Mi chiedo quanto potrebbe reggere la loro recita nel mondo normale, fuori da Peaceville. Mi chiedo se sono io che vedo tutto in modo distorto perché ho troppo veleno dentro; se la loro è davvero una vita perfetta.

Vittorio è uscito dalla strada privata e poi da quella statale, salito per una strada più piccola che portava in cima a una collina; ha fermato in uno slargo davanti a una grande villa guarnita di mattoni rossi. Siamo scesi tutti, pungolati da Marianne che diceva "Fuori, fuori!", e l'orizzonte era inondato di arancione intenso, il sole già oltre la distesa bianca della pianura si era lasciato dietro questi fiumi e laghi di colore.

Siamo rimasti fermi a guardare, appoggiati a una piccola balaustra di legno che dava sulla valle in basso. Marianne non ha detto niente, ma ci sondava a rapidi colpi d'occhio, cercava un punto di contemplazione migliore, respirava con le narici dilatate e il naso in alto, come se volesse inalare lo spettacolo naturale.

Vittorio guardava l'orizzonte con occhi da pittore, a braccia conserte, faceva appena di sì con la testa. I due ragazzi stavano tra lui e Marianne con gradi diversi di attenzione: Nina assorta, Jeff-Giuseppe parte entusiasta e parte incerto, mi controllava ogni tanto per vedere come mi comportavo io. Io stavo molto fermo ed equilibrato; cercavo di concentrarmi sul Ki, mantenere basso il baricentro.

Poi il sole è precipitato del tutto oltre l'orizzonte e si è trascinato dietro l'arancione, l'ha prosciugato dalle nuvole fino a lasciarle grigie chiare e più scure, color seppia. Vittorio ha detto "Finito", come alla fine di un concerto o di uno spettacolo di teatro: con lo stesso genere di sollievo mescolato a nostalgia. Marianne ha battuto le mani piano, nel suo modo infantile e ideologico, aveva gli occhi pieni di lacrime. Jeff-Giuseppe le ha detto "Mamma", mi ha guardato, trafitto dall'imbarazzo. Nina ha fatto finta di niente, doveva essere abituata a queste scene, doveva provarne fastidio. Vittorio è andato a mettere un braccio intorno alle spalle di sua moglie, darle qualche piccola pacca, un bacio sui capelli.

Poi Nina si è girata verso la villa, ha detto "Ma..." con una strana faccia sorpresa. Ci siamo girati tutti a guardare, e su una terrazza-belvedere davanti alla villa c'era un piccolo vecchio indiano con i capelli e la barba lunghi e bianchi, vestito in una tunica color malva. La sua assistente principale e un'altra semimonaca gli stavano poco dietro, hanno fatto un mezzo inchino verso di noi.

Marianne da un secondo all'altro è bianca in faccia come la neve tutto intorno: vedo il sangue che le si ritira anche dalle labbra. Va verso il vecchietto indiano, e Vittorio la segue, le andiamo tutti dietro.

117

C'è questo saluto un po' goffo, perché il guru è dall'altra parte di una ringhiera di legno e Marianne non può arrivargli a contatto, anche se forse terrebbe comunque un margine di distanza per rispetto. Unisce le mani e gli fa un inchino con la più grande devozione, gli dice "Che bello rivederti, Swami!"

Il guru risponde al saluto con una benevolenza divertita da vecchio gnomo, sorride. Ha un modo di muovere la mandibola come se masticasse, mentre dice "Bene bene" o qualcosa del genere.

Vittorio allunga il braccio sopra la ringhiera e gli dà la mano, con la schiena appena piegata per deferenza; il guru invece di stringergliela ci appoggia sopra la sua mano grinzosetta e sottile, poi sfiora le teste di Nina e di Jeff-Giuseppe che gli si fanno sotto con espressioni da agnelli.

Poi guarda verso di me, che mi tengo qualche passo dietro la famiglia Foletti. I nostri sguardi si incontrano, e iniziano un tiro alla fune mentale: lui tira e io tiro, c'è questo ondeggiamento a breve distanza, questo gioco di forze dove tutti e due cerchiamo di sembrare molto sereni e distesi. Non so da cosa dipenda, se dalla suggestione del luogo o dell'ora o dalla sorpresa, o solo dal fatto che lui è uno strano piccolo vecchio esotico con uno sguardo abbastanza intenso, ma certo non posso dire che sia un incontro qualunque, mi sia capitato spesso.

Marianne mi trascina più avanti per un braccio, dove non era riuscito il guru con il suo sguardo, dice "Swami, questo è Uto, un nostro amico che è venuto a trovarci dall'Italia."

Il guru mi fissa ancora negli occhi e sorride, muove appena la mandibola con una piccola vibrazione interiore che gli fa emettere un leggero suono di gola, basso come il ronzio di un calabrone benevolo. Unisce le mani, se le porta alla fronte e mi fa un piccolo inchino.

Io ci penso solo un istante, o non ci penso ma ho un istante di vuoto; porto il pugno della mano destra contro il palmo aperto della sinistra, in un saluto che ho visto nel libro sull'aikido con Ki, abbasso la testa e la rialzo subito. Marziale ma anche abbastanza spirituale, pur sempre un saluto orientale anche se viene dal Giappone, anche se sento gli sguardi di Marianne e Vittorio e dei ragazzi congelati di perplessità ai margini del mio campo visivo.

Il guru non sembra offeso; sembra solo più serio, come se stesse riconsiderando le sue prime impressioni su di me, altri pensieri gli filtrassero nel sorriso.

Non dura molto, in realtà, il tiro mentale alla fune si è stabilizzato in uno stato di media tensione, con la famiglia Foletti dal mio lato e le due assistenti dal suo a fare da pubblico silenzioso, diviso dalla ringhiera bassa di legno. Poi l'assistente principale si accosta all'orecchio del guru e gli dice sottovoce "Dobbiamo rientrare, fa molto freddo." Il guru distoglie lo sguardo da me, lo ridistribuisce tra i Foletti, sorride in modo più leggero, mormora "Bene bene" nel suo piccolo tono palatale, fa un mezzo inchino e rientra, seguito dalle due donne che producono cenni rapidi di saluto.

Siamo rimasti soli nello spiazzo coperto di neve di fianco alla villa, Marianne guardava me e suo marito e i due ragazzi con occhi illuminati nella poca luce che restava. Alla fine ha detto "Avete visto?" Non riusciva a stare ferma per l'eccitazione, lampeggiava sguardi verso la portafinestra dov'era scomparso il guru, verso l'orizzonte dove il colore se n'era andato, girava su se stessa, è venuta a toccarmi un braccio. Vittorio guardava da qualche distanza, senza scomporsi molto; lei è tornata indietro a dargli un bacio su una guancia, darne uno a Jeff-Giuseppe, uno a Nina che si bilanciava un po' rigida sui piedi, uno anche a me.

Mentre stavamo tornando verso casa nella Range Rover, si è protesa in avanti a dirmi "Hai visto come ti ha guardato lo Swami? Non succede quasi mai che guardi qualcuno in quel modo."

Ho solo fatto di sì con la testa, non avevo voglia di offrire interpretazioni.

VITTORIO: Uto?

(In piedi al centro del soggiorno, carico di energia come a qualunque ora. Ansia di comunicazione nei suoi occhi, senso di possesso dell'ospitatore verso l'ospitato.)

Uto Drodemberg non risponde, continua a leggere-non-leggere il libro sullo zen e l'arte del tiro con l'arco che ha tra le mani.

VITTORIO: Uto? Scusa?

UTO: Sì?

(Come se si accorgesse per la prima volta della sua presenza, e anche adesso in modo molto filtrato.)

VITTORIO: Non è che verresti a dare una mano? Tutti gli uomini disponibili sono mobilitati a spalare la neve dalle case bloccate.

UTO: Se è indispensabile.

Non sorride, non salta in piedi, non posa il libro. Non gli sono mai piaciuti i rapporti padre-figlio, o zio-nipote, o patrigno-figliastro; non gli piace la ricerca di complicità tra maschi, le intese a cenni su un progetto pratico. L'euforia da battaglia, la sintonia emulativa, le sfide in codice, le simulazioni di attacco, l'ordine di beccata, gli sguardi di sollecitazione, sguardi di raffronto, sguardi di controllo. Non gli interessano, non lo divertono.

VITTORIO: Se non ne hai voglia non importa. Non sei obbligato.

Questo per i vincoli che gli mette lo spirito del luogo; se potesse assecondare il suo spirito innato sarebbe capace di gridargli "Muoviti, lavativo!", trascinarlo per un braccio. Deve costargli uno sforzo continuo mostrarsi tollerante e sensibile e attento come lo vogliono: lo si sente ogni volta che si rivolge a Uto o a Jeff-Giuseppe o a sua figlia Nina, dal tono stoppato con il feltro che prende la sua voce.

Uto Drodemberg alla fine posa il libro e si alza, segue Vittorio Foletti nella stanza vetrata di decompressione, si infila scarponi e giacca senza dire niente. La ripetizione di questo rituale sta cominciando a rendergli insopportabile ogni entrata e uscita: gli fa venire voglia di restare dentro o fuori per sempre, morire di soffocamento o di freddo, piuttosto. Esce di casa più rapido che può, senza neanche avere finito di allacciarsi gli scarponi o zipparsi la cerniera della giacca, con dita da mano meccanica per la rabbia.

Fuori la neve ha coperto tutto con uno spessore di un metro e mezzo almeno, i percorsi spalati da Vittorio intorno alla casa e verso lo spiazzo sono profondi come trincee da guerra artica; l'aria è inspessita dal gelo al punto che si fatica ad attraversarla.

Ci sono già due pale nel retro della macchina; Vittorio guida a passo d'uomo per la strada indistinguibile se non ci fosse il bosco da un lato e dall'altro.

Mi ha detto "La cosa bella è che qui non sei mai solo. Appena hai bisogno di qualcosa, arrivano tutti ad aiutarti. E magari non vedi nessuno fino a quel momento, no? Non è che abbia l'aspetto di una comunità, vista da fuori."

Non ha l'aspetto di niente, in tutta questa neve: è come navigare nel latte, i tronchi degli alberi sono l'unico riferimento ottico a cui appigliarsi.

Vittorio ha detto "Quando ci sono arrivato la prima volta ho pensato 'Ma è organizzato tutto da cani.' Invece è questa la genialità del guru. Non voleva mettere su una specie di istituzione. Voleva che la gente vivesse in modo normale. Che avesse

121

tempo e spazio per pensare per conto proprio, trovare la propria strada senza farsi spiegare tutto."

Scivoliamo nel bianco dilagato verso la statale, e non mi sembra che la Range Rover faccia molta presa, con le sue quattro ruote motrici giganti e tutto; mi sembra che Vittorio riesca appena a tenere una rotta.

Ha detto "Hai visto che tipo è, il guru? Che sguardo ha? Vede tutto, anche se non ti dice niente. È stato il suo sguardo che mi ha convinto a restare qui, quattro anni fa."

Siamo alla statale adesso, e almeno qui sono passati con lo spazzaneve, ci sono due muri bianchi alti e compatti ai lati della carreggiata.

Vittorio ha detto "Ero così sospettoso, appena sono arrivato. Mi sembrava, sai quelli che sono frustrati o infelici per mille ragioni personali e allora dicono che gli manca una dimensione spirituale e vanno a fare shopping di religioni in Oriente?"

Passiamo una prima casa con una jeep ferma davanti; due tipi che spalano via neve dal patio fanno un cenno di saluto.

Vittorio ha detto "In più ero sicuro che non avrei mai avuto abbastanza stimoli per dipingere, in un posto come questo. E all'inizio era così. Stavamo in una casa in affitto qua vicino, una specie di grande roulotte fissa impregnata di tutta la desolazione dell'America media. Marianne andava a sentire il guru e stava ore a meditare al tempio, tornava a casa con questo sguardo da miracolata, distante anni-luce. Mi ha fatto conoscere il guru, e mi è sembrato solo un vecchio indiano furbo. L'ho detto a Marianne, lei non si è scomposta per niente. Non c'era più nessuna comunicazione tra noi, zero. Stavo davanti a una tela vicino alla finestra e non riuscivo a dipingere niente. Uscivo a camminare per ore con Geeno, era ancora cucciolo, poveretto, lo sfiancavo."

"E Jeff?" gli ho chiesto, pensando a come questa versione non concordava con la prima che mi avevano dato lui e Marianne.

"Giuseppe andava a scuola a Foxville e non capiva niente," ha detto Vittorio. "Si faceva ore di autobus al giorno e non parlava una parola di inglese, i suoi compagni lo prendevano in giro tutto il tempo. Marianne si è messa a chiamarlo Jeff, come se la cosa potesse aiutarlo molto. Lo guardavo la sera prima di andare a dormire e pensavo che non era neanche mio figlio, mi chiedevo cosa ci facevo qui. Mi mancava Nina e mi mancava tutta la vita che conoscevo, mi mancavano le mie donne e i miei amici e la mia casa e la mia musica e la mia macchina, e il vino e il whisky e la carne, tutto. Mi mancava l'Italia, mi mancava l'Europa. Mi mancava la confusione, mi mancavano le sorprese. Sai le aspettative di sorprese che puoi avere in una vita di città? E magari ti riempiono la vita, no? Mi sembrava di essere diventato sordo di colpo, non sentire più niente. Passavo ore al telefono per cercare di mantenere vivo qualcosa a distanza."

Gira per una strada laterale ricoperta di neve alta, la Range Rover arranca lenta con la ridotta.

Dice "Ero ancora così prigioniero del mondo. Ero ancora schiavo."

Dopo cinquecento metri c'è una casa bassa che sembra ancora più bassa sotto una coltre di neve che la sommerge fino al cancelletto d'ingresso. Vittorio suona il clacson; la porta della casa si socchiude, un tipo pelato si affaccia alla porta, fa gesti festosi.

"Vedi?" dice Vittorio, credo riferito ai suoi discorsi di prima, su come qui gli aiuti si materializzano dal nulla. Salta giù, grida "Ciao Ranapurti!"

"Ciao!" grida il tipo pelato in una specie di bramito cervino. Grida "Buon lavoro, ragazzi!", come se ci facesse un favore a lasciarci liberare l'accesso alla sua casa, ne fosse contento.

"Grazie!" grida Vittorio, per confermarlgli questa idea.

Il tipo pelato sta anche mangiando qualcosa, ha un pacchetto di fichi secchi in mano e la bocca piena; fa un altro cenno e si ritrae nella sua casa bassa coperta di neve. Non si offre nemmeno di partecipare alla sua liberazione, gli sembra del tutto naturale che lo facciamo noi. Avrei voglia di andare dentro a snidarlo e trascinarlo fuori, costringerlo a prendere una delle due pale che abbiamo portato.

Vittorio deve immaginarsi quello che penso, perché mi dice "Ranapurti è un sant'uomo, non sa fare niente di pratico. Sta scrivendo un libro importante."

Vorrei chiedergli importante su che basi, se è perché gliel'ha detto Marianne o per opinione comune, o per il semplice fatto che lo sta scrivendo in questo posto.

Vittorio dice "Senza aiuto resterebbe bloccato chissà quanto, poverino." Anche a lui sembra del tutto naturale fare gli schiavi per un mollaccione pelato che intanto al caldo dentro casa si abbuffa di fichi secchi. Mi chiedo se c'è un limite a questa sua tolleranza e benevolenza acquisita, e qual è: come si fa ad arrivarci.

Scendo anch'io: affondo nella neve, mi arriva quasi all'inguine. È come nuotare nel latte davvero, ma latte molto denso, ci mettiamo minuti interi ad arrivare al portellone della macchina.

Vittorio mi passa una delle due pale, prende l'altra e comincia a spalare via la neve intorno alla macchina, poi dal muso della macchina verso il cancelletto marmorizzato. Ha un modo professionale di farlo, una specie di ritmo da trebbiatore: colpo di pala-soffio di respiro-mezzo passo avanti, in un minuto ha già liberato un bel tratto di percorso. Dice "Fai così", mi fa vedere la posizione giusta delle mani; dice "Vienimi dietro, dai la seconda passata."

Gli vado dietro senza grande efficacia, la pala è pesante e non ho nessuna voglia di mettere molta forza nelle braccia, riesco giusto a far volare intorno un po' di neve. D'altra parte non c'è n'è bisogno, vista l'energia e lo slancio e la sistematicità di Vittorio; è chiaro che ha voluto portarmi più che altro a scopo dimostrativo, per farmi vedere che spirito meraviglioso di solidarietà c'è in questo posto.

Libera dalla neve il cancelletto, ci batte sopra e scava e gratta con la pala fino a far tornare fuori il legno, poi lo apre e va oltre, scava un solco largo dov'era il vialetto di accesso. Colpo di pala a sinistra-soffio di respiro-mezzo passo avanti-colpo di pala a destra; perfetta misura del gesto, perfetto impegno muscolare, perfetta fissità d'intenti; potrebbe andare avanti per chilometri, liberare un intero tratto di autostrada, a dargli il tempo.

Mi dice "Non è bello? Non è una grande soddisfazione? Invece di dipingere un quadro. Nel chiuso dello studio? Ci pensi?"

Mi sembra uno spreco assurdo di energia, se ci penso; avrei solo voglia di dargli la pala sulla schiena, fargli smettere questa recita intollerabile. Gli chiedo "E com'è che sei uscito dalla desolazione dell'America media, poi?"

Lui ha detto "Un giorno mentre camminavo. Ho incontrato il guru. Se ne andava in giro da solo. A piedi anche lui. Non ci siamo detti quasi niente. Ma è bastato il suo sguardo. È cambiato tutto. Ho capito cosa aveva trovato Marianne. Cosa mancava a me."

Lo guardavo di spalle, rigido di rabbia cristallizzata com'ero, e non ci credevo, la sua umiltà così ostentata mi sembrava finta, la semplicità delle sue parole passata attraverso un filtro di intenzioni che la rendeva detestabile.

Lui spalava via neve a un ritmo costante, parlava nelle pause tra un colpo di pala e l'altro, con un effetto che ritmava e scandiva ancora le sue parole. Ha detto "Davvero. È stato da un momento all'altro. Un momento ero lì. Schiacciato dal senso di vuoto. Di desolazione. Pensavo solo ad andarmene via. Tutto contratto e pesante. A terra. E un momento dopo. Ho sentito questa incredibile leggerezza. Mi sembrava di volare. Avevo passato la vita a vedere tutto. In prospettive graduate. A questa distanza. A quella. Domani. Dopodomani. Forse. Se. Di colpo invece. Non c'era più nessuna distanza. Nessun filtro. Ero *qui*. Basta."

Si gira a guardarmi, ansimante per lo sforzo, con gli occhi infiammati di attività e di verità da rivelare. Mi chiedo se sa di usare le stesse identiche parole di Marianne; se è una cosa voluta o gli viene automatico. Sostengo il suo sguardo come in una sfida da film o da mercato, non cedo di un millimetro.

Lui dice "Ho scritto una lettera a tutte le mie donne in giro per il mondo. Identica per tutte, ho detto che era stato bello ed era finita. Ho scritto ai miei amici, gli ho detto 'Ragazzi, io sono qui.' Ho scritto a Nina, le ho detto che se voleva stare con suo padre sapeva dove trovarlo, la sua stanza e la sua famiglia la aspettavano. Ho smesso di bere e ho smesso di fumare e ho smesso di mangiare carne. Ho chiesto ai miei galleristi di farsi vivi il meno possibile. Ho detto a Marianne che la mia vita era a sua disposizione, poteva chiedermi quello che voleva. Non avevo più limiti di tempo o di attenzione o di energia."

Avrei potuto chiedergli "E adesso?", e forse era quello che lui si aspettava, ma non gliel'ho chiesto. Mi sembrava che non ce ne fosse bisogno, con tutte le affermazioni di autorealizzazione e di felicità che c'erano nel suo sguardo e nella sua voce, non gli serviva certo altra corda.

Lui ha ripreso a spalare, allo stesso identico ritmo di prima; ha detto "Lo so che tutto questo. Ti sembra assurdo. Anche se sei intelligente. E riesci a immaginarti. Condizioni diverse dalla tua. Ma sei ancora lontano. Come lo ero io. Ce ne vuole. Per arrivarci."

Così gli ho detto "Arrivare a cosa?" perché non avevo intenzione di sorbire oltre in silenzio questa specie di catechismo con una pala tra le mani, ero stanco e stufo e congelato.

Lui si è girato, con una specie di sguardo da santo; ha detto "Alla *felicità*." Sicuro di illuminarmi, senza il minimo dubbio; sicuro di colpirmi farmi riflettere farmi capire.

Mi sono aggiustato gli occhiali da sole, stavo più immobile e nero che potevo in tutto quel mare di bianco.

Vittorio ha detto "A capire che è un *lavoro*, essere felici. È una costruzione. Devi metterla giù tavola per tavola e chiodo per chiodo, e controllare di continuo che tutto sia a posto, e tenere ben spalato tutto intorno. Ci vuole un sacco di manutenzione, Uto. Anche solo per stare insieme tra un uomo e una donna. È un lavoro. All'inizio magari ti sembra proprio il contrario, ti sembra tutto istinto e caso, una specie di dono della fortuna. Più facile e naturale di qualunque altra cosa nella vita. Invece non è facile per niente. Se non cominci a lavorarci subito, va tutto in pezzi prima ancora che tu te ne accorga. Se non cominci a rovesciarci tutta l'attenzione e la cura e il tempo e l'energia e l'immaginazione che hai. Io me ne sono reso conto tardi, ma è così."

Eravamo quasi a metà strada tra il cancelletto e la porta d'ingresso del mollaccione mangiatore di fichi secchi; ho cacciato la pala nella neve, con molta rabbia e poco effetto.

Vittorio mi guardava; ha detto "Certo, devi rinunciare a un sacco di cose, per averla. Devi rinunciare alla cultura dell'esserci e non esserci, no? Del volere una cosa e il suo contrario, dirne una e farne un'altra. Devi tagliare via. Hai bisogno di un'accetta, prima del martello e dei chiodi. Ma ne vale la pena, Uto."

Ho dato un altro colpo di pala, fatto volare la neve intorno. E non sapevo bene, ma mi sembrava che se davvero avesse trovato la formula della felicità come diceva, non avrebbe avuto bisogno di parlarne così tanto, e con tanta enfasi; non avrebbe avuto bisogno di un ascoltatore oltre a tutti quelli che aveva già. D'altra parte non mi era capitato spesso di vedere gente che lavorava alla costruzione della felicità, in vita mia. Avevo visto gente schiacciata dai fatti, più che altro, o appoggiata sulle circostanze, o affondata nella ripetizione, o affacciata sul futuro come da un ponte miracoloso.

Se vogliamo parlare di Uto, non ci sono molti dubbi che sia infelice. Uto Drodemberg-infelice. Non per una ragione specifica, circoscritta come un sintomo che si può curare, ma per i miliardi di

127

ragioni specifiche che formano il tutto, così privo di forma e di misura da non essere più rintracciabile nelle sue singole parti. Poi bisognerebbe definire l'infelicità, capire se la si può sovrapporre meglio all'insoddisfazione o alla scontentezza o alla sofferenza o alla mancanza o a cosa; e definire la felicità, naturalmente. Se è essere quello che si vuole essere dove si vuole essere o avere quello che si vuole avere quando lo si vuole avere, o è molto di più, o molto meno. Ma sono discorsi da Peaceville, gli fa rabbia solo cascarci, lasciarsi risucchiare nel gioco melenso. Per fortuna che con un colpo di reni può tirarsi su, salire in aria come nell'acqua di una piscina, muovere le gambe e arrivare in alto a mezzo cielo, guardare Vittorio giù con la pala nel mare di neve che copre la casa bassa e il bosco e le altre case e il tempio-fungo e tutto il territorio intorno. Questa per esempio è una forma di felicità: non ce ne sono molte che possano competere. Non certo mettere la propria vita a disposizione di Marianne, o investire energia nel battere chiodi su assi di legno come se si trattasse di inchiodare un punto di vista sul mondo prima che il freddo del tempo o il vento di altri pensieri vengano a portarlo via. Paragonatelo a volteggiare in alto nell'aria bianca di gennaio, tra l'ammirazione e lo stupore di tutti quelli sotto che stanno fermi con il naso alzato. (Un sorriso da guru di se stesso sulle labbra.) Capriole e avvitamenti, salti inarcati all'indietro, volteggia e passa con la testa dov'erano le mani un attimo prima. Musica rock-sinfonica che sale da una catena impressionante di amplificatori Marshall disposti sulle colline. O Beethoven: il secondo movimento della Nona. Anche un divertimento di Mozart, ma diretto da Karajan, mano pesante quando c'è da forzare. (Fai venire su questi archi, non preoccuparti della misura.)

Altri contatti con i ragazzi

Vittorio e Marianne fuori, per qualche nuovo traffico altruista. L'aria in casa è ferma, le pareti non vibrano, gli oggetti sono più tranquilli, il vuoto più vuoto.

Nina nel soggiorno, uscita dalla sua stanza con un piccolo zaino. Sorpresa, inclina la testa, indica il libro sulla meditazione trascendentale in mano a Uto.

NINA: Non hai ancora finito di leggerlo?

UTO (senza alzare troppo lo sguardo): Non li finisco mai, i libri.

NINA: Ah.

UTO: Dove vai?

NINA: A studiare con Krishna.

(Sguardo che scappa, già arrivato alla parete opposta in meno di un secondo.)

UTO: Il dio?

NINA: Abita due case più in giù.

(Tracce di irritazione nella voce, tracce di curiosità.)

UTO: E cosa studiate?

(Riesce ad avere un buon timbro solo per poche parole, poi la voce gli sale, diventa stridula. Se ci facesse attenzione potrebbe tenerla stabile più a lungo, ma la sua attenzione è altrove.)

NINA: Inglese e geografia americana. Tanto non me la contano questa scuola, in Italia. Mi fanno ripetere l'anno.

(Magra all'osso, sotto i vestiti. Sarebbe piena come i suoi zigomi, se mangiasse: ma stagna, non certo grassa.)

UTO: E allora perché studi? Se non serve?

(Una debole corrente elettrica nel sangue, pigra e tiepida, tra l'inguine e lo stomaco e l'anima.)

NINA: È Marianne che insiste. Tanto a giugno torno a Milano.

(Alza le spalle, sguardo di traverso.)

UTO: Perché, non ti piace, qua?

(Mezzo reclinato sul divano, ma tiene su la schiena, sta attento ai piedi.)

NINA: Boh.

(Sbuffa, guarda fuori, sposta il peso sui piedi.)

UTO: Me l'immagino.

NINA: Cosa ti immagini?

(Stringe gli occhi a fessura, in difesa.)

UTO: Che ti stufi. Con il guru, il tempio-fungo, tutte le menate spirituali.

NINA: No, il guru è bravo. È forte. Non toccarlo, quello.

UTO: Ma tutto il teatro che gli fanno intorno, tutto il tempo? E a parte il guru. Marianne? Con quegli occhi da fanatica? Sempre lì a dare istruzioni e illustrazioni e dimostrazioni? E non è neanche tua madre. Il povero Jeff o Giuseppe come si chiama non ci può fare molto, ma tu perché devi sorbirtela?

NINA: E tu perché stai qui, scusa?

UTO: Tra poco me ne vado, infatti.

(Secco, taglia le parole ad angoli netti. Non sembra ingenuo, non sembra inerte, non sembra dipendente né ansioso di comunicare; non sembra neanche attento.)

NINA: Dove?

(Labbra chiare e piene, almeno quelle; prendono una curva strana quando lei è curiosa o riflessiva.)

UTO: A Los Angeles. O in Madagascar.

(I suoni, le immagini collegate. Non sta cercando di fare colpo su di lei; non ha nessun obiettivo.)

Nina ferma a metà soggiorno. Sguardo basso, incerta. Vibrazione elettrica che corre sotto la pelle, attraverso il cuore.

Uto Drodemberg l'avventuroso. Mezzo reclinato sul divano, con una traccia di sofferenza nei lineamenti, una traccia di conoscenza diretta del mondo. Ha un sorriso difficile, attira sentimenti come una calamita. La ragazza Nina lo guarda fisso, la sua palpitazione interna affiora alla superficie. Lui sposta una gamba, cambia posizione sul divano, cambia sguardo. Una calamita di sentimenti a flusso variabile. Può attirare o bloccare o respingere, dipende dalla carica elettromagnetica di chi gli sta davanti. La ragazza Nina ne emette una di segno opposto, per esempio, lui deve nuotare controcorrente per restare fermo dov'è. Pare che tutti gli animali ne emettano una, gli squali si basano su quella quando arrivano vicini a una preda, non devono neanche più tenere gli occhi aperti. Uto-squalo. Di una specie sofisticata, non ha nessuna bramosia di caccia ma è pur sempre un predatore. Sta a due metri di distanza da un pesce, assorbe la sua vibrazione elettromagnetica, si gode la distanza che potrebbe attraversare in ben poco. C'è una disparità in questo gioco, non sgradevole, è uno degli elementi dell'attrazione.

Il rumore di un aspirapolvere da dietro la porta del soggiorno, la testa aspirante urtava contro il battiscopa. Nina si è mordicchiata un labbro, ha detto "Io vado."

Le ho appena fatto un cenno con la testa, avevo già riportato lo sguardo sulle pagine aperte del libro.

Percepivo lo stesso i suoi movimenti mentre si infilava gli scarponi e il giaccone imbottito nella camera vetrata di decompressione, anche se non ho girato la testa ho sentito un paio di sue occhiate rapide, prima che facesse scorrere la seconda porta a vetri e uscisse nella neve, nel percorso ben spalato da suo padre.

Poi ho mangiato frutta secca da un cesto nella sala da pranzo, con la fame morbosa da dieta vegetariana e da senso di vuoto che veniva anche a uno poco interessato al cibo come me. Pizzicavo via i datteri a uno a uno da una scatola stretta e lunga, toglievo i fichi secchi da un pacchetto, rompevo i gusci delle noci con un colpo leggero di karatè come avevo visto in un film. Pensavo alle labbra di Nina: alla loro piega mezzo imbarazzata mezzo provocatoria, all'odore di gommapane che aveva ad annusarla da vicino. Mi chiedevo se avrei dovuto dirle qualcosa di più, fare qualche gesto di avvicinamento o di contatto. Mi chiedevo se mi piaceva, o se mi soffermavo su di lei solo perché ero un ostaggio della sua famiglia; se nel gioco di onde elettromagnetiche tra noi c'era qualche desiderio di vendetta nei confronti di Vittorio. Fuori nella neve si vedevano solo le sue impronte ormai, ero sollevato e avvilito all'idea di non essermi esposto in nessun modo.

Mangiavo quasi senza sentire il sapore, arachidi e anacardi sgusciati, albicocche secche naturali dal colore marroncino, mandorle tostate e zuccherate. Mi sembrava che tutto avesse la stessa consistenza appiccicaticcia, lo stesso gusto dolciastro e stucchevole di insoddisfazione. Mangiavo per lasciare dei vuoti visibili nel cesto, in modo che i padroni di casa capissero quanto la loro dieta così ideologica e giusta e punitiva mi spingeva alla fame. Mangiavo ananas candito che mi si attaccava alle dita, kumquat canditi a fettine che sapevano troppo di chiodi di garofano, uva passa che mi faceva venire la nausea ormai.

Jeff-Giuseppe è entrato nel soggiorno, con in mano solo il tubo e la bocchetta dell'aspirapolvere. Nelle sue calze di lana bianca, silenzioso come un grosso coniglio per paura di disturbarmi in qualche modo, è andato ad attaccare il tubo a una presa aspirante vicino al camino.

Gli ho detto "Che sistema è?"

Lui si è girato di soprassalto; ha detto "Centralizzato. L'ha fatto Vittorio." Esitava a premere il tasto di accensione, mi guardava, incerto e apprensivo.

Gli ho detto "Ti hanno addestrato bene, eh? Il bravo ometto di casa."

Jeff-Giuseppe ha sorriso nel modo più impacciato, non aveva un'opinione di sé abbastanza solida per sentirsi offeso. Ha detto "Abbiamo dei turni per i lavori di casa, oggi tocca a me. Lo facciamo tutti, tranne tu che sei ospite."

Leggevo gli ingredienti su un pacchetto di wafer biodinamici alla carruba; ho detto "E se tu oggi non ne avessi voglia?"

Lui mi ha guardato con un'espressione smarrita, non sapeva cosa rispondere.

Ma non avevo voglia di lasciar cadere, mi era salito dentro una specie di accanimento contro la sua famiglia. Gli ho detto "Ti farebbero una scenata? E chi, Marianne o Vittorio? O tutti e due? O cercherebbero solo di convincerti, tutti pacati e ragionevoli e sorridenti? Ti spiegherebbero quanto è giusto che ognuno faccia la sua parte?"

Jeff-Giuseppe si è grattato la testa, non posava il tubo dell'aspiratore né premeva il tasto di accensione. Ha detto "Non è una gran fatica. Ci metto mezz'ora, a passare tutta la casa. E solo un giorno ogni quattro, adesso che c'è Nina." La sua voce diventava ancora più stridula, quando era messo di fronte a domande così dirette: gli si rompeva nel medio registro molto più di come succedeva a me, questo mi dava una sottile, rapida soddisfazione.

Gli ho detto "Sì, ma se proprio questo giorno su quattro avessi altro di meglio da fare? O se ti passasse completamente la voglia di essere utile in casa?"

Jeff-Giuseppe ha aperto la mano libera, ha detto "Boh." Non ci voleva niente a leggergli il conflitto nello sguardo, tra lealtà famigliare e desiderio di non deludermi. Non sapeva come uscirne, si guardava intorno.

JEFF-GIUSEPPE: Cos'era quella musica che sentivi ieri in cuffia?

UTO: Hideous Snakes. Non ci litighi mai, con i tuoi?

JEFF-GIUSEPPE: Dipende.

(Ha un modo così incerto di stare in piedi, rispetto a Vittorio, tutta la sua figura possiede un equilibrio così malsicuro. Non è particolarmente leale stuzzicarlo in questo modo, ma è lui che se lo cerca.)

UTO: Non ci litighi mai. Si vede.

JEFF-GIUSEPPE: Da cosa, si vede?

UTO: Da come danno per scontato che tu faccia quello che devi. Vestirti nel modo giusto, andare al tempio, passare l'aspirapolvere, ascoltare tutte le loro menate.

JEFF-GIUSEPPE: E cosa dovrei fare, invece?

(Sguardo che ondeggia dall'alto al basso, sentimenti che ondeggiano.)

UTO: Per lo meno non filare al primo ordine. Non rispondere ogni volta che ti chiedono qualcosa. Non sorridergli ogni volta che ti sorridono. Non fare il cagnolino ammaestrato da circo, per lo meno.

JEFF-GIUSEPPE: Non faccio il cagnolino da circo.

UTO: Ti rendi conto che non hai neanche un nome? Che tua madre ti chiama in un modo e Vittorio in un altro?

JEFF-GIUSEPPE: Quello non è un problema, ci sono abituato.

UTO: Ci sei abituato, è questo il punto. Accetti qualunque cosa, pur di farli contenti. Come Geeno il cane.

JEFF-GIUSEPPE: Non è vero.

UTO: Ah, no? Per esempio, hai scelto tu di venire in questo posto? O ti ci sei lasciato portare come un pacco?

JEFF-GIUSEPPE: Cosa c'entra. Avevo dieci anni, quando siamo venuti.

UTO: E ti è piaciuto subito?

JEFF-GIUSEPPE: Abbastanza. È un bel posto. C'è gente simpatica.

UTO: Simpatica a te o ai tuoi?

JEFF-GIUSEPPE: Mah, a tutti.

UTO: Tutti chi? È questo che ti immaginavi quando sei venuto in America? Quando eri sull'aereo prima di atterrare?

JEFF-GIUSEPPE: Non lo so. Non mi immaginavo niente.

UTO: E adesso comunque ti sembra il posto più interessante del mondo? Pensi che non potresti desiderare niente di meglio dalla vita?

JEFF-GIUSEPPE: Non lo so. Non mi metto mica a pensare le cose così.

UTO: È ora che ti ci metta. Hai quattordici anni, non cinque. Ti conviene svegliarti. Non puoi restare così per sempre. Devi pur decidere qualcosa, prima o poi.

(Ma gli viene in mente il modo che Nina ha di parlare: come se dovesse scollare dal miele denso ogni parola e sfilarla tutta fuori prima di poterne scollare un'altra.)

Jeff-Giuseppe si gratta la testa, si gratta la punta del naso, poi piega la schiena, accende l'aspirapolvere. Lo passa in giro, con un po' meno scrupolo di quanto avrebbe avuto prima di questa conversazione. Evita gli angoli, trascura il di sotto dei divani, segue un percorso semiregolare sulla moquette bianca, folta come il pelo di un cane a pelo raso molto ben nutrito.

Raccolgo altre informazioni

Beethoven al piano alle undici di mattina, con la frenesia di movimento che mi affiora alle mani quando non suono per un po' di tempo. Ogni singolo dito come un piccolo cavallo nevrile e adrenalinico, inarca il collo e tira per sottrarsi alle redini che lo trattengono dal correre incontrollato. Faccio il cavaliere che imbriglia e frena e sollecita, rallenta e accelera lungo il percorso che mi riaffiora alla memoria una frazione di secondo prima di toccare ogni tasto. Calibrare il peso sui martelletti che percuotono le corde, produrre accenti e sfumature secondo la conoscenza dormiente e l'istinto che ho dentro; assecondare la musica e tenerla in tiro, lasciarsi portare e farla andare dove voglio. È come galoppare davvero, con le buche e le ondulazioni e le curve del terreno che mi arrivano al cervello quasi simultanee alle decisioni che devo prendere per affrontarle, lo spazio prima di ogni dato di fatto ridotto a un margine sottile come un'impressione già cancellata, confermata o esclusa, lasciata indietro per affrontarne un'altra subito dopo. Gioco rapido in questo percorso a zigzag tra memoria e sguardo e azione, i miei riflessi pronti come se mi giocassi la vita, la testa vuota di pensieri formati, attraversata da impulsi e frammenti di immagini, anticipazioni troppo rapide da analizzare.

A volte mi diverte, a volte suono solo perché non ho altro da fare, o perché non so fare altro; a volte l'ansia invece di scorrere fuori nella musica mi si moltiplica dentro fino a togliermi il respiro, bloccarmi le dita. Adesso per esempio succede, in modo vago e poi più netto; cerco di restare immerso nelle note e invece di colpo mi vedo da fuori, seduto al pianoforte nella grande stanza piena di luce bianca. Mi vedo senza senso e senza direzione, attaccato alla tastiera come potrei attaccarmi a qualunque arma da difesa; non ho lo sguardo giusto, né il profilo giusto, i miei movimenti hanno una meccanicità disperata e maniacale. Vado avanti a suonare come una macchina, troppo concentrato sul tempo e sulla precisione micrometrica del tocco per lasciar respirare la musica come dovrei, a ogni nota che produco mi appare davanti agli occhi per un istante come una faccetta odiosa, decine e centinaia e migliaia di faccette odiose che appaiono e scompaiono con piccole smorfie di rimprovero per la mia mancanza di scopi e di direzione, di energia e di coraggio e di slancio nella vita. Cerco di non guardarle, andare avanti malgrado loro ma non ci riesco, il rimprovero mi risale dalle dita su per gli avambracci e le braccia e le spalle e il collo fino al cervello; cerco di tenere il tempo e lo perdo; lo riprendo ma ormai sono invaso di desolazione e di noia, senso di inutilità denso come il vischio.

Mi sono alzato di scatto, staccato dal pianoforte, sono andato in giro come uno zombie per il soggiorno. Avrei voluto che ci fosse qualcuno in casa per farmi ricordare chi ero, ma non c'era nemmeno il cane Geeno, tutta la famiglia Foletti era fuori a meditare o compiere buone azioni o acquistare scorte o chissà. Guardavo intorno per trovare un appiglio esterno ai miei pensieri, svincolarli da me e lasciarli accanire su qualunque altro oggetto; ero pieno di una disperazione liquida e fredda, concentrata come mi era capitato poche volte in vita mia. Mi sembrava di essere sul punto di dissolvermi, perdere qualunque distanza con il mondo appena fuori di me; avevo così paura che avrei potuto mettermi a gridare, ma sarebbe già stato un gesto troppo positivo.

Sono rimasto sospeso a lungo sull'orlo di questo abisso, mi dibattevo come un pesce nella rete che sa di non poterci fare più molto ma non per questo riesce a fermare il suo panico motorio; poi mi sono attaccato con lo sguardo a un piccolo vaso di porcellana su una mensola, e da lì ho cominciato a tornare indietro, tra gli oggetti e i libri sugli scaffali, i piatti e le tazze nelle credenze a vetri, i gomitoli di lana e i ferri da maglia di Marianne sul divano.

Ho guardato negli armadi sopra il piano della cucina: le farine di grano e orzo e avena e amaranto biodinamici, il miele e lo sciroppo d'acero, la farina di cocco per le torte e i biscotti fatti in casa, e mi sembrava che ogni barattolo e pacchetto riflettesse in modo implacabile lo spirito dei miei ospiti. C'era questa irradiazione di famiglia concorde, di comunione d'intenti, di sogno realizzato e concreto, felicità-dato-di-fatto. Pensavo alle case e ai luoghi dove avevo vissuto io invece: la distanza violenta tra me e dove e come avrei voluto essere. Il senso di vuoto ha lasciato posto a una specie di nausea da altro pianeta, da atmosfera difficile da respirare: sentivo una pressione al centro del petto e al fondo degli occhi, mal di testa a ogni passo e sguardo.

Telefono-fax nello studio subito oltre la porta del soggiorno, bollette del telefono e della luce sulla scrivania, fatture dei fornitori di vernici e tele e pannelli e legni vari. Dev'essere Marianne che tiene in ordine tutto, che raccoglie e verifica e ordina nelle cartellette-schedario sulla mensola. Devono essere sue le scritte a pennarello sui dorsi delle cartellette: *Casa*, *Conto New York*, *Conto Zurigo*, *Galleria New York*, *Galleria Milano*. La sua calligrafia come il suo sorriso, come il suo tono duro reso soffice che va dritto in una sola direzione, sostenuto e alimentato da buoni intenti.

In una cartelletta-schedario: date, note di pagamento, titoli e dimensioni dei quadri di Vittorio. *Sguardi di pace*. *120 x 180*. *50000*. *La luce del mondo*. *210 x 340*. *85000*. Vittorio Foletti è una specie di banca centrale di se stesso, stampa la propria moneta. Tutto quello che deve fare è prendere una tela bianca intelaiata e pennellarci sopra del colore, tirare fuori uno dei paesaggi travolti che ormai gli devono venire automatici. Poi spedisce il quadro a uno dei suoi galleristi, e il gallerista gli manda abbastanza soldi da permettergli di fare come se i soldi fossero un elemento irrilevante della vita.

Mi chiedo cosa farei se avessi un lavoro che mi facesse guadagnare come lui, o ancora di più: dieci volte di più, cento volte. Certo non andrei a rinchiudermi in un posto fuori dal mondo come questo, non faticherei tanto per apparire umile e mite e gentile e rispettoso e preoccupato del benessere degli altri. Certo non farei donazioni a nessun vecchio guru indiano, non starei al gioco di nessuna tedesca nevrotica trentanovenne, non andrei a spalare la neve nel gelo di gennaio per nessun mollaccione pelato mangiatore di fichi secchi. Darei il peggio di me, se potessi permettermelo: vivrei al di sopra delle righe e al di sopra dei modi, come un giovane imperatore romano o una rockstar degli anni settanta, mi lascerei andare a ogni genere di squilibrio o alterazione. Sedurrei ragazze e le pianterei subito per sedurne altre, prenderei gente alla mia corte e la caccerei fuori appena mi delude o mi annoia, comprerei tutto quello che mi attira e lo butterei via appena mi stanca, macchine e piscine e case in cento stili diversi in cento luoghi diversi, intere isole; viaggerei da un punto all'altro del mondo in base alle pure onde contrastanti della curiosità e della noia. Non accetterei la più piccola dose di dovere o di misura o di ragione nella più piccola parte della mia vita, non sarei sobrio né tranquillo né modesto né discreto né rispettoso, non farei finta di essere buono né attento né considerato; mi terrei oltre i limiti dell'eccesso e dell'autoindulgenza tutto il tempo, senza preoccuparmi di quanto può durare, con che conseguenze.

Uto Drodemberg il terribile. Cinico, brillante, rapido, impaziente. Lamaghiaccio. Vettabisso. Corriglidietro. Cobramiele. Alzasottane. Sfasciamobili. Duecentoventiallora. Non-ragionevole. Non-responsabile. Non-cauto. Fa anche dei grandi gesti, ogni tanto, quando vuole. Grandi regali disinteressati. Lascia tutti stupefatti, presi in contropiede. Un lavatore di vetri nordafricano si accosta con aria supplicante ai vetri della sua macchina enorme ferma a un semaforo, e Uto Drodemberg scende e gli dà le chiavi, dice "Te la regalo." Il lavatore di vetri è allibito, non capisce cosa succede e in ogni caso non sa guidare, non ha il permesso di soggiorno e tanto meno la patente, il traffico è bloccato, le macchine dietro cominciano a suonare. Uto Drodemberg cammina via, con l'espressione più incurante del mondo. Attenzione generale che lo segue, dà un rilievo incredibile a ogni suo gesto, lo fa diventare leggendario. Uto Drodemberg che spende miliardi per comprare spazi pubblicitari alla televisione e mandare in onda degli altri spot che dicono di non comprare niente di quello che si vede negli spot. Le televisioni che si rifiutano di mandarli in onda; Uto Drodemberg che compra una rete televisiva solo per trasmettere antipubblicità. Lo stato che gli manda l'esercito per fargliela chiudere. Lui che mette insieme un esercito privato, dichiara guerra allo stato. Oppure, indietro-veloce: lui che cammina da solo contro l'esercito dello stato, completamente disarmato. Vestito di bianco, anche, allarga le braccia verso tutti i fucili e i mitra puntati e nessuno osa spargli. I soldati buttano le armi, si mettono a piangere. Uto Drodemberg che risolve la guerra civile nell'ex Jugoslavia, suona Mozart in una piazza di confine tra eserciti contendenti e tutti si mettono a piangere e buttano le armi. Lui che cammina in prima linea, con un alone di spiritualità così forte da renderlo invulnerabile. C'è proprio questa luce intorno a lui, come una luce di scena ma è un fenomeno naturale, emoziona chiunque lo vede fino a fargli perdere la parola. Smuove sentimenti profondi. Poi lui si stufa e compra un'isola deserta e ci va con le cento ragazze più belle del mondo. Si fa portare in giro su una portantina, si fa sventagliare con foglie di palma. Orge dalla mattina alla sera; non c'è limite.

Così come stavano le cose invece mi aggiravo per casa Foletti come un giovane cane affamato, cercavo motivi di interesse in ogni oggetto sugli scaffali e in ogni piega di libro, cercavo antidoti al panico da vuoto e ai dubbi di identità e alla noia e al senso di prigionia.

C'erano degli album di fotografie, ognuno con il suo anno scritto sul dorso: anche questo un lavoro di Marianne di sicuro, bastava guardare la meticolosità con cui erano organizzate le pagine, protette dai loro fogli di plastica trasparente.

Marianne Foletti di fianco a una motocicletta in una brughiera forse scozzese, con la faccia e il corpo poco più pieni di adesso, i capelli poco più gonfi. Un casco in mano, l'altro è posato sulla sella. Sotto la scritta *Glen Llaglan, '90.*

Vittorio e Marianne Foletti insieme su una piccola barca a remi in un lago. Guardano con un'espressione neutra nell'obiettivo, ma c'è una qualità stabile nei loro sguardi: sembrano padroni del momento in cui vengono fotografati. *Loch Ness, '90.*

Tiravo fuori un album, guardavo una o due fotografie al massimo, lo rimettevo a posto e ne prendevo un altro, lo aprivo a una pagina qualunque e lo richiudevo subito. Come saltare da un punto all'altro della storia della famiglia Foletti, ma raccoglievo solo schegge di informazioni, quello che non sapevo era sempre più di quello che sapevo. E mi costava una fatica strana, mi accorciava il respiro.

Vittorio e Marianne e Jeff-Giuseppe, alto la metà di adesso ma con la stessa identica faccia, in posa davanti a una chiatta. *Bangkok, '91.*

Vittorio con un fucile in mano e racchette da neve ai piedi, con la faccia più liscia e i capelli più neri di adesso, in un giaccone di montone rovesciato. Qualità del colore primitiva e mal conservata: rossi dilagati, marroni e gialli stinti in grigio. *Il cacciatore. Vergogna! ('82-'83?).*

Marianne al mare molto più giovane, in un bikini azzurro. Abbastanza sexy, ma sempre con una qualità un po' secca, spigoli appena sotto il liscio. Mare molto azzurro dietro. Altre ragazze sullo sfondo, ragazzi che ridono come sardine. *Hidra, '78.*

Vittorio all'inaugurazione di una mostra, magro e con le basette lunghe, tra ragazze in gonne molto corte e uomini con capelli lunghi e giacche strette, vecchie signore. *The Struggling Young Artist. Parigi, '69.*

Marianne e Jeff-Giuseppe di fianco al cane Geeno cucciolo in una cesta, tutti e tre con gli occhi rossi come conigli da laboratorio per via del flash. *Peaceville, Natale '91.*

Nina piccola e tonda, molto prima dell'anoressia, con Vittorio che la tiene per mano. Molto prima di Marianne, anche, quando lui era lontanissimo dall'idea di finire a costruire la felicità vicino a un santo guru indiano nel vuoto coperto di neve del Connecticut. *Il padre modello. Milano, '87.*

Cercavo di richiamare tutte le annotazioni ironiche che mi potevano suscitare queste immagini, e non me ne veniva nessuna. Ero sempre più affaticato invece, e a ogni foto questo stato mi peggiorava, come in un inseguimento dove non avevo nessuna possibilità di raggiungere quello che inseguivo.

Ho rimesso a posto l'ultimo album sullo scaffale, li ho lasciati perdere; mi chiedevo com'era avere una vita così ben ordinata e custodita, con una percezione del passato precisa e sicura quanto quella dello spazio tra una parete e l'altra, da spigolo ad angolo, in altezza e in profondità.

Sulla destra la stanza di Nina. Odore di gommapane. Bambole di pezza e porcellana. Vestiti sparsi in disordine. Scatole e scatoline, boccette. Sue fotografie alle pareti, in vari stadi di crescita. Con sua madre, bruna e riccia, molto diversa da Marianne. Con suo padre. Con amici. Cartoline. Testo di una canzone copiato a mano. Manifesto di un cantante. Foto del guru. Foto di tutta la famiglia Foletti con il guru davanti alla casa costruita solo a metà, cumuli di terra smossa sullo sfondo. Un disegno di un cerbiatto, stile lirico-infantile-disneyano.

Sul tavolo, una polaroid di un ragazzo magro e innocuo con un cappellino in testa, ridacchiante per l'imbarazzo, pelle grassa. Foto di un altro ragazzo più preoccupante, con orecchino e capelli lunghi, giacca di camoscio sfrangiata.

Quaderno rilegato a spirale, cuoricini adesivi argentati e rossi sulla copertina a fiori. Diario, iniziato a metà luglio con la scritta *Mamma mia!* Calligrafia tonda e ottimista, ingenua ma con amplificazioni o echi di sentimenti. Frasi come: *Geografia, che barba. Non imparo l'inglese. Mal di pancia. Cena alla Kundalini Hall.*

Frasi da canzoni, frasi da libri. Il senso di vuoto mi ha ripreso, mi provocava un ronzio alle orecchie.

Gita in macchina con Peter. Ci siamo anche baciati, ma io ho paura, è troppo insistente.

Più avanti: *Papà dice che se non mangio finirò per ridurmi in niente e morire. Anche Marianne è sempre lì a rompere con il cibo, mi ha fatto parlare anche dallo Swami per convincermi. Ma se mi guardo allo specchio sono grassa come una balena, mi sembra che esagerino tutti.*

Più avanti: *Peter o Gamesh?* Due cuoricini disegnati, un brutto ritratto a pennarello del ragazzo con i capelli lunghi e l'orecchino. *Gamesh è sempre così gentile e pieno di attenzioni, e invece mi piace Peter che non telefona mai. Papà dice che noi donne perdiamo sempre la testa per i pirati e trattiamo male i bravi ragazzi ragionevoli. Ma i pirati sono così romantici!*

Non mi divertiva leggere queste righe, non mi appagava in nessun modo; mi suscitava solo nuova fatica, nuovo senso di vuoto. Mi chiedevo dove ero mentre Nina scriveva il suo diario, mentre i Foletti scattavano le loro fotografie: cosa cavolo avevo fatto invece. Avrei voluto almeno essere stato coinvolto in qualche genere di divertimento violento, qualche frenesia distruttiva e spettacolare da contrapporre a tutte queste registrazioni accurate, ma non era così. Non ero stato da nessuna parte, non avevo fatto niente.

Più avanti: *Papà offeso con Marianne perché lei dice che è stonato. Certe volte ha questo tono come se fosse una guru anche lei, papà ha una pazienza infinita a non reagire.*

Già un po' meglio: una piccola luce di speranza, anche se non abbastanza da compensare il resto.

Più avanti: *Marianne dice che arriverà da Milano a stare con noi qualche tempo un ragazzo che si chiama Uto. Sua mamma è molto amica di Marianne e gli è successa una tragedia terribile perché il suo patrigno si è suicidato in un modo spaventoso, ha fatto crollare una casa intera. Come sarà? È divertente avere un ragazzo in casa. Peter sarà geloso? Non credo, perché non è geloso di nessuno, neanche di Gamesh.*

Già un po' peggio; ma non riuscivo a fermarmi, avevo una specie di compulsione a leggere.

Più avanti: *U. ha uno sguardo strano. Ha un modo strano di guardare la gente. Abbastanza interessante, in ogni caso. Non bello come Peter, è più magro e ha i capelli tinti di giallo quasi bianco. Stile teppista-criminale, un po'. Marianne dice che sotto la scorza è buono, forse è vero. Ha questo modo di non fare mai niente in casa e leggere tutto quello che gli capita e non parlare mai, papà si irrita ogni tanto ma non lo fa capire.*

Molto meglio. Molto, molto meglio.

Però tramestio dal soggiorno, la voce di Vittorio che dice "UTO?" Richiuso il quaderno, saltato fuori dalla stanza di Nina, all'indietro nel corridoio nel soggiorno come in un cartone animato. Vittorio stava scaricando grandi sacchi nella camera vetrata di decompressione, Marianne asciugava le zampe al cane. Vittorio ha detto "Mi dai una mano?"

Mi sono fatto passare i sacchi di provviste, che avrebbe potuto benissimo portare dentro lui se non avesse seguito in modo tanto supino la religione dei piedi scalzi di sua moglie. Ma ero contento delle ultime righe nel diario di Nina, l'idea che Vittorio si irritasse con me. Mi sembrava di non essere poi così inefficace, alla fine; di non girare così a vuoto.

Al secondo viaggio Marianne mi ha detto "Come va?" nel suo tono universalmente comprensivo, senza smettere di occuparsi del cane.

"Bene, bene," le ho detto, mentre trascinavo malvolentieri un sacco di patate biologiche attraverso il soggiorno. Mi chiedevo se Nina scriveva solo l'iniziale del mio nome nel suo diario per paura di compromettersi, perché avevo un ruolo simile a quello di Peter nelle sue fantasie.

Quando sono tornato all'ingresso, Marianne mi ha detto "Hai un'aria strana, oggi."

Vittorio era di nuovo fuori nella neve, stava scaricando dalla Range Rover altri sacchi di attrezzature e rifornimenti, con la sua energia inarrestabile da costruttore della felicità.

Le ho detto "Anche tu."

Lei scivola oltre mentre parlo: scivola lungo il mio sguardo con uno sguardo che mi trattiene nel suo campo visivo e mi lascia cadere fuori solo quando è lontana. Quando è lontana si ferma e si gira, e anch'io mi giro nello stesso momento; ci guardiamo da venti metri, lei con una mano sulla maniglia del frigorifero, pronta ad aprirla e schermarmi fuori. C'è un vero vuoto di parole; il cane sbadiglia; alla periferia destra del mio sguardo Vittorio scende nella neve verso il suo laboratorio con un sacco sulle spalle.

MARIANNE: Perché ti sembro strana anch'io?

UTO: Perché avete litigato, credo.

MARIANNE: Chi?

UTO: Tu e Vittorio.

MARIANNE: Cosa ne sai, tu?

UTO: Non è vero?

MARIANNE: No. Non lo abbiamo mai fatto, da quando siamo qui. È impossibile litigare, qui.

UTO: Che bello.

(Piedi a buona distanza, baricentro basso, c'è questo risucchio ma Uto Drodemberg non si sposta.)

(Lei si passa una mano tra i capelli, ride, non divertita. Fragile appena fuori dall'ombrello della sua serenità spirituale, esposta e incerta, capelli sottili e pelle trasparente, naso dritto dalla cartilagine delicata.)

MARIANNE: Come fai a capire queste cose?

UTO: Non lo so. Le vedo. Non ci posso fare niente.

MARIANNE: Mamma mia.

(Sorriso debole, di nuovo una mano tra i capelli ma non serve a ricomporre niente, allarga solo la crepa nel suo modo di fare.)

UTO: È così. È una specie di malattia, credo.

MARIANNE: Perché una malattia?

(Attraversata da una luce sottile di incertezza o di dubbio, sembra che annaspi per ritrovare stabilità.)

UTO: Forse viene dal fatto che fin da bambino sono sempre stato fuori luogo. Non c'è mai stato verso di nascondermi nel gruppo. Potevo solo stare fuori dalle cose a registrarle.

(Gli scottano le orecchie a parlare di sé in modo così scoperto; non sa neanche lui perché lo fa.)

MARIANNE: Cos'altro hai registrato, qui?

UTO: Ma niente.

MARIANNE: Chissà quanti difetti imperdonabili ci avrai scoperto.

UTO: Non è vero.

MARIANNE: Non dire che non è vero. Nessuno può dire bugie, in questo posto.

UTO: E nessuno può litigare. No?

MARIANNE: Smettila.

(Diventa rossa, cerca di recuperare ma incespica nei suoi stessi gesti. Si allunga a guardare nei sacchi di carta marrone della spesa, torna a guardare da un angolo diverso.)

MARIANNE: Comunque meglio, se sai vedere. Con tutte le persone distratte che ci sono. Che magari si sforzano di capire e non si accorgono mai di niente.

Uto Drodemberg sorride, non del tutto sicuro che lei dica "persone" per dire "uomini", per dire "Vittorio".

Lei resta a guardarlo fisso ancora per qualche secondo, con le labbra che non si decidono a un'espressione; poi si distoglie da un istante all'altro, apre il frigorifero, comincia a trasferirci il contenuto di uno dei sacchi della spesa.

Con Nina nel bosco

Primo pomeriggio, chiuso nell'ex camera di Jeff-Giuseppe in cima alle scale, a leggere in modo discontinuo l'autobiografia-intervista del guru che mi hanno regalato. Nella parte centrale ci sono delle foto dove si vede il guru in fasi diverse della sua vita: alla conferenza internazionale sulla pace nel mondo, più in polpa e vigoroso di come l'ho visto, grande saluto a mani giunte dal podio. Con il papa in una sala vaticana: stretta di mano, sorriso forse un po' troppo generoso rispetto all'altro che tende appena le labbra. Seduto a gambe incrociate in un giardino tropicale, tra altri guru disposti a schiera. In piedi davanti al tempio-fungo ancora in costruzione, falegnami e una gru sullo sfondo, boscaglia dove adesso c'è il giardino ben ordinato.

Agli inizi, con le costole che gli sporgono da un sari di stoffa sottile, tutto barba e capelli neri in una strada di Bombay. Mi fermo su questa foto: è difficile non pensare a che fortuna sia stata per lui trovare l'America e persone come Vittorio e Marianne che investono soldi ed energie nelle sue attività e lo sostengono e coprono di attenzioni e forniscono di tutto quello di cui ha bisogno, casa e assistenti e tuniche di buona lana ben tinta. È difficile non pensare che chiunque con un po' di carisma e sensibilità e spirito inventivo potrebbe fare lo stesso, solo ad avere un'idea del bisogno che ha la gente di una guida e di semplici spiegazioni sulla propria vita. C'è un mercato per queste cose, se uno vuole ragionare in termini brutali, dove forse nessuno fa danno a nessuno; è una specie di scambio di vantaggi.

Ho sentito la voce di Marianne che da sotto diceva "Uto?"

Ho cercato di pensare che non l'avevo sentita, non c'era stata nessuna voce. Mi chiedevo se è possibile; se con un esercizio mentale uno può cancellare delle vibrazioni acustiche che lo disturbano e da lì risalire alla loro origine e cancellare anche quella.

Ma la voce di Marianne si è avvicinata alla base della scala, ha detto "Uto? Mi senti?"

Così presente e incalzante, non dava l'idea di lasciarsi dissolvere facilmente; ho dovuto alzarmi, andare ad aprire la porta.

Lei da sotto guardava in su, con il suo sorriso veicolatore di buone intenzioni. Ha detto "Non volevo disturbarti."

Non le ho risposto che non mi disturbava.

Lei ha detto "Io sto uscendo. Non avresti voglia di andare con Nina ad aiutare una vicina che ha l'influenza? È a due passi da qui, ci mettete dieci minuti."

L'ho guardata dall'alto ancora qualche secondo senza dire niente, ho guardato il cane Geeno che scodinzolava già vicino all'uscita, ho guardato fuori attraverso le vetrature, con gli occhi socchiusi per la luce. Alla fine ho detto "Va bene", in una specie di tono espirato.

Marianne ha detto "Grazie tante, Uto." Ha sorriso ancora, mi ha fatto un cenno ed è andata verso la porta a vetri scorrevole, come una santa agile e vestita di chiaro, felice di essere un anello in una catena di buone azioni.

Nina, nel piumino rosso che la ripara e nasconde la sua magrezza estrema. Zigomi larghi arrossati, borsa di tela con una ciotola di minestra per la vicina malata; pantaloni imbottiti e scarponi da boscaiolo identici a quelli di suo padre, ma ha freddo lo stesso, rabbrividisce ogni tanto.

Affondiamo nella neve fino alla caviglia, dobbiamo alzare molto le ginocchia per staccare un passo dopo l'altro. Cerco di farlo bene, anche se non è facile in queste condizioni; sto attento alla successione di movimenti. Ho in testa un catalogo intero di andature da evitare: strascicate, incolori, forzate, dimostrative, equine, funzionali, da boy-scout, da turista, da sportivo, da imbecille. Quello che cerco è un equilibrio di incuranza e precisione, senza sprechi di intenzioni o energie. Ho dei riferimenti possibili, se non dei veri modelli: camminate di cantanti attraverso il palcoscenico, di attori attraverso lo schermo, di personaggi attraverso i libri; mie camminate mentali attraverso pezzi di musica che ho suonato, attraverso sogni che ho fatto. Tendo a fare così con tutto, se ci penso: a orientare ogni mio gesto e parola in base a un sistema di riferimenti visuali, come un marinaio senza carte nautiche che si regola in base alle stelle. E lo faccio per un pubblico, ma non è rilevante che ci sia davvero una folla a guardarmi; mi sembra di essere sempre sotto gli occhi di qualcuno, in qualunque luogo e in qualunque momento, non ho pause per lasciarmi andare. È come se avessi il mio pubblico incorporato, critico e concentrato fino allo spasimo, attento a ogni minima sfumatura, pronto a perdere interesse e annoiarsi e fischiarmi al primo cedimento.

Nina mi guarda appena, cammina in uno dei due solchi lasciati dalla macchina di suo padre e mi costringe a camminare nell'altro, andiamo avanti a questa distanza di sicurezza. Non deve avere molti riferimenti di andatura, lei, perché cammina leggermente curva in avanti, con lo sguardo alla neve, il sacchetto per la vicina in una mano, l'altra mano infilata in tasca come per nasconderla. Anche lei si sente osservata tutto il tempo, ma questo invece di stimolarla a muoversi meglio la impaccia, intride di imbarazzo ogni sua espressione. Solo ogni tanto ha un piccolo scatto improvviso di autoaffermazione, che la fa diventare quasi sfacciata o provocatoria; poi torna a riabbottonarsi in se stessa come in un vestito di cui non è convinta. Eppure i suoi zigomi arrossati danno un bel colore vivo alla sua faccia, il vapore che esce dalle sue labbra rosa e piene mi affascina.

Le dico "Cosa cavolo dobbiamo fare per questa vicina?"

"Portarle la minestra e dare da mangiare al cavallo," dice lei, senza quasi girare la testa. "Dargli anche da bere, perché l'acqua gli si gela."

"Ma c'è sempre qualche menata del genere, qui?" le chiedo. "C'è sempre qualche richiesta o dovere sociale o qualcosa?" Cerco di avvicinarmi, ma per farlo dovrei lasciare il mio solco di ruota e camminare peggio; siamo condannati a restare alla distanza di un asse di Range Rover.

Nina dice "Non sono menate." Ansima, stiamo camminando veloci nei solchi nella neve alta. Dice "È un piacere aiutare gli altri."

"Ci credi davvero?" le chiedo. "Non è che invece preferiresti tanto startene a casa per i fatti tuoi? Se non ci fossero Marianne e tuo padre e il guru e tutti gli altri tutto il tempo lì a dire che meraviglia e che piacere è aiutare gli altri?"

"Ma no," dice lei, con una piccola tensione agli angoli della bocca che sembra quasi un sorriso.

"Se non ci fosse Marianne con il suo atteggiamento da santa?" le dico. "Con il suo sguardo ispirato? Il suo fervore illuminato nella voce? E non smette mai, non c'è verso che se ne dimentichi neanche per un minuto." Mi viene in mente quando invece se ne è dimenticata per un minuto: lo sguardo e il tono di voce che le erano venuti.

Nina mi guarda rapida, non risponde.

Le dico "È vero o no?"

Lei distoglie gli occhi, cammina veloce, guarda il solco nella neve davanti.

Dico "Di' la verità."

"Un po'," dice lei; ride.

Le dico "E tuo padre? Non ti fa rabbia che le stia così dietro? Che stia sempre al suo gioco, anche quando in realtà non ne ha nessuna voglia?"

"Non sta sempre al suo gioco," dice Nina, già sulla difensiva di nuovo. "Guarda che ci crede anche lui, alle stesse cose. È cambiato tantissimo, da quando è qui."

"Nessuno cambia mai," dico io.

"Non è vero," dice Nina. "Lui è cambiato. Tu non lo conoscevi prima, cosa ne sai?"

"Lo so," dico io. "Nessuno cambia. Al massimo può trovare un modo di fare diverso, magari vestirsi o parlare diverso. Ma dentro è fatto in un modo e rimane così, c'è poco da cambiare." Inciampo nella neve alta per avvicinarmi al suo profilo; torno al mio solco di ruota, cerco di riprendere un'andatura ideale.

"Papà è cambiato," dice ancora Nina senza guardarmi. "Se non lo so io. In Italia mi telefonava una volta al mese, se andava bene. Le poche volte che ci vedevamo era così annoiato e distratto e nervoso, non vedevo l'ora che mi riportasse dalla mamma. Poi è venuto qui e ha cominciato a chiamarmi due volte al giorno, dirmi le cose più affettuose del mondo, dirmi che aveva bisogno di me, che voleva esserci. All'inizio non riuscivo neanche a crederci. C'è fin troppo, adesso. Mi sta sempre addosso a dirmi di mangiare, chiedermi come sto."

Camminiamo per un tratto senza parlare, nella strada tra i due lati del bosco coperto di neve; non ci sono altri rumori che i nostri passi e i nostri respiri, i fruscii dei nostri vestiti.

Dico "Appunto. È una specie di recita, che fa. Cerca di tenersi nella parte, usare i toni e i gesti giusti. Se lo impone, per far contenta Marianne. Magari ci crede anche, ma è una recita."

Nina non risponde e accelera il passo, cerca di lasciarmi indietro, come se potesse lasciarsi indietro i problemi con suo padre e Marianne e l'anoressia e tutto il resto.

Le dico "Non lo vedi come è nervoso a volte, magari mentre sorride? Magari fa tutto il pacato e il dolce e il comprensivo, e dentro frigge?"

Lei va avanti sempre più rapida, a testa bassa lungo il suo solco nella neve, fa finta di non sentirmi.

Accelero anch'io per non farmi staccare troppo, anche se non è brutto parlarle così a distanza in questo silenzio immobile. Le dico "Non lo vedi quando deve sorbirsi i discorsi di Marianne, come gli si tendono i muscoli delle mandibole? O quando al tempio-fungo se ne sta lì seduto immobile e si capisce benissimo che avrebbe voglia di saltare in piedi e strangolare qualcuno?"

Nina quasi corre ormai, chiusa e ostinata e dura, riparata nel suo piumino rosso come in uno strato di non-ammissione.

Le corro dietro nel mio solco parallelo, le dico "Eh? Non è così?"

"Può darsi," dice lei alla fine, e rallenta appena, continua a non guardarmi. Dice "E allora? Sono fatti suoi, no?"

"Anche tuoi," le dico. Non so perché sto così attaccato alla questione: se per aiutarla a capire le cose o per una mia ricerca di verità o per qualche altra ragione molto meno ammirevole. Le dico "Ti costringe a stare anche tu lì sul suo palcoscenico, a partecipare alla recita. La costruzione della felicità e tutto il resto. Ti fa venire fin qui dall'Italia e ti impone Marianne e Jeff o Giuseppe come si chiama e il guru e tutte le altre menate, ventiquattro ore su ventiquattro. E questa rappresentazione di famiglia perfetta, dopo che ha distrutto la tua? Dopo che ha scaricato te e tua madre?"

Nina si è fermata di colpo, mi ha guardato con occhi improvvisamente molto vivi; le mie parole che correvano con tanta facilità incalzante si sono compresse una sull'altra come in un tamponamento a catena in autostrada.

Siamo rimasti a fissarci e ansimarci vapore condensato in faccia a poca distanza, congestionati com'eravamo per lo sforzo di camminare contro la resistenza della neve e del freddo e dei dati di fatto. Non riuscivo a capire niente di quello che le passava per la testa: se erano giudizi senza appello o ammirazione che faticava a prendere forma, dubbi in movimento. Avevo questi vuoti di lucidità, ogni tanto: riuscivo a vedere in perfetta trasparenza persone e situazioni, decifrare ogni meccanismo in ogni sua leva e rotella, e poi da un momento all'altro non avevo più la minima idea di cosa pensavano gli altri e nemmeno di cosa pensavo io.

Nina sembrava sospesa sull'orlo di un giudizio o di una constatazione, ma non era affatto chiaro se la luce che le balenava negli occhi era di sgomento o di rabbia o di divertimento o di indignazione. Mi aspettavo ogni genere possibile di frase, pensavo a un'intera gamma di risposte per reagire a un complimento o a un attacco, ma queste possibili parole in arrivo e in partenza si sovrapponevano una all'altra in modo da non essere più utilizzabili; si azzeravano per accumulo, in un unico senso confuso di perplessità. Stavo lì in piedi nella strada deserta nel paesaggio coperto di neve, non mi era neanche facile mantenere una posizione.

Poi Nina è uscita dal solco della macchina di suo padre, è scesa nella neve alta di una pendenza attraverso il bosco. Le sono andato dietro, meno che potevo come se la inseguissi. Le ho detto "Mica ti sei seccata?"

Lei arrancava nella neve che le arrivava alle ginocchia, forse c'era un sentiero più sotto o anche uno stradino ma non erano riconoscibili. È scivolata, a un certo punto: andata giù di sedere per qualche metro.

Le ho detto "Attenta!", sono scivolato dietro di lei. Neve nelle maniche della giacca, nel colletto e nei capelli, in bocca. Cuoio gelato umido. I miei scarponi da motociclista non facevano nessuna presa, ma almeno erano stagni, mi tenevano asciutti i piedi.

Nina ha ripreso ad arrancare, io le arrancavo dietro. Divertente, anche, non fosse stato che non mi guardava, non fosse stato per il gelo umido.

Ma siamo già alla casa della vicina, Nina rallenta il passo.

È in un infossamento nel bosco dove il sole non deve arrivare mai, una specie di baracca di legno dai serramenti in alluminio, mezzo nascosta tra gli alberi carichi di neve, collegata alla strada nella direzione opposta da uno stradino che è stato liberato forse da Vittorio o da un altro vicino caritatevole.

Ci fermiamo davanti alla porta fragile, Nina bussa. Stiamo ad aspettare mezzo minuto buono, prima che da dentro si sentano dei passi strascicati, una voce che dice "Chi è?"

"Nina Foletti," dice Nina. Mi fa venire in mente quanto poco uno è responsabile del suo nome; quanto se lo deve portare in giro insieme ai lineamenti e ai tratti di carattere che ha ereditato, come un bagaglio non scelto. Mi fa venire in mente i piccoli sorrisi dei miei compagni e anche degli insegnanti al conservatorio quando sentivano le prime volte il mio. Dro-cosa? Dro-che? Mbe-mbe-mberg?

La porta si socchiude, una specie di signora-porcospino con uno scialle anni settanta e un fazzoletto in testa si affaccia a spiarci. Occhi piccoli e scuri, stretti ai lati del naso, naso puntuto da abitante di cunicoli.

Nina le dice "Come stai, Saraswati?" Cordialità spinta a forza al di là della timidezza, al di là della mancanza di ragioni per essere cordiali. L'eco del tono di Marianne nel suo: lo stesso flusso di buone intenzioni anche se in forma più debole e incerta.

"Così," dice la signora-porcospino. "Ho ancora la febbre." Mi guarda attraverso lo spiraglio nella porta, con il naso arrossato sulla punta, una luce sorda nei piccoli occhi scuri. Costruirsi la casa in un posto così infossato non è stata certo una buona idea, non ha certo avuto un buon influsso sul suo aspetto o sulla sua tendenza ad ammalarsi.

Nina mi indica, dice "Lui è Uto. Sta da noi", di nuovo con uno slancio immotivato, non corrisposto. Porge alla signora-porcospino il sacchetto di tela con la ciotola di minestra, dice "L'ha fatta Marianne per te."

La signora-porcospino dice appena "Grazie", ritira il sacchetto, non mostra nessuna particolare riconoscenza all'idea che abbiamo camminato venti minuti nella neve per venirglielo a portare.

Faccio qualche movimento nel poco spazio sgombro davanti alla porta, sposto il peso su una gamba come ho visto nel libro dell'aikido con Ki, ma scivolo sulla neve spalata e ghiacciata. Nina se ne accorge, anche se è presa dalla signora-porcospino, mi dà una rapida occhiata di disapprovazione.

La signora-porcospino le dice "Vieni a prendere l'acqua per il cavallo?" nella sua mezza voce smorzata dal raffreddore e dalla mancanza di calore naturale. Nina entra senza dirmi niente né guardarmi, la signora-porcospino non mi invita a entrare; mi richiudono la porta in faccia.

Fa freddo. Provo qualche altra mossa di aikido con Ki che potrebbe anche funzionare bene in concerto: ruoto il busto, giro la testa, porto una gamba all'indietro, sto attento a non scivolare di nuovo. È tutta una questione di equilibri, in realtà, forse è questo che mi intriga. Credo di avere passato la vita a studiare gli spostamenti di peso e gli sbilanciamenti e i riassestamenti improvvisi, gli avanzamenti e arretramenti; è la cosa che so fare meglio, a parte suonare il pianoforte, credo.

La porta si riapre, la signora-porcospino mi guarda di nuovo, senza interesse né cordialità. Mi sento bene, rispetto a lei tutta influenzata e imbacuccata sulla soglia della sua casa-baracca nell'infossamento del bosco; mi sento pieno di energia dinamica, attraente, traboccante di potenzialità.

Nina esce, con un secchio d'acqua tiepida che fuma nell'aria gelata. La signora-porcospino le dice "Il fieno e l'avena sono là", indica un piccolo capanno di legno poco lontano. Tira su col naso, dice "Grazie" senza nessuna enfasi; ha già richiuso la porta dal telaio di alluminio, è già sparita dentro.

Nina dice "Mi dai una mano?" Mi passa il secchio, tutta seria e compita, percorsa dalle buone ragioni della sua missione.

La seguo verso il piccolo capanno, mi accosto fino a toccarle una spalla. Le dico "Non molto cordiale, eh?" Imito lo sguardo e l'atteggiamento della signora-porcospino semiaffacciata sulla porta: stringo le palpebre, allungo la testa in avanti, piego la schiena.

"Ma poverina," dice lei, con aria indignata. "È malata. Le è anche scappato via il marito, l'anno scorso." Però a vedermi così curvo e contratto con gli occhi a fessura e le narici dilatate non riesce a non ridere: distoglie lo sguardo ma ride.

Le dico "Lo sai che non dovresti ridere, della povera signora malata? Pensa cosa direbbe il guru, se ti vedesse. Pensa cosa direbbe Marianne."

"Smettila," dice Nina, mentre apre la porta del capanno. Ma ride ancora; scuote la testa, dice "Sei tremendo, madonna."

Questo naturalmente ha solo l'effetto di incoraggiarmi oltre, aumentarmi la corrente elettrica nel sangue. Le dico "Scusa, veniamo fin qui con tutta questa neve per aiutarla, e quasi neanche ci ringrazia."

Lei versa avena da un sacco in un secchio, dice "Non hai ancora capito niente di questo posto, se ti aspetti di essere ringraziato per quello che fai. Sei tu che dovresti ringraziare."

"E perché?" le dico, senza trovare proprio il tono che vorrei. "Perché cavolo dovrei ringraziare, se sono io che faccio un favore? Per puro masochismo? Ma tu ci credi davvero, a queste scemenze?"

Lei mi toglie di mano il secchio d'acqua, indica con il mento delle balle di fieno, dice "Prendine una." Ha un tono simile a quello di suo padre, adesso, mi prende alla sprovvista. Cerco di capire se è il senso di missione che glielo fa venire, o è che le sto troppo addosso, mostro troppo interesse per lei. È sempre così, non ci vuole niente a perdere l'ascendente che ti sei costruito in giorni o mesi o magari una vita intera di lavoro su te stesso: basta un gesto di familiarità di troppo, l'ascendente si dissolve nello spazio di un secondo, ti lascia grigio e senza la minima aura, sullo stesso piano di chiunque altro. Devi andare indietro-veloce appena te ne rendi conto, se vuoi recuperare: ridurre a zero la leggibilità di quello che ti passa dentro, rimettere filtri e filtri, e ancora non è detto che basti, il più delle volte il danno è fatto.

Ho preso la balla di fieno senza dire più niente, sono uscito per il sentiero spalato che costeggiava la casa della signora-porcospino, verso il recinto di legno dove un cavallo pezzato spor-

156

geva il muso. Nina mi ha seguito con i due secchi in mano, cercava di raggiungermi ma non c'è riuscita.

Ho rovesciato il fieno in una mangiatoia; il cavallo ci ha ficcato subito il muso, bramoso come se non mangiasse da una settimana. Nina ha posato i suoi due secchi dentro il recinto, si è sporta oltre la palizzata per sistemarli meglio e le ho guardato il sedere magro; ho distolto gli occhi quando si è girata a guardarmi, sono tornato indietro per il sentiero senza dirle niente.

Scarpicciare nella neve alle mie spalle, respiro leggero rapido, fruscio del piumino. Mi raggiunge quando sono già quasi alla casa della signora-porcospino, mi tocca un braccio, dice "Uto?"

Uto Drodemberg si gira, con un movimento perfetto: il busto e la testa e lo sguardo che ruotano lenti sulla scia del movimento in avanti che continua. Anche la luce in questo tratto di bosco è suggestiva, bianco su bianco su bianco su bianco tagliato dalle linee scure dei tronchi d'albero. La musica sotto accentua l'effetto di trascinamento di emozioni, in un'onda alonata.

UTO: Sì?
  NINA: Ti sei seccato?
  UTO: Perché?
  (Sguardi laterali, di lui e di lei: tagliano lo scorcio di bosco per linee divergenti. I loro fiati formano nuvole di vapore, nessuno dei due può immaginarsi di dissimulare il proprio respiro.)
  NINA: Per prima. È che fai dei discorsi. Non capisco mai se è per provocare o cosa.
  (Sguardo di sondaggio-attesa-incertezza, sorriso-non-sorriso, il gelo rende ancora più difficile il modo che ha di staccare le labbra per smielare una parola dopo l'altra. Tiene la testa appena inclinata; c'è questa palpitazione di impulsi semplici, que-

sta piccola fiamma negli occhi scuri, questo respiro corto di cose da sapere.)

Uto Drodemberg la guarda come se non riuscisse bene a riconoscerla. Poi nel modo più inaspettato si toglie gli occhiali da sole e le sorride: un sorriso pieno di luce dell'universo profondo, da giovane santo o da profeta, attrazione al di là delle parole e al di là delle ragioni, al di là di adesso e di come e di chi. Una sciiiiia di sorriso, come una rete fina gettata in una corrente a coprire una vasta zona di mare, catturare tutto quello che ci si muove.

Allunga una mano, le sfiora i capelli all'altezza della tempia sinistra. Paura, sgomento, corsa di non-pensieri a una velocità esilarante, un vero brivido di gioia solo per essere arrivato fin lì.

UTO: Grazie.

NINA: Di cosa?

UTO: Non lo so. Dei tuoi zigomi.

NINA: Cosa c'entrano i miei zigomi?

UTO: Sono belli. Grazie grazie grazie. Non lo dici tu che bisogna ringraziare?

NINA: Sì, ma i miei zigomi li odio. Sono troppo larghi. Mi fanno una facciona.

UTO: Tu sei scema. Sei scema. Sei scema scema.

Sorpresa-offesa divertita-incerta; apre le labbra ma non smiela nessuna parola. Le dita di lui tra i capelli di lei, lucidi e lisci e duri come fili di seta laccata. La consistenza morbida quasi calda del suo collo, del piccolo orecchio ben formato anche se un po' a sventola ma carino, è incredibile la curvatura della cartilagine. Due campi magnetici di polarità opposte, li tirano uno verso l'altro più forte della corrente elettrica che risale dalle dita in direzione del cuore. Però puntano i piedi tutti e due, si tengono bilanciati nella neve alta fino quasi al ginocchio per fare resistenza; la distanza tra loro è quella di un braccio esteso a metà, eppure c'è ancora troppo margine vuoto in cui le loro espressioni possono precipitare. Lui dovrebbe allungare anche l'altro braccio e prenderla dietro la testa e tirarsela contro, ridurre la distanza a zero e baciarla sulle labbra o almeno sui capelli o sulla fronte o sul collo, sentire la sua consistenza magra sotto il piumino e il suo odore di gommapane da molto vicino e dirle parole in successione rapida, chiudere gli occhi, smettere di registrare e analizzare, lasciar perdere l'effetto che fa visto da fuori, lasciar perdere l'equilibrio e lo stile. Dovrebbe seguire l'istinto e seguire la corrente, lasciarsi cadere dentro questo momento senza preoccuparsi affatto dello spazio tra prima e dopo e tra quando e quanto e tra semplice e complicato, tra immaginato e fatto. Dovrebbe esserci.

Invece ritira la mano, vertigine e attrazione del vuoto che gli salgono dentro; poi si gira, riprende a camminare nella neve alta. Non pensa per niente di avere fatto la cosa giusta, anche se c'è un filo sottile di piacere nella sua delusione e una linea di orgoglio nel suo rammarico; i nervi ricettori dei suoi polpastrelli sono saturi di sensazioni fino quasi a fargli male. Allunga il passo per compensare, senza neanche più l'ombra del controllo formale che gli piacerebbe avere; scivola per la pendenza che porta alla strada, cade su un fianco, si tira su troppo in fretta, si spazza via la neve di dosso con troppa energia, riprende a camminare troppo veloce. Nina gli va dietro allo stesso ritmo; lui non si gira a guardarla, scappa dalla sua espressione.

Faccio colpo sul guru (e non solo)

Marianne è entrata nel soggiorno in uno stato fibrillante di eccitazione, dieci volte più di quando ci aveva trascinato tutti fuori a vedere il tramonto. Ha detto "Indovinate cosa? Indovinate cosa? Questa sera lo Swami viene qui! A cena! Viene a trovarci e a mangiare con noi!"

Ero semisdraiato sul divano, con in mano una rivista di armi che avevo comprato all'aeroporto di New York e dimenticato nella mia borsa da viaggio: pistole automatiche e revolver e fucili a pompa, prove redazionali e raffronti e consigli d'uso, bersagli bucherellati, pubblicità, numeri verdi per ordinare mitra e anche bazooka via posta. Jeff-Giuseppe su una poltrona ascoltava in cuffia una cassetta degli Scum Bags che gli avevo prestato, ciondolava un piede a tempo.

Sua madre è andata a premergli il tasto di stop, dirgli a pochi centimetri dalle orecchie "Hai sentito? Viene lo Swami a cena! Stasera!"

Jeff-Giuseppe ha detto "Grande", come di fronte alla più bella notizia del mondo. Poi mi ha guardato con occhi che sbandavano e ha fatto subito indietro-veloce: ritirato il sorriso, ripremuto il tasto di play. Da qualche giorno cominciava a riuscirgli di misurare i suoi atteggiamenti sui miei, anche se in modo ancora debole e discontinuo e con cedimenti improvvisi; ma mi teneva d'occhio, cercava di tenersi all'altezza.

Sua madre in ogni caso aveva già attraversato e riattraversato da un lato all'altro il soggiorno sull'onda dell'entusiasmo pu-

160

ro che la travolgeva; ha detto "Non è meraviglioso? Non è fantastico? Si è rimesso perfettamente, sta benissimo di nuovo!"

La guardavo appena, ero preso da un articolo in cui un tipo dalla faccia di cane spiegava come il posto migliore dove tenere la seconda pistola di casa è lo scomparto del ghiaccio nel frigorifero. Foto di faccia di cane che arretra di fronte a un rapinatore armato di fucile a pompa; foto di faccia di cane che apre lo scomparto del ghiaccio con aria di volergli offrire un aperitivo per calmarlo; foto di faccia di cane che spara. Meglio una pistola con elevato potere di arresto, spiegava, come la Magnum 44 che si vede nelle foto. Un piccolo calibro rischia solo di inferocire di più chi vi sta di fronte, se non avete una mira eccezionale e lui magari è ubriaco o drogato.

Marianne è scivolata di nuovo attraverso il soggiorno; l'ho sentita bussare alla porta di Nina nel corridoio, dirle "Lo sai chi viene stasera?"

La voce di Nina si è fatta assorbire da tutta la moquette spessa che c'era nella casa, ma quella di Marianne era troppo squillante e in movimento per non arrivare fino a me. Diceva "Lo Swami!" Diceva "Viene da noi! Mi ha appena telefonato Kapurna, la prima assistente!"

Era già tornata nel soggiorno, guardava me e Jeff-Giuseppe che cercavamo di tenere gli occhi fuori contatto, guardava le finestre e i tavoli e gli scaffali e i libri e gli oggetti intorno, come se la sua casa dovesse superare una specie di supremo esame attitudinale.

Ha detto a Jeff-Giuseppe "Non avresti voglia di aiutarmi?"

Jeff-Giuseppe mi ha guardato per avere qualche genere di indicazione, ma sua madre mi è arrivata davanti prima che potessi muovere un sopracciglio, mi ha detto "Potresti avvertire Vittorio, per piacere? E dirgli di cominciare a preparare tanta legna per il camino?"

Ho alzato uno sguardo lento, non-partecipazione pura, ma lei era troppo fibrillante e spiritata per registrare sfumature. Mi ha tirato per la stoffa della camicia, uno strattone breve ma secco, attenuato solo in parte da una luce implorante negli occhi, ha detto "Lo Swami non può prendere freddo. È appena guarito, bisogna stare ultraattenti."

Mi sono alzato, mentre lei faceva alzare Jeff-Giuseppe a forza e lo trascinava attraverso il soggiorno, così veloce da non lasciargli tempo per gli atteggiamenti a cui stava lavorando da giorni sotto la mia guida. Sono andato verso la camera vetrata di decompressione, così pieno di risentimento sordo da ostaggio che tutti i muscoli del corpo mi facevano male.

Vittorio appena gli ho detto del guru ha posato il pennello senza dire niente, si è pulito le mani con uno straccio. Era come avergli comunicato la morte di qualcuno o l'inizio di una guerra, tanto aveva un'aria solenne e sobria e compresa, uno sguardo da comandante di plotone suicida. Alla fine ha sorriso, ma gli ci è voluto qualche secondo buono; ha detto "Che bello. Andiamo." È uscito dallo studio, mi ha fatto strada verso il riparo della legna, con un passo ancora più impegnato e terragno del solito.

Mi ha fatto vedere come dovevo passargli i tronchi, posarglieli sul ceppo. Alzava la scure e la calava di schianto, spaccava il tronco di netto in due. Come in tutte le sue manifestazioni pratiche, parte funzione parte recita a uso mio, didascalie ben incise su quanto fosse intenso e produttivo il suo rapporto con il mondo. Spaccava la legna come un boscaiolo professionista, con uno slancio brutale ma preciso, senza sbavature o movimenti sprecati. Parlava, nello spazio di tempo tra un colpo di scure e l'altro; respirava fondo ma senza affanno, scandiva le parole a colpi di diaframma ben calibrati. Ha detto "Non lo faceva spesso neanche prima. Di andare a trovare la gente a cena. Di solito mangia a casa sua."

Si passa la mano sulla fronte: guanto di cuoio imbottito sul polso grosso da pittore-artigiano, costruttore e radicatore, capofamiglia e marito devoto, non-perdite di tempo, non-esitazioni. Dice "Anche perché bisogna stare attenti al cibo, con lui."

Gli prendo un altro ciocco da spaccare. Faccio fatica a sollevarlo e a posarglielo sul ceppo davanti ai piedi, calarlo lento in modo che non rotoli nella neve. Odio la fatica fisica, il freddo nelle ossa e nelle giunture delle mani e alla punta delle dita; mi sembra ridicolo e detestabile essere ancora qui a fargli da spalla, mi chiedo perché. Rabbia assiderata, desiderio di rivalsa, ricerca di un equilibrio muscolare per non cascare a terra sotto i suoi occhi.

Cercavo anche di capire cosa pensava davvero del guru, al di là dei toni ammirati; mi sembrava di intravedere un'ombra appena avvertibile di ironia al fondo delle sue parole, uno spazio infinitesimale di distacco. Gli ho chiesto "In che senso, bisogna stare attenti al cibo?"

"È che gli piace," ha detto Vittorio, piantato sui piedi come se potesse stare lì per sempre, attraverso qualunque stagione e qualunque genere di intemperie. Ha alzato l'accetta, l'ha calata con uno schianto. Ha detto "Lo dice, anche. Se non lo tenessero d'occhio le assistenti, mangerebbe fino a stare male."

Speravo che facesse una mossa falsa, adesso che la luce del giorno se ne andava rapida: che gli mancasse l'equilibrio mentre prendeva lo slancio, l'accetta gli si impigliasse in un ciocco.

Ma il suo sguardo era troppo concentrato, i suoi movimenti troppo ben coordinati: alzava la scure per tutta l'estensione delle braccia e veniva giù dritto e implacabile, *pak*, il ciocco separato in due pezzi perfetti da camino che lui raccoglieva con la sinistra e buttava di lato perché io li raccogliessi. Diceva "Altro", mi guardava in atteggiamento di sollecitazione finché non gli avevo sgombrato il campo e posato davanti un altro pezzo di tronco.

Pensavo alla Magnum 44 nella rivista di armi e al suo potere d'arresto: all'effetto che doveva fare tenerla in mano e premere il grilletto.

Uto Drodemberg che si infila la mano sotto la giacca, con la più grande naturalezza, sguardo che non rivela la minima alterazione.

Vittorio Foletti che dice "Altro", si gira impaziente incalzante tra-bordante di intenti, si accorge solo per gradi ravvicinati di sorpresa che Uto ha una pistola in mano. Metallo lucido, una pistola a tamburo dalla canna lunga. Gliela tiene puntata contro, con il braccio esteso e un dito sul grilletto, sorride. Bella posizione, anche adesso, con la mano libera posata sul fianco, voltato di profilo e ben dritto come in un duello dell'Ottocento, espressione nobile. Vittorio Foletti che lascia cadere la scure e i suoi atteggiamenti, gli cadono insieme e lui resta lì in piedi nella neve a fissare Uto in un tunnel di incredulità condensata, incapacità di trovare una risposta adeguata. Uto Drodemberg che preme il grilletto, pak nel silenzio ovattato della radura coperta di neve.

Vittorio ha buttato di lato i due pezzi spaccati, mi ha guardato in attesa di un nuovo tronco. Ha detto "È un uomo curioso, il guru. Si gusta le cose. Non fa l'asceta. Gli piacciono le belle stoffe. Gli piacciono i bei materiali. Le belle persone, i bei gesti. Ha un senso estetico elevato. Ma sono le nostre religioni occidentali che separano lo spirito dalla materia. Senza pensare a quanto uno non ha senso senza l'altra."

Gli ho passato un nuovo tronco; lui è rimasto a guardarmi con una mano su un fianco, alla luce della casa che si era tutta illuminata da un momento all'altro. Ha detto "Ma tu cosa pensi? Stai sempre lì zitto ad ascoltare, non dici mai niente."

Guardavo il tronco ai suoi piedi, ma lui non alzava la scure, continuava a fissarmi. Non mi piaceva la situazione, non mi piaceva rendergli conto di quello che pensavo, non mi piaceva confrontarmi con lui, protetto com'era dalla sua armatura di valori e dati di fatto, rafforzata ancora di esperienza e successo e riscontri oggettivi. Gli ho detto "Perché, cosa dovrei dire secondo te?"

"Quello che pensi," ha detto lui. "Quello che ti passa per la testa." E non riuscivo a capire se ne aveva parlato con Marianne e quando; se stava cercando di decifrarmi o misurarmi, se c'era più irritazione o curiosità o dubbio nel suo sguardo.

Abbastanza legna ammonticchiata di fianco al camino da tenere il fuoco acceso una settimana intera, sopravvivere barricati fuori dal mondo attraverso una tormenta interminabile di neve. Tengo le mani sotto l'acqua nel bagno dei ragazzi, troppo calda per le mie dita ipersensibili, la lascio scorrere e strofino piano per fare scivolare via le piccole schegge di legno. Ci sarebbe da fare causa a Vittorio, chiedergli dieci milioni di dollari per avere rovinato gli strumenti di lavoro di un grande pianista. Mi asciugo con cautela sull'asciugamano rosa di Nina, pieno di rancore per come è soffice e profumato di buon sapone neutro, per l'ordine e la pulizia di mensole e armadietti, l'organizzazione a settori e reparti che non lascia un solo minimo angolo di trascuratezza. Facce allo specchio, le peggiori che mi vengono, distorte da un vero grandangolo di esasperazione; pugni simulati allo specchio, colpi di testa simulati.

Soggiorno, divano, rivista di armi; sguardo basso per allontanarmi da tutto, sparire anche se mi vedono ancora ma adesso non ci sono più, posso scivolare su un fianco e guardarli e ascoltarli quanto mi pare: non ci sono.

Preparativi tutto intorno, parte convinzione parte intenzione parte dimostrazione parte disperazione, turbini e mulinelli e correnti di gesti e movimenti, biscotti al cocco e alle mandorle e alle nocciole a forma di stella e mezzaluna e orsetto che si materializzano dal forno, sidro analcolico e finto vino dal frigorifero, datteri freschi e secchi e mele e arance e mandarini e mandaranci in cesti e ciotole, piatti piatti piatti posate bicchieri pane alla soia ai cinque cereali tagliato a fette germogli di alfalfa ananas banane candite fiori di carta bianca piccoli festoni di carta bianca appesi da un lato all'altro della sala da pranzo vetrata nuove luci accese fruscii tintinnii di stoffa su stoffa di porcellana su stoffa di porcellana su porcellana di cristallo su cristallo.

Marianne avanti e indietro e avanti e indietro senza sosta né tregua, scivola e corre e volteggia, apre e chiude il frigorifero e apre e chiude il forno e va e viene dalla tavola da pranzo alla cucina al soggiorno alla tavola da pranzo alla sua stanza alla cucina al bagno alla cucina. Sedie spostate riscaldamento centrale alzato camino rifornito ancora di legna tutta la casa sta diventando una specie di sauna insalata di riso preparata verdure affettate *zac zac zac* un gambo di sedano scomposto nel giro di tre secondi con precisione rapida e silenziosa carote patate melanzane tagliate a strisce messe in forno cavolo cappuccio sfrangiato sottile cavolo-verza lattuga ravanelli lavorati a fiore con un piccolo arnese che li sboccia e arriccia al centro di piatti di altri vegetali a fiocchi a strisce a stelle a cubetti a palline. Riallineamenti di bicchieri, posate, piatti, aggiunte e sostituzioni, scambi di contenitori, ordini riarrangiati, piccoli colpi laterali con dita attente febbricitanti ispirate.

Sguardi da messa a punto finale, sguardi agli orologi da polso, sguardi fuori nel buio attraverso le vetrature che con il nero della notte diventano specchi che riflettono l'interno della casa rovesciata sui movimenti di chi c'è dentro. Marianne e Nina che frusciano e sgusciano oltre senza guardarsi tra loro e tornano con i capelli bagnati e spariscono di nuovo e tornano con asciugamani in testa e con i capelli asciutti e con nuovi vestiti color pesca e color albicocca, gonne e camicette e golfini comprati in qualche boutique fornita di una buona gamma di colori o forse tinti su misura. Nina nella sua versione brava ragazza di papà però magra all'osso sotto i vestiti, Marianne eccitata come una bambina per ragioni ultralegittime, il che dà una frequenza ancora più alta alla vibrazione nei suoi movimenti. Jeff-Giuseppe pettinato a forza, colletto bianco aggiustato sotto il golf bianco, calze bianche e jeans bianchi troppo lunghi che gli fanno fisarmonica giù per le gambe, trascinato con il resto della famiglia al centro di tutta la faccenda, sguardo basso per non incontrare il mio, dice a sua madre "Stai benissimo" nel suo registro incerto quando lei gli fa una giravolta davanti con aria interrogativa. Vittorio al camino ad alimentare regolare mettere a punto, spostare lampade e sedie e poltrone, si lava e cambia anche lui e torna con una giacca color vinaccia chiara bombata sul davanti e ben agiata alle spalle, gli dà un'aria da mafioso spirituale italo-americano mentre guarda fuori e guarda l'orologio da subacqueo che ha al polso, dice "Dovrebbero quasi essere qua."

Vorrei solo poter uscire e volare in alto e guardare tutto da sopra senza essere visto e nemmeno sospettato di esserci: guardare Marianne in basso che mi si avvicina e non esserci.

Sguardi-sguardi alle mie calze nere bucate in punta e ai miei calzoni di pelle nera e al gilet alla camicia alla maglia nera sporca; alla rivista di armi alla rivista di armi: la rivista di armi.

MARIANNE: Scusa Uto? Uto?

Scende verso di me come un biplano da guerra che chiude sul bersaglio, scivola d'ala attraverso lo spazio. La sua voce è come un diapason che mi fa vibrare l'orecchio interno in modo intollerabile, mi fa venire la pelle d'oca per quanto è carica di intenzioni e ragioni e considerazioni universali, ineludibile e indistraibile, ininterrompibile.

MARIANNE: Uto? Quella rivista? Ti dispiacerebbe portarla su in camera tua? Lo Swami è molto sensibile a queste cose.

Fuori ha ripreso a nevicare, i fiocchi di neve assorbono le luci gialle della casa, vengono giù come una cascata di lapilli da un vulcano. Marianne ha un sorriso-sorriso-sorriso che non finisce né è mai iniziato (i suoi occhi non azzurri ma di un grigio di pietra ostinata lucente di determinazione minerale, le fossette nelle guance le danno un accanimento infantile terribile).

Poi la casa era perfettamente silenziosa se non per qualche piccolo soffio e schiocco dal camino, ognuno di noi immobile in un punto del soggiorno, nell'odore di sapone neutro e verdure cotte e biscotti alla noce di cocco appena sfornati, cannella e zenzero e miele caramellato. Marianne ha posato un ultimo piattino di pistacchi sul tavolo della sala da pranzo, d'improvviso ha fatto un piccolo salto e una giravolta, ha gridato con voce acuta "Eccoli!"

Fuori quattro coni di luce orizzontale hanno trascinato due ombre di automobili fino allo spiazzo dov'era ferma la Range Rover coperta di neve. Vittorio è scattato verso l'ingresso, ha acceso le luci esterne: tutta la distesa davanti a casa è venuta fuori bianca dal nero e giallo di un istante prima, fino alle due macchine sotto la neve che cadeva bianca fitta, a Vittorio che con un grande ombrello in mano correva verso di loro.

Marianne e Jeff-Giuseppe sono andati nella camera vetrata di decompressione a fare gesti di accoglienza, Nina poco dietro. Io sono rimasto a guardare attraverso una finestra la piccola processione ombrellata che si avvicinava alla casa, sul passo del guru riparato da Vittorio pieno di cure per l'ospite prezioso.

Un minuto dopo erano tutti tra i vetri dell'ingresso a salutare Marianne e Jeff-Giuseppe e Nina e togliersi cappotti e scarpe, il guru e le sue due assistenti e un tipo pelato con la barba e una signora grassa e un signore magro e una signora anziana e ancora una coppia più giovane ma molto pallida, gesti e stoffe e colori e movimenti scivolati uno sull'altro come in un acquario sovraffollato.

La porta scorrevole interna si è aperta e suoni e parole si sono riversati nel soggiorno, in un dilagare fitto e sommesso di frasi gentili, carezze, sfioramenti, complimenti, vezzeggiativi, piccoli scoppi di riso. Il guru in una tunica color amaranto vivo, gli altri in toni di pesca e albicocca e mosto annacquato, come una colatura dal colore intenso che li precedeva.

Sono arretrato di un passo ma non c'era niente da fare, i loro sguardi convergevano su di me, mi sono arrivati addosso.

MARIANNE: Questo è Uto, Swami.

GURU: Sì.

(Capelli e barba incredibilmente bianchi, piccoli occhi neri intensi, familiarità lontana. Ha questo modo di annuire con la testa e muovere la mandibola inferiore e le labbra come se stesse mangiucchiando qualcosa: mangiucchia approvazione forse, soppesa interrelazioni con il resto dell'universo.)

MARIANNE: L'hai già incontrato, quando siamo venuti a vedere il tramonto di fianco alla tua casa.

GURU: Sì.

(Piccolo inchino, con un sorriso benevolo sulle labbra, saluto a mani giunte.)

Gli ho risposto come la prima volta con il mio saluto da aikido con Ki; ho visto una luce rapida nello sguardo di Vittorio, irritazione pura neutralizzata a fatica.

Il guru ha detto "Bene bene" nella sua piccola voce chioccia e musicale, già guardava oltre senza avere smesso di sorridere, camminava oltre nel soggiorno. Mi sembrava meno fragile di quando l'avevo visto la prima volta sulla terrazza di casa sua, malgrado la bianchezza e le proporzioni minute: sembrava pervicace e divertito, non dava l'idea di essere sul punto di spegnersi da un momento all'altro come temevano tutti.

Gli altri mi hanno salutato sulla sua scia, nelle loro diverse taglie e sfumature di colori stinti; ho risposto solo con un cenno della testa, meno attento. Avevo quest'aria cortese, però: e anche nella confusione di sguardi e spostamenti riuscivo a percepire la sorpresa di Marianne e Vittorio e Jeff-Giuseppe e Nina a vedermi così. Li avevo talmente abituati alla schermatura totale, gli sembrava incredibile che rispondessi ai saluti di qualcuno, non sgusciassi via più rapido e indifferente che potevo. Non avevo neanche gli occhiali da sole, non distoglievo neanche lo sguardo.

Ma naturalmente il novantanove per cento dell'attenzione era sul guru, condensata su ogni suo minimo spostamento e accenno di gesto o parola, lo seguiva in uno strascico di sguardi e respiri e sorrisi e scoppiettamenti di frasi, colli allungati e teste inclinate per porgere meglio l'orecchio, occhi intenti, muscoli facciali tesi in espressioni di accompagnamento e di risposta.

Il guru si è fermato a guardare il fuoco nel camino, guardare la travatura del tetto, i lucernari e le finestre. Ha detto "È molto aperta, questa casa. Lascia entrare molta energia, no?"

Ha questo modo di non forzare minimamente le parole, non preoccuparsi se vengono raccolte o no; e in più c'è il suo accento indiano e il continuo piccolo movimento masticatorio, la specie di ronzio da grossa ape saggia che crea un sottofondo o un legante tra i suoi singoli suoni. Lo studio bene, perché è chiaro che deve avere lavorato anni per arrivare a questo risultato, è una vera tecnica di suggestione ed è tutta giocata sotto le righe, in modo da lasciare la maggior parte dello sforzo agli altri. Il contrario di quello che fa Vittorio, con le sue frasi caricate di accenti e di enfasi, spinte al limite di tenuta per dimostrare di crederci fino al fondo estremo.

Forse è per questo che Vittorio adesso non sembra molto a suo agio, dopo tutto il lavoro accanito che ha fatto per preparare e alimentare il fuoco nel camino e spostare oggetti pesanti e mettere a punto tutto quello che c'era da mettere a punto in attesa degli ospiti. Sembra che non sappia più bene come muoversi, adesso che sua moglie e i suoi famigliari seguono il guru attraverso il soggiorno come topi incantati dietro al pifferaio magico.

Marianne è troppo presa dal suo ruolo per occuparsi di lui, troppo intenta a produrre sorrisi e domande e risposte corporee di assecondamento e approvazione e sottolineatura; a offrire al guru la poltrona migliore, accompagnare i movimenti al rallentatore con cui ci si siede. Anche Nina e Jeff-Giuseppe adesso sono fuori dalla sua sfera di influenza; e ha ancora meno speranza di riagguantare me per qualunque compito, ostaggio o no, nemmeno per spostare una sedia o scambiare due parole. Dev'essergli già successo chissà quante volte prima di questa, ma non è ancora riuscito a trovare un modo di compensare o adattarsi; tutto il suo accanimento e la sua precisione di spaccalegna sembrano patetici adesso, una specie di debole rivalsa preventiva in vista di quello che lo aspettava. Fatica a parlare inglese, anche: si sforza di trovare le parole e si blocca a metà frase, gesticola per spiegarsi, alza la voce, diventa goffo e rozzo, pittoresco, suscita sorrisi di indulgenza universale nei suoi interlocutori.

C'è un vuoto di suoni: una specie di risucchio d'attesa, con al centro il guru seduto nella sua poltrona. Tutti lo guardano come se fosse sul punto di fare qualche rivelazione fondamentale sulla vita, produrre un miracolo o almeno una grande sorpresa. Marianne è pallida e febbricitante di attenzione, con le pupille dilatate, le labbra pallide che le tremano, le mani nervose. Anche Nina sembra presa, mi gira un'occhiata rapida quando si accorge che la guardo e torna subito a fissare il guru; Jeff-Giuseppe è immobile, intento.

Il guru sta zitto ancora qualche secondo, lascia che l'attesa cresca, con un'aria così naturale che sembra non rendersene conto; poi si mette a raccontare nel tono più colloquiale di come i cervi hanno preso l'abitudine di andare a brucare l'erba sotto la neve davanti a casa sua perché lì sono al riparo dai cacciatori. Senza enfasi o intenzioni leggibili, senza gesti, senza alzare mai il tono nel cerchio di sguardi e respiri; come un vecchio nonno intelligente che racconta una vecchia storia alla famiglia, parte assorto e parte divertito, parte perso nelle origini del racconto.

Tutti ascoltano senza distogliere gli occhi neanche per un attimo, sorridono, si allungano per sentire meglio, dilatano le pupille e le narici, fanno di sì con la testa.

Il guru smette di parlare, alza lo sguardo; l'attenzione restringe l'attesa fino ad aspirare via tutta l'aria dal soggiorno. Ma lui non pronuncia nessuna verità sconvolgente né illumina nessuno: indica la tavola imbandita a qualche metro di distanza e sorride, dice "Ho fame."

Le due assistenti e Marianne lo aiutano ad alzarsi anche se forse non ne avrebbe bisogno, tutti lo seguono fino alla tavola con sguardi e sorrisi moltiplicati, barbe e capelli grigi e teste pelate e pance e grossi culi e schiene magre coperte di stoffe color frutta slavata; Nina sembra una meraviglia della vita in mezzo a loro.

Il guru ha pizzicato con due dita un ravanello sfioccato nel piatto, se l'è cacciato in bocca con una mossa rapida, e un secondo dopo c'è stato un affollarsi frenetico di braccia e mani lungo tutta la superficie della tavola: piatti riempiti fino al limite della capacità, forchette e cucchiai che infilzano e raspano e tagliano, allungamenti di colli, scavallamenti nella ressa, giochi di equilibrio per non allontanarsi da una buona posizione davanti al cibo.

Mi chiedevo se questa voracità era dovuta alla dieta senza carne né latticini né uova né sale né alcol, o più in generale allo sforzo continuo di autocontrollo, la benevolenza alimentata e convogliata in tutte le direzioni senza sosta, le grandi quantità di energia spese solo in sorrisi. Certo era curioso vedere tanti esseri altamente spirituali abbuffarsi in modo così irriflessivo: divoravano tutto quello che si trovavano davanti, giravano intorno al guru seduto su una sedia, facevano di sì con la testa a ogni suo minimo movimento di mandibole e non smettevano per un istante di masticare e deglutire e cercare nuovi rifornimenti alla tavola.

Gli unici a non mangiare eravamo io e Nina, lei nel suo modo obliquo da anoressica che le faceva nascondere dietro una tenda il piatto ben riempito da suo padre, io in modo più esplicito perché mi era passata la fame, insieme alla voglia di esserci in generale. Jeff-Giuseppe mangiava a testa bassa; Vittorio si tuffava nel piatto come per rassicurarsi in qualche modo dei suoi rapporti con il mondo. Marianne spizzicava in modo puramente dimostrativo, per essere sullo stesso identico piano dei suoi ospiti, condividere anche i loro entusiasmi per ogni uvetta bollita o cucchiaiata di crema di sesamo. Ma era febbricitante di attenzione e responsabilità da padrona di casa: non smetteva per un attimo di controllare che il guru fosse seduto comodo,

172

che avesse da bere e da mangiare, che i vari cibi sulla tavola fossero accessibili, tutti gli ospiti contenti e a loro agio. Girava intorno come una trottola, andava su e giù senza tregua, dava ordini sussurrati a Jeff-Giuseppe o a Vittorio appena c'era qualche esigenza di rifornimento. Ascoltava i minimi mormorii del guru ma anche i discorsi delle due assistenti e degli altri ospiti, interveniva a colmare il primo vuoto di conversazione con qualche aneddoto della famiglia Foletti o qualche riflessione semplice e profonda, in un tono modellato con la più umile e sofferta accuratezza su quello del guru.

Spogliata la tavola resta solo qualche spizzicamento rado di un biscotto, un dattero, un'albicocca secca; un sorso di succo d'uva pastorizzato versato da una finta bottiglia di vino. Il guru si libera con delicatezza delle poche briciole che gli sono cadute sulla veste, con l'aiuto di Marianne e delle assistenti si alza dalla sedia e torna alla poltrona comoda, raccoglie le gambe nella posizione del loto. È soddisfatto di quello che ha mangiato, dell'accoglienza, della casa, dell'ora, delle voci, degli sguardi, di sé stesso. Anche tutti gli altri si siedono su divani e poltrone, alcuni per terra, in modo da stargli vicini senza pressarlo. Ma il guru non sembra avere nessuna intenzione di parlare, si guarda intorno come se si aspettasse qualche genere di intrattenimento.

Marianne si alza da terra, va a inginocchiarsi di fianco a lui e gli dice qualcosa all'orecchio. Poi va da Jeff-Giuseppe, lo trascina al pianoforte. Annuncia a tutti "Jeff suonerà *Für Elise* di Beethoven."

Jeff-Giuseppe è impacciato, ma il suo addestramento di anni e anni da bravo figlio di famiglia lo guida a sedersi composto sulla panchetta, sciogliere le mani. Tutti sorridono e applaudono per incoraggiarlo, anche il guru con un piccolo gesto delicato, Marianne che manda intorno a ogni sguardo lampi di serenità, apprensione, ricerca di controllo.

Jeff-Giuseppe suona, una versione memorizzata esitata zoppicata da scuola, con il tempo che gli sfugge ogni poche note tra le dita, i polpastrelli che gli scivolano sugli spigoli dei tasti. Ma c'è questa benevolenza infinita negli ascoltatori: questa assenza di giudizi e di ironia, di raffronti. Ascoltano in silenzio totale, assorti e commossi e partecipi come davanti alla più straordinaria esecuzione, a un regalo di cui essere riconoscenti fino alle lacrime.

Jeff-Giuseppe finisce di suonare, si alza, rosso in faccia e rigido per la concentrazione sostenuta. Il guru è raggiante di felicità: ride, dice "Bene bene", batte le mani insieme a tutti gli altri. Approvazione-incoraggiamento-sostegno-calore-partecipazione, concreti eppure lontani, complicati ma anche semplici da far paura; c'è questa marea che va verso il piano a mezza coda e torna indietro, mi sommerge di una strana tristezza dolciastra senza fondo. Jeff-Giuseppe fa un piccolo inchino imbarazzato, torna a sedersi in un angolo mentre ancora gli arrivano sorrisi e sguardi e parole gentili.

Vittorio mi controlla a occhiate, seduto a cinque o sei metri da me; nel suo sguardo c'è un'ombra di irrequietezza all'idea di essere in questa melassa di buoni sentimenti, tra persone dieci volte più vecchie e magre e ingenue e assorte e convinte e distaccate dalla vita di lui. Vado indietro sulla moquette, metto tra noi un paio di altri ospiti seduti.

Intanto Marianne si è alzata e va al pianoforte, dice "Proverò a suonare un *Notturno* di Chopin. Quello che mi ricordo, almeno." Ha un modo infantile di parlare e muovere le mani, sedersi con grazia controllata, i gomiti ben aderenti al corpo, le mani ben impostate chissà quanti anni prima, quando era una bambina altrettanto secca e sensibile. Preferirei non vederla, uscire di qua almeno finché ha finito.

Suona con una tecnica legnosetta e incerta, rallenta quando non si ricorda bene un passaggio, accelera quando le torna in mente tutto. Ma va avanti fino alla fine senza interrompersi, con lo sguardo ispirato di chi esegue un compito che ha significato al di là di come viene eseguito. Quando ha finito tutti applaudono con la stessa indulgenza partecipe e affettuosa che avevano per suo figlio e avrebbero credo per chiunque. È una specie di paradiso dei dilettanti, questo posto; mi vengono in mente due o tre miei ex compagni cani di conservatorio che si sentirebbero rivivere con un pubblico del genere.

Infatti perfino la signora grassa si alza, va al pianoforte, fa un saluto a mani giunte e si mette a suonare una canzoncina di Natale, due note sbagliate su cinque e nessuno si irrigidisce né almeno si mette a ridere. Solo sorrisi benevoli, che si allargano e diffondono a scavalcare qualsiasi merito o qualità individuale; potrebbero sorridere nello stesso modo per la neve fuori, per la notte o per il tempo che scorre, per la noia, per lo stare seduti.

La signora grassa finisce e torna tra gli applausi con la sua andatura ondeggiante a sedersi per terra, come se avesse appena concluso la più entusiasmante impresa del mondo. Poi c'è un nuovo vuoto, il guru e gli altri ospiti sorridono e si guardano intorno come in attesa di altro. E Marianne viene a inginocchiarmisi di fianco, mi dice in un orecchio "Non hai voglia di suonarci qualcosa, Uto?"

Ho detto subito "No", tenevo lo sguardo fisso al pavimento. Odiavo questo genere di situazioni, fin da quando ero bambino e mia madre mi faceva suonare per gli amici suoi e di suo marito invitati a cena; e in ogni caso mi sembrava umiliante farlo dopo tre esecuzioni così patetiche. Non avevo nessuna voglia di mettermi sul loro piano, indulgenza universale o no.

Ma lei ha continuato a insistere, appiccicosa e invadente come una bambina, inginocchiata di fianco a me con le labbra vicine al mio orecchio destro, diceva "Dai." (Sguardi a distanza di suo marito, rapidi sguardi di controllo.) Sembrava quasi ubriaca, per l'esaltazione di avere il guru in casa e avere suonato Chopin dopo chissà quanto tempo: gli occhi le brillavano, il sangue le circolava caldo e rapido sotto la pelle chiara, lo sentivo a così breve distanza. Diceva "Per piacere, Uto." Diceva

"Non devi dare un concerto. È un dono, soltanto. Suona anche solo due minuti. Quello che vuoi tu."

Ho detto "Non voglio niente." (Sguardo di controllo di Vittorio, ma la signora grassa gli stava parlando, non aveva molta libertà di movimento.)

Marianne mi ha stretto un braccio, mi ha soffiato ancora nell'orecchio "Dai. Fai felice il guru. Per piacere."

E il tepore del contatto e la morbidezza viscosa e umida delle sue parole hanno finito per farmi alzare in piedi senza che avessi cambiato idea, andare verso il pianoforte nella stessa onda di incoraggiamento a sguardi e sorrisi e mezze parole che aveva accompagnato gli altri.

Marianne mi ha scortato fino al piano, ha detto agli ospiti "Uto suonerà..." Si è girata verso di me per consultarmi.

Le dico "Adesso vedo", regolo l'altezza della panchetta. Lei torna a sedersi per terra, a pochi metri da me. Cerco di raccogliere le idee ma non ho idee, ho solo un sistema di percezioni e riflessi nervosi e memorie richiamabili, senso di intrappolamento e rancore universale che mi battono veloci al centro del petto e poi rallentano fino a caricarmi come un animale da guerra.

Ho cominciato a suonare, senza nessun annuncio né gesto di preavviso: un momento ero fermo in atteggiamento riflessivo con le mani basse sulla panchetta, un momento dopo avevo già attaccato il tema dal *Terzo concerto per pianoforte e orchestra* di Čajkovskij. Sobrio all'inizio, preciso e asciutto sulle note ben calibrate, senza sbavature né indulgenze o compiacimenti, ma poco alla volta il rancore universale che avevo dentro ha cominciato a salirmi dentro sull'onda di risucchio della musica, affiorarmi alle dita e riversarsi nelle note che suonavo. Ogni nota staccata dalla memoria dove si era depositata anni prima, caricata di scorie e umori negativi lungo il percorso dal cervello ai polpastrelli, in un flusso parte controllato parte inarrestabile di violenza che mi faceva toccare i tasti con una rabbia autoalimentata e automoltiplicata che ha finito per travalicare Čajkovskij e lasciarlo indietro, trascinarmi in un territorio musicale molto più selvaggio senza forme né regole, dove le mie dita percorrevano la tastiera in alto e in basso con una protervia quasi intollerabile, frugavano e battevano e premevano e lasciavano e riprendevano singole e doppie e triple e quintuple note, le martellavano e spezzavano e ribattevano e sfarfallavano e staccavano come se avessero a che fare con uno strumento molto più leggero e pericoloso di un pianoforte, con un mandolino-mitragliatrice arroventato dallo scorrere furioso di munizioni. I piedi lavoravano sui pedali, le ginocchia incalzavano il ripiano di legno per spremere tutto il volume possibile dalla grande cassa di risonanza: la musica mi dilagava tra le mani in un fiume incontrollabile inarrestabile di suoni. Mi faceva paura e mi faceva ridere, era come fare il surf sul tetto di una macchina a duecentoventi all'ora, come buttarsi giù da una finestra e risalire con un salto, come fracassare migliaia di bicchieri in un negozio di cristalli e rimetterli tutti insieme con un solo gesto, far scorrere luci e colori a comando dietro le finestre, giorno-notte giorno-notte estate-inverno-primavera-autunno nell'ordine più arbitrario che mi veniva in mente.

Uto Drodemberg il dio del pianoforte, un ragazzo magro attraversato dalla luce divina, se c'è una luce divina. Le sue dita scorrono al di là della sua volontà e della sua immaginazione, suscitano emozioni a scatti e scoppi e cascate e singole scintille, trascinano su e giù chi lo ascolta come in un otto volante che non si ferma, senza altra sbarra di sicurezza che la sua padronanza tecnica dello strumento. Solo che in questo territorio non c'è più nessuna possibilità di padroneggiare niente, si può solo lasciar venire fuori tutto quello che c'è dentro, lasciar venire dentro tutto quello che c'è fuori.

Non mi era mai capitato di suonare così, da quando avevo cominciato a suonare a quattro anni, anche se a volte me lo ero immaginato e a volte ci ero arrivato vicino; non avevo mai avuto la stessa sensazione di controllo e di mancanza di controllo, la stessa rabbia cieca ma canalizzata. Le sensazioni mi attraversavano in andata e in ritorno con la stessa velocità delle note che producevo, mi sollecitavano altra adrenalina nel sangue, altra elettricità pericolosa attraverso i nervi. Non avevo uno scopo o una ragione; mi lasciavo trascinare e sospingere da una corrente *prima* delle ragioni, fatta di desiderio di rivalsa e rabbia senza forma, frustrazione accumulata in anni e anni di distanza intollerabile tra me e le cose.

Questa corrente mi trascinava e sospingeva sempre più lontano dai percorsi articolati con cui avevo iniziato, in uno spirito dominato dalle vibrazioni scure e fonde e aspre e stridenti battenti spiralanti ricircolanti che riuscivo a tirare fuori dal pianoforte. Mi divertiva, anche: mi comunicava una gioia distruttiva da criminale musicale, mi sembrava una rivalsa su tutte le pressioni e le insistenze beneintenzionate di Vittorio e Marianne, sui sorrisi del guru e tutte le regole non scritte e la bontà e la sobrietà e l'asservimento a un fine superiore, il distacco dalla materia e dagli istinti bassi. Più suonavo e più mi aumentava la rabbia e il calore nel sangue e nei muscoli: suonavo come avrei potuto sparare davvero, contro la passività che mi aveva fatto restare ostaggio della famiglia Foletti e della famiglia di mia madre prima, contro l'incertezza e la mancanza di obiettivi che mi avevano tenuto bloccato per diciannove anni con il motore al minimo.

Non mi sembrava di avere limiti di forza o di velocità o di sensibilità; avevo una sensazione di onnipotenza, ma curiosamente era esterna a me, in un cono ottico che includeva la mia persona e il pianoforte e lo spazio intero del soggiorno con tutti gli altri dentro. Il pianoforte mi giocava tra le mani, mi sembrava che avrei potuto mandarlo in pezzi solo a forzarlo poco oltre, scardinare il gioco di leve e martelletti e corde a furia di note basse bronzate e gorgogliate, di note acute martellettate e squillate come campane leggere o piccole porcellane fracassate.

Come Jimi Hendrix con la sua Stratocaster a Woodstock, solo che suonavo un pianoforte a mezza coda ed ero davanti a un piccolo pubblico spirituale e benevolo, di persone che nelle loro conversazioni non alzavano la voce molto al di sopra di un sussurro. Le investivo con questi attacchi di suono che le aggredivano e assediavano e strattonavano avanti e indietro senza il minimo riguardo, e anche se non ci pensavo in modo definito, una porzione periferica del mio cervello percepiva la loro attenzione dilatata e stravolta, trascinata nei vortici e nei mulinelli e nelle rapide musicali che producevo. Mi sembrava che la musica ormai venisse fuori indipendente da me e continuasse oltre tempo e oltre misura, fino a non lasciarmi quasi più respirare, fino a uno spasmo lungo come uno sbadiglio cosmico; fino alla fine.

Stacco le mani dalla tastiera e mi alzo di scatto, faccio un inchino formale da concerto. Ho le guance che mi scottano e i polmoni in cerca d'aria, il cuore che mi batte affannato, le dita che mi fanno male, un ronzio nelle ossa.

Il guru e Marianne e Vittorio e Nina e Jeff-Giuseppe e tutti gli altri mi guardano seduti immobili, senza traccia della benevolenza incoraggiante che avevano quando ho cominciato. C'è un silenzio come subito dopo un'esplosione, quando il fumo e la polvere di calcinacci sono ancora nell'aria e non si sentono ancora le urla e i suoni di sirena.

Faccio un passo per tornare a dov'ero seduto, ma gli sguardi che ho addosso non sono sguardi di accompagnamento, sono sguardi-barriera che mi bloccano a metà movimento. Il guru mi fissa dalla sua poltrona, piccolo e bianco e ossuto, mi sembra che le labbra gli tremino appena. Restiamo fermi a fissarci a questa distanza, il silenzio e l'immobilità sono così forti da dare un risalto impressionante a ogni respiro o fruscio di stoffa. Ho tutti i muscoli tesi, le orecchie e le corde vocali tese, sono pronto a ribattere con violenza a qualunque rimprovero o frase saggia di ammonimento, qualunque intento didascalico educativo illustrativo. Aspetto solo una parola per reagire colpo su colpo al primo segnale.

Invece il guru si alza in piedi inseguito dai gesti di aiuto delle due assistenti, si volta verso gli altri e alza le mani con i palmi aperti, dice "Questo ragazzo è stato lo strumento di una grande manifestazione divina."

Sorride, e l'immobilità generale si rompe in un sorriso generale e in un applauso, come un grande foglio di carta lacerato per il lungo.

Io faccio il mio saluto da aikido con Ki, lieve inchino senza abbassare lo sguardo, risucchiato dall'atmosfera generale e dal mio spirito teatrale, dal vuoto d'aria nei polmoni. È come buttare benzina sul fuoco: uno dopo l'altro tutti si alzano e mi si fanno intorno tra nuovi applausi e sorrisi moltiplicati, a toccarmi le braccia e le spalle e la schiena, dirmi "Che meraviglia", dirmi "Fantastico", dirmi "Bravo." Marianne mi stringe un braccio nella ressa, dice "Grazie", pallida e con gli occhi pieni di lacrime. Anche la grassona piange, dice "Incredibile, incredibile." Jeff-Giuseppe e Nina si avvicinano insieme; lui mi dà una pacca cauta, dice "Bravo"; lei dice "Davvero", scivola via con uno sguardo lungo, le guardo il sedere e forse se ne accorge.

Vittorio si teneva ai margini del gruppo con una strana aria distaccata, mi ha fatto un cenno di saluto ma senza sorridere e senza avvicinarsi, è andato a controllare il fuoco nel camino come se fosse la cosa più urgente.

Un altro gesto significativo

Alle undici e mezza sono sceso a fare colazione, con in testa un formicolio di pensieri intorpiditi dalla sera prima. Nel soggiorno non c'era più la minima traccia della visita del guru: festoni di carta spariti, pianoforte chiuso, divani e poltrone ben lisciati, aspirapolvere passato e ripassato attraverso il mio sonno fino a togliere l'ultima briciola di biscotto dalla moquette. Fuori aveva smesso di nevicare, Vittorio aveva spalato i soliti vialetti percorribili tutto intorno alla casa e dalla casa allo spiazzo; la pala era ancora appoggiata a una finestra, con il suo manico rosso. La Range Rover non c'era, non si vedeva nessuno della famiglia, neanche il cane Geeno.

Sono andato a tirare fuori dal frigorifero tutto quello che ho trovato, l'ho messo sul bancone della cucina: barattoli e pacchetti di salato e dolce, per compensare la fame che mi era rimasta dalla sera.

Rumori dall'ingresso, una delle porte scorrevoli che scorre. Mi sono irrigidito, ma era Nina con il cane nella camera vetrata di decompressione, si stava levando il piumino e gli stivali imbottiti, mi ha fatto un cenno attraverso il vetro.

È entrata nel soggiorno, arrossata alle guance come una giovane mela, mi ha detto "Come va?" senza guardarmi in modo diretto.

"Bene," ho detto io. Nel suo sguardo indiretto sentivo tutto il credito che avevo acquistato con il mio concerto: mi ha comunicato un brivido di esaltazione, migliorava in modo incredibile ogni gesto che facevo. Ho indicato le scatole e i barattoli sul tavolo, le ho detto "Vuoi qualcosa?"

Lei ha scosso la testa, ha detto "No no", come se le avessi offerto eroina o veleno per topi. Ma non è sgusciata via a chiudersi nella sua stanza come al solito: mi ha camminato intorno e faceva dondolare le braccia, canticchiava una canzone senza parole.

Ho trangugiato una fetta di pane di segale con marmellata di kiwi, quasi senza masticare. Le ho detto "E tu come va?" Non ero mai stato un grande conversatore a freddo, tanto meno con le ragazze carine, e lei era carina, anche se così magra.

Nina ha alzato gli occhi su di me, li ha distolti subito. Poi è venuta dritta verso il frigorifero, si è riempita mezzo bicchiere di latte di soia, ci ha appoggiato le labbra; guardava intorno nel soggiorno.

Io le guardavo l'inguine nei jeans bianchi: il piccolo triangolo di cotone appena sotto l'orlo del golf di lana d'agnello color pesca, lo spazio vuoto tra le cosce subito sotto; avrei desiderato che fosse almeno un po' più in polpa di com'era. Le ho guardato il collo bianco, il di sotto della gola mentre faceva finta di bere il latte di soia; non mandava giù niente in realtà, si bagnava solo le labbra per darsi un atteggiamento, a breve distanza da me com'era.

Anch'io cercavo una buona posa, nello specchio interiore dove controllavo tutti i miei movimenti per non sembrare ordinario né prevedibile, tenermi all'altezza di quello che mi immaginavo di essere. Mi veniva più facile, dopo il concerto della sera prima; non dovevo quasi pensarci.

Lei si è girata di scatto, con il bicchiere ancora mezzo pieno in mano e le labbra bagnate di bianco. Ha detto "Hai sconvolto tutti, ieri sera. Sei abbastanza un mostro, con il piano."

Ho sorriso, meno che potevo, cercavo di fissarla negli occhi senza arrossire né scompormi. Anche lei doveva fare uno sforzo considerevole, per superare i suoi dubbi su se stessa e parlarmi in modo così diretto: oscillava tra spavalderia e istinto di fuga, sfacciataggine e reticenza, fragilità e arroganza da figlia del padrone di casa.

UTO: Ti è piaciuto?

NINA: Sì. Nessuno se lo aspettava.

UTO: Ma tu?

NINA: Te l'ho detto. Cerchi complimenti?

(Ha questa improvvisa brutalità presa da suo padre; la fa arretrare di qualche passo in difesa.)

UTO: Guarda che non me ne potrebbe importare meno di cosa pensano gli altri. Io suono per me.

(E non è vero; se non ci fosse nessuno ad ascoltarlo, nemmeno il pubblico immaginario che segue ogni suo gesto in ogni momento, di sicuro gli passerebbe la voglia di suonare.)

NINA: Lo so. Però a sentirti così facevi impressione. Con quelle dita che andavano in quel modo pazzesco. E la musica che tiravi fuori, non so.

Si gira a rovesciare il bicchiere di latte di soia nel lavello, lo sciacqua subito per non far vedere che non ne ha bevuto niente; lui le guarda ancora una volta il sedere nei jeans bianchi. Lei costeggia il bancone della cucina con gli occhi socchiusi, ci si appoggia. Anche lui tiene gli occhi socchiusi, appoggiato su un gomito com'è; c'è sempre un metro di distanza tra loro.

UTO: E tu che mani hai?

(Vocali allungate come pesci che scivolano sotto la superficie dell'acqua.)

NINA: No. Non guardarle.

(Le nasconde dietro la schiena, rapida.)

UTO: Ma perché? Fammele vedere.

(Riesce a convogliare un'ombra di distrazione nella sua insistenza, ma gli costa uno sforzo, ancora più grande di smettere di pensare a come appare visto da fuori. È dentro di sé e fuori di sé a osservarsi da qualche metro di distanza, tutto il tempo.)

UTO: Fammele vedere, dai.

NINA: No, le odio. Sono orribili.

Però non fa proprio di tutto per nasconderle davvero, anzi le balena davanti a sé per un attimo e incrocia le braccia per coprirle di nuovo, abbassa la testa in una posizione di difesa, i capelli a caschetto le ricadono sulla fronte. Uto Drodemberg è in piedi a trenta centimetri da lei, il campo magnetico della sua persona contro quello di lei così che ci si può appoggiare come a una grande bolla di sapone resistente ed elastica: può inclinarsi in avanti e non caderle addosso, stare sospeso in questo quasi-contatto.

UTO: Come fai a odiare le tue mani? Odii i tuoi zigomi, odii le tue mani, madonna. Cos'hanno che non va?

(La sua voce prende una frequenza più roca e soffiata anche se resta stridente a tratti, il suo sguardo acquista un velluto d'insistenza: corrente elettrica calda che gli scorre nel sangue.)

NINA: È che sono grassocce, non so.

UTO: È per questo che non mangi? Che fai finta e nascondi i piatti dietro le tende e rovesci via i bicchieri mezzo pieni?

NINA: Non è vero.

UTO: Sì che è vero.

NINA: Non metterti a fare come mio padre, adesso. Ne ho già uno.

(Ed è chiaro che c'è un collegamento tra il suo non-mangiare e il modo che ha di smielare le frasi una dall'altra con tanta lentezza faticosa; tra la sua età e la sua intelligenza specifica e il suo essere figlia di un padre famoso che se n'è andato a vivere in America con un'altra famiglia. Tra il suo sguardo e i suoi zigomi larghi, tra i suoi zigomi e il suo corpo troppo magro, tra il suo corpo troppo magro e il golf quattro misure troppo grande che lo nasconde. Vista così fa tenerezza, ma è anche buffa, fa ridere.)

Mi sono messo a ridere; Nina mi ha guardato perplessa e ha inclinato la testa, si è messa a ridere anche lei. Ridevamo come scemi, a guizzi e scoppi, in piedi a brevissima distanza con le braccia incrociate davanti, ognuno dei due aspettandosi che l'altro venisse avanti e lo baciasse a bruciapelo. Avevo paura, anche: ero percorso da onde fredde e calde alternate, come un merluzzo surgelato che passa dal freezer al forno a microonde al freezer di nuovo.

Rido freddo e caldo, mi inclino ad appoggiarmi ancora alla membrana invisibile e resistente dei nostri campi magnetici, ma siamo molto vicini e la resistenza della membrana deve avere dei limiti, perché di colpo precipito oltre e sento le labbra di Nina contro le mie: l'umido tiepido elastico che sa di latte di soia e miele e diventa più liquido in un mondo interno dove ci si può perdere come un sottomarino che si perde nel buio del mare profondo. Fibre di lana e cuoio, acqua e calore d'attrito interiore, scivolamenti e scorrimenti e pressioni in andata e ritorno, forme che si perdono e tornano come dati di fatto, dati per scontati dati per dimenticati e tornati in altra forma, in forma di stupore di fatto.

Nina è scivolata di lato con la schiena al frigorifero e io sono rimasto dov'ero; abbiamo ripreso fiato e ci siamo guardati, tutti e due con la faccia che ci scottava, nessuna parola in testa. Il sangue mi scorreva caldo all'inguine e allo stomaco e al centro del petto e alle tempie, avevo solo voglia di tornarle contro ma c'era questa piccola distanza da attraversare. Le ho messo una mano su un fianco, ho detto "Guarda che puoi mangiare quello che vuoi. Non hai un filo di grasso neanche a pagarlo oro."

Lei si è raffreddata in una frazione di secondo: è diventata pesante e rigida al punto che non riuscivo a smuoverla di un millimetro, gli occhi le hanno preso un'altra luce. Con la voce più dura mi ha detto "Non mi parlare di cibo anche tu. Va bene?"

"Va bene, va bene," ho detto io, mentre ritiravo la mano dal suo fianco. "Figurati cosa me ne importa." Indietro-veloce-indietro-veloce. Pensavo che non me ne importava niente davvero, che poteva fare come voleva; ho detto "Se credi che venga *io* a farti storie sul cibo. A me il cibo non interessa per niente, ne posso fare a meno in qualunque momento."

La luce nei suoi occhi è cambiata ancora, mi guardava perplessa.

Ho detto "Una volta ho smesso completamente di mangiare per dieci giorni di seguito, a Milano. Neanche un biscotto. Mia madre pensava che volessi lasciarmi morire."

Riprendevo fiato, i battiti del cuore cominciavano a rallentare, la corrente interna si attenuava. Temperatura in diminuzione, involucro-bolla-di-sapone che si ricostituisce rapido.

"Ma perché?" ha chiesto Nina, con una curiosità incerta che tornava a riscaldarle lo sguardo.

"Così," ho detto io. "Perché non ne avevo più voglia. Ogni tanto mi stufo di fare le cose che sembrano inevitabili. Come mangiare, bere, respirare, esserci, non so. Basta che ci provi, ti rendi conto che puoi farne a meno."

(Gli sta salendo dentro una corrente diversa dall'elettricità da contatto di prima; è più fonda e lo porta più in alto, fino quasi a toccare le travi del soffitto della casa. È giù, nello stesso tempo: dentro le sue parole e dentro lo sguardo e la voce e i gesti che fa.)

NINA: Ma per quanto puoi farne a meno?

(La sua attenzione sempre più verso di lui: le sfugge dagli occhi, le torna indietro mentre inspira.)

UTO: Per quanto vuoi. Quella volta non ho mangiato per dieci giorni, ma avrei potuto andare avanti ancora, se avessi voluto. Avrei potuto smettere di mangiare per sempre.

NINA: E cosa sarebbe successo? Saresti morto?

(Interessata-elettrizzata, adesso, trepidante luccicante di attenzione.)

UTO: Il punto è non pensare alle conseguenze, pensare solo a quello che vuoi fare. Il resto è irrilevante.

(La corrente adesso tende a spingerlo oltre, al punto che le parole e le espressioni facciali non gli bastano più. Non gli basterebbe neanche sedersi al piano a suonare come la sera prima; c'è bisogno di un vero gesto significativo.)

UTO: Tu per esempio non vuoi mangiare. Perché hai paura di essere grassa, no? Sei quasi solo ossa ormai, ma pensi di essere grassa. E tutti sono lì tutto il tempo a cercare di farti mangiare e angosciarsi perché non lo fai, c'è questa specie di complotto di buone intenzioni, no?

NINA (sguardo basso): Sì.

UTO: Però tu hai questo modo obliquo di non mangiare. Nascondi il piatto, rovisti con la forchetta, mordicchi qualcosa. Non hai nessun coraggio, non riesci a sostenere la tua posizione in modo chiaro.

NINA (sguardo obliquo): E cosa dovrei fare, invece?

UTO: Non mangiare più. Ma davvero. Senza fare più finta. E senza ingozzarti di nascosto con un barattolo intero di gelato alla soia per poi vomitarlo.

NINA (sguardo infiammato): Non è vero! Non l'ho mai fatto!

UTO: Ho visto il barattolo vuoto, l'altro giorno, e ti ho sentita nel bagno. Dovresti smettere del tutto, nel modo più chiaro. Tanto niente è indispensabile. Neanche la cosa che ti sembra più indispensabile di tutte. Non so, respirare, per esempio. Ti sembra abbastanza indispensabile, no?

NINA (sguardo che va e torna): Be', sì.

UTO: E invece se voglio posso benissimo non farlo più.

NINA (sguardo incredulo, incerto): Respirare?

UTO: Guarda.

Mi viene così: mi pianto in una specie di posa di partenza da aikido con Ki come l'ho vista nel libro, baricentro basso, piedi larghi, schiena ben dritta, braccia lungo i fianchi, e smetto di respirare. Non prendo fiato prima, perché mi sembra che toglierebbe valore e senso alla cosa; semplicemente smetto di respirare appena finito di parlare, con una scorta d'aria già mezzo esaurita nei polmoni. Non so perché lo faccio, non so qual è l'origine o la vera natura di questo gesto; è tardi per pensarci, perché sono *nel* gesto, adesso che perfeziono la mia posizione e incrocio le mani sul petto. Non è un'apnea da subacqueo: è una sospensione totale temporanea, che potrebbe anche diventare definitiva se solo riuscissi a non distrarmi. Tengo gli occhi chiusi, sto fermo senza oscillare, senza contare i secondi o chiedermi quanto a lungo posso resistere.

La cosa curiosa è che non mi veniva nessun impulso a riprendere fiato: zero. Ero distaccato da qualunque istinto meschino di sopravvivenza, libero da qualunque paura o esitazione. Avevo un fantastico equilibrio, un'indipendenza esaltante dalla forza di gravità. Tutte le mie sensazioni si allontanavano per gradi, ed ero perfettamente consapevole del loro allontanamento: il vuoto nei polmoni e il battito rallentato del cuore al centro del petto, il sangue che mi pulsava alle tempie. Si sfumavano e confondevano in uno stato liquido denso, come se fossi ingrandito cento volte su uno schermo panoramico o ridotto a una dimensione microscopica, o nell'atmosfera di un altro pianeta distante anni-luce dalla terra.

L'assenza del ritmo automatico del respiro ha sospeso poco alla volta tutti gli altri miei ritmi interni correlati; il sistema complesso che mi manteneva in attività senza doverci pensare ha rallentato e rallentato fino quasi a fermarsi. Sono in uno stato semimateriale, le mie sensazioni scendono verso un fondo sicuro dalla superficie incerta, si lasciano dietro scie lunghe come bave di plancton luminoso nell'acqua nera tiepida. Percepisco la presenza di Nina come un pubblico minimo, ma poco alla volta mi sembra che questo pubblico si estenda, mi sembra di vedere una luce lontana che mi abbaglia e mi riscalda, mi sembra che ci sia un senso profondo in quello che faccio; poi mi sembra che niente al mondo abbia mai avuto nessun senso, sia solo un sistema di codici inventati per dare un nome alle cose.

Mi sembrava di sentire tutto con un'acutezza incredibile, e di avere perso qualunque sensibilità; di essere perfettamente stabile nello spazio e di scivolare all'indietro; di stare in alto e in basso; di avere una forza infinita e di averla esaurita già tutta, di scorrere via trascinato da una corrente sotterranea che va sempre più sotto e sempre più verso il buio e poi torna in alto come il binario di un otto volante in un parco di divertimenti ma infinitamente rallentato, preoccupante e irrilevante, in corsa folle e immobile. C'ero e non c'ero più, ero concentrato come un microscopio sulla minima sensazione dell'istante minuto, e guardavo tutto da molto lontano e da molto sopra, con un senso esilarante di assenza di peso e di distacco dalle cose e dalle persone e dai sentimenti. Ero senza limiti o contorni, senza segnali da raccogliere e decifrare, senza forze da indirizzare, senza equilibri da mantenere. Senza niente; la perfetta equidistanza.

Ero nel buio più totale, immerso fondo senza nessun desiderio di ritorno, e invece una filtratura pallida di luce ha cominciato ad affiorarmi alle palpebre; sono tornato su verso la superficie dei suoni e delle sensazioni, come un subacqueo tirato a galla con le funi anche se non ne ha voglia.

Apre gli occhi ed è sdraiato sul pavimento, Marianne curva su di lui lo guarda con le pupille dilatate dall'apprensione. Vittorio con un orecchio verso la sua bocca.

"Sì che respira," dice, allarme venato di rabbia. Gli passa una mano dietro la nuca, gli sostiene la testa.

Nina seduta a terra piange appoggiata di schiena al frigorifero, singhiozza senza nessun suono; Jeff-Giuseppe in piedi, con una faccia incredibilmente pallida.

"Va bene, va bene," ho detto io, ma non riuscivo a richiamare indietro la voce, mi ci è voluto qualche secondo per farmi sentire.

"Ma cosa è successo?" ha chiesto Marianne, contratta di preoccupazione e desiderio di capire, ansia pura. Non si era neanche tolta le scarpe, né se le erano tolte Jeff-Giuseppe e Vittorio; neve in scioglimento nei solchi delle suole: lasciava piccole pozze d'acqua sulla moquette.

"Ha smesso di respirare," ha detto Nina dal frigorifero con uno spigolo acuto di voce, tremava e tirava su col naso come una bambina piccola.

"Come, ha smesso?" ha chiesto Vittorio, con la sua voce da megafono. "È svenuto o cosa?"

"Ha smesso," ha detto Nina. "Ha detto che smetteva di respirare, e ha smesso."

Marianne mi guardava, bianca e vibratile, come se ci fosse qualche grande verità da ricavare.

Ma non avevo nessuna voglia di cadere nel melodramma, adesso; mi sono alzato a sedere, anche se mi girava ancora la testa, ho detto a Vittorio "Lasciami pure, va benissimo."

Lui mi teneva ancora per le spalle, ha detto "Aspetta. Fatemi capire un momento."

Mani da pittore-artigiano-boscaiolo che stringono. Marianne che respira nervosa, narici cartilaginose, pupille dilatate. Nina con la faccia liscia di stupore e sensi di colpa e non-comprensione, tutta linee curve.

Io ero già in piedi, sorridevo già. Ho detto "Non c'è niente da capire. Sto benissimo, non preoccupatevi. È stata solo una cosa così."

Ho scrollato le gambe, attraversato il soggiorno senza guardare più nessuno, dovevo dedicare tutta la mia attenzione a camminare dritto.

I Foletti sono rimasti fermi e in silenzio, anche senza guardarli riuscivo a percepire il loro sgomento moltiplicato per quattro.

Marianne avanti-veloce

Marianne mi chiede se ho voglia di accompagnarla all'ashram. Mentre parla finisce di ficcare camicie e calzoni e magliette e giacche stirate e ben piegate in due sacche di stoffa. Dice "Noi non le mettiamo quasi mai, almeno qualcuno le userà."

Ha un tono cauto; ogni suo sguardo mi costa fatica, ormai.

Cerco di apparire più neutro che posso, ma evidentemente non ci riesco, l'errore è stato scendere nel soggiorno invece di starmene tappato nella mia stanza in cima alle scale.

Così la seguo fuori, anche se avrei preferito molto aspettare sul divano che Nina uscisse dalla sua stanza, o anche solo andare avanti a leggere la storia del buddismo che ho trovato nella loro libreria: restare immerso nella successione ipnotica di nomi e date e avvenimenti telescopizzati nel tempo.

Guida la Range Rover nella neve alta con molta meno sicurezza di suo marito: non smette per un attimo di misurare a sguardi la carreggiata, lampeggiare gli occhi nello specchio retrovisore centrale e in quelli esterni, come se temesse di uscire di strada e andare a urtare contro un albero da un momento all'altro. Non riesce neanche a parlare in modo continuo: si interrompe, guarda di lato, riprende.

Dice "Lo sai che Nina ha mangiato una ciotola di granola grande così, stamattina? E una mela, e della pasta fredda?"

Dico "Sì?"

Lei mi guarda rapida, incerta del mio tono; dice "Lo sai che sono forse tre anni che Nina non faceva colazione?"

Dico "Eh, bene."

Marianne continua a guardarmi a scatti, percorsa com'è da una corrente alternata di agitazione; dice "Lo sai che l'anoressia è una malattia terribilmente difficile da curare? Non c'era riuscito neanche lo Swami. Eravamo disperati. Voglio dire. Insomma, adesso mangia, da un giorno all'altro. Hai fatto una cosa incredibile. Siamo tutti sconvolti."

"Non ho fatto niente," dico io, nel tono più naturale, sotto-le-righe che mi viene.

Marianne fissa la strada, fa per dire qualcosa ma si morde le labbra.

La guardo di profilo, mi rendo conto solo adesso di come la superficie della sua serenità spirituale si è incrinata, ha lasciato quasi senza protezione la natura ipersensibile che c'è sotto. Mi chiedo quando è successo, se è tutta colpa mia o no; se dovrei dire o fare qualcosa per rimediare.

Le dico "Non sono mica stato io. Si vede che le sarà venuta fame. Si sarà stufata di non mangiare, no?"

Marianne controlla la strada fuori, gli specchietti retrovisori. Dice "Mettila come vuoi. È un fatto straordinario, comunque la metti." Si gira per un attimo, fuoco azzurro-grigio negli occhi; dice "Uto, ho paura. Non so come comportarmi. Mi sento così inadeguata."

E mi viene da ridere per il suo tono, la sua totale mancanza di senso dell'umorismo: l'imbarazzo mi corre su per la spina dorsale, mi fa il solletico al cuore e al retro del cervello. Dico "Non dire queste cose. *Per piacere.*"

Lei frena perché siamo arrivati all'attacco della statale, la macchina scivola per qualche metro sulla neve. La riprende con mani nervose, mi guarda con quel sorriso pieno di luce fanatica che le viene; dice "L'ha detto anche il guru, che sei uno strumento divino."

"Ma solo per come avevo suonato," dico io. "Ed era solo uno dei suoi modi di dire." Non mi piace questa situazione, adesso che ci sono dentro; non è divertente come avrei potuto immaginarmi a freddo e a distanza. Sono seduto di fianco a questa bella donna instabile di trentanove anni e avrei solo voglia di saltare giù nella neve e correre via. Non mi diverte la sua improvvisa mancanza di equilibrio, e l'idea di avere contribuito a provocargliela; non mi diverte l'onda continua di aspettative nel suo sguardo, la corrente ricettiva che emana dalla sua persona e rimbalza sulle superfici interne dell'abitacolo come un sonar.

Indico fuori, dico "I cervi non si vedono più."

Lei dice "No", ma non è facile distrarla, ormai. Guardo le sue mani nervose sul volante, il movimento dei suoi gomiti, la schiena dritta, gli occhi chiari che lampeggiano verso di me e verso gli specchietti retrovisori e lungo i margini della strada statale dove gli spazzaneve hanno ingrandito ancora i due muri bianchi compatti. Nevica ancora, ma a fiocchi molto fini e radi, fa troppo freddo perché ne possa scendere di più. Guardo dritto davanti, con un tremito interiore di paura o forse sgomento o incertezza elettrica; non ho voglia di trovarmi in questo ruolo, non ho voglia di rispondere di niente. Cerco di concentrarmi sulla vibrazione del motore, azzerare i miei motivi di interesse alle antenne ipersensibili di Marianne; cerco di tenermi piatto e insignificante, spegnere qualunque luce suggestiva nel mio profilo.

Siamo arrivati, per fortuna: fuori dalla macchina nell'aria gelata, ognuno con un sacco di vestiti smessi in mano, scarpicciamo sulla neve spalata di un vialetto. Accelero il passo per prendere una distanza minima da Marianne, i fiocchi radi di nevischio mi arrivano sulla faccia come minuscole punture di freddo polarizzato.

Marianne dice "Come cammini veloce!", anche se il suo passo è abbastanza lungo da non lasciarla certo molto indietro. Rallento lo stesso, per non dare altro alimento alla sua attenzione, ma non è che serva a molto, c'è questo suo continuo bersagliamento laterale di sguardi e respiri. È ridicolo, perché cerco di scappare e le cammino a fianco, cerco di non farmi vedere e le sto sotto gli occhi, e tutta la sua attenzione e il suo squilibrio forse me li sono cercati, ma c'è una distanza tra quello che uno si immagina e quello che poi vuole davvero, tra la superficie di un'idea e la sua polpa solida.

Arriviamo davanti al grande edificio di legno che sta al lato opposto alla Kundalini Hall nella grande radura. Marianne me lo indica, dice "L'ashram. Ai piani sopra dormono le monache e i monaci, o quelli che non possono avere una casa loro. Io e Jeff siamo stati qui, prima che arrivasse Vittorio."

Guardavo le finestre con la più grande attenzione simulata, nella speranza che servisse a deflettere la sua attenzione da me, ma non serviva.

Ha detto "Dormivamo in una cameretta minuscola, io e lui, e pensavo che non avrei mai più rivisto Vittorio, ma stavo benissimo."

Questo come una specie di messaggio, e respirava più affannata di quanto giustificasse il nostro percorso nella neve spalata, guardava me invece di guardare l'ashram.

Sono andato dritto verso l'ingresso con il mio sacco di vestiti, entrato nell'atrio caldo dove si potevano ancora tenere le scarpe ai piedi, ma appena dentro mi è sembrato che la situazione peggiorasse soltanto. Non c'era nessuno in giro, Marianne mi si è subito riattaccata al fianco, pressante e insistente peggio che in macchina, tutta sguardi e respiri e attese e sollecitazioni laterali.

Ha detto "Questa era casa nostra, mia e di Jeff. Avevamo un letto, un bagno in comune nel corridoio, mangiavamo alla Kundalini Hall. Non ci serviva nient'altro."

"Poi per fortuna è arrivato Vittorio," ho detto io.

Lei ha detto "Sì"; ha distolto lo sguardo, si è morsa le labbra.

Il ritratto del guru su una parete, una sedia svedese, un tavolo vuoto, un tabellone con decine di foglietti di annunci attaccati con le puntine, una rastrelliera doppia per scarpe; mi aggrappavo con lo sguardo a tutto quello che c'era, qualunque fonte di distrazione possibile. Ma non mi è venuta nessuna frase, ed eravamo già oltre una porta e all'attacco di una scala, giù per i gradini, nell'odore appena percepibile del sapone neutro di Marianne.

Scendo i gradini con lei, e vorrei rifarli all'indietro a velocità doppia, uscire da questa situazione e dal ruolo in cui ho cominciato a scendere dalla sera del mio arrivo, sottrarmi alle aspettative e alle richieste che mi investono e mi schiacciano e spingono in questo modo difficile da resistere. Siamo già sotto, non ho neanche provato a fermarmi.

Marianne accende la luce: uno stanzone largo e basso e arroventato, piastrelle bianche per terra e alle pareti. Fa un gesto rapido intorno, dice "Qui si tingono i vestiti e le stoffe nei colori giusti."

Ci sono intere rastrelliere di vestiti usati, camicie e giacche e golf e calzoni in tutte le possibili sfumature dal bianco al color sabbia al grigio pallido, nessun colore troppo forte per essere ritinto. Su altre rastrelliere i vestiti invece sono già albicocca o pesca o vinaccia, a seconda di come la tintura dell'ashram si è combinata con il colore originario.

Marianne mi indica le scatole di tintura, due cassoni di metallo dove i vestiti da tingere vengono messi a bagno, quattro grosse lavatrici per il bucato della gente dell'ashram. Dice "Bello, no?"

Ma non è bello e la sua attenzione non segue affatto il suo sguardo: siamo in una trappola stagna di vibrazioni, calda come una sauna per via dei tubi dell'impianto di riscaldamento che corrono lungo il soffitto su verso il cuore dell'ashram. C'è un fruscio di liquidi nelle condutture, un ronzio di impianti elettrici, campi magnetici in attesa; siamo al centro della terra, al centro incerto e nascosto da dove può partire qualunque intenzione o sentimento.

Le dico "Perché poi dovete avere proprio questi colori?"

"Non dobbiamo," dice Marianne nel suo modo spiritato. "Lo Swami dice sempre che ognuno può vestirsi con i colori

195

che vuole. È che questi esercitano una buona influenza sulle persone. E sono belli, anche, no?"

Faccio di sì con la testa nel modo più vago, sono felice di essere almeno protetto dal mio nero solido, millimetri di cuoio nero di protezione.

Marianne comincia a tirare fuori i vestiti dal suo sacco; l'aria è così calda che deve togliersi il giaccone imbottito di piuma, resta nel suo golf abbottonato davanti, si muove ancora più nervosa e fragile. Dispiega le camicie da manica a manica con una specie di magniloquenza senza necessità, apre i golf smessi di suo marito come bandiere, fa saturare di luce artificiale le fibre dei tessuti, le sposta come per raccogliere o spargere attorno chissà quale significato simbolico.

Uto Drodemberg la guarda da un paio di metri, accaldato com'è nella sua giacca di pelle, claustrofobia che gli sale dentro. Ha in testa un catalogo di gesti, un catalogo di toni di voce e immagini di sé che lo hanno portato a questo; vorrebbe solo tornare indietro-veloce e cancellarli uno dopo l'altro, ristabilire l'equilibrio della famiglia Foletti com'era prima del suo arrivo, rimettere insieme la facciata perfetta che gli avevano presentato.

Marianne lo sonda a brevi lampi degli occhi, con una camicia bianca di Vittorio tra le mani; infila la camicia su una gruccia, la appende di fianco alle altre camicie da tingere. Tira fuori dal sacco una maglietta di cotone bianco, sua: la apre tra le mani e cerca di mantenere un'espressione perfettamente legittima ma non ci riesce, una luce di imbarazzo le invade lo sguardo come se si stesse spogliando, c'è questa densità insostenibile.

Sguardi agli occhi, sguardi alle labbra. Parole fermate un istante prima di essere pronunciate. Gesti fermati. Colla di comunicazione. Blocco-sblocco. Fatica. Caldo da caldaia, da forno di sensazioni; scioglie ogni punto di vista, lo fa liquefare.

MARIANNE: Non hai caldo?

UTO: No.

MARIANNE: Com'è possibile? È una specie di sauna, qui.

UTO: Non ho caldo.

Lei passa oltre con la sua maglietta bianca in mano, la lascia cadere in uno dei cassoni per la tintura. Ci mette dieci secondi a cadere: resta sospesa a mezz'aria come la più lenta delle impressioni. Marianne gira la testa lenta, sguardo allungato allargato dal caldo, fuso come miele riscaldato. Fruscio nell'aria densa; acqua rovente che scorre nei tubi, soffi e respiri, c'è un battito sordo da qualche genere di tamburo cosmico. Marianne che viene avanti, occhi-lampo di flash, luce azzurra troppo concentrata, troppo insistente invadente assediante.

MARIANNE: A cosa stai pensando?

UTO: A niente.

MARIANNE: Sì. Pensi-non-pensi, come dice lo Swami. Tu sai tutto, no?

UTO: No. Non so niente.

Si avvicina ancora: pupille dilatate, narici frementi da cavalla intelligente ispirata.

MARIANNE: Sì, tu sai tutto. Non credere che non l'abbia capito.

(Ha un modo di abbassare il mento e guardare verso l'alto, con una specie di espressione da chiesa ma anche sensuale. Tutta questa spiritualità torbida, in crescita come un respiro che cresce.)

MARIANNE: Riesco a vederle, le cose, sai? Riesco a capirle. Tu sei stato mandato qui.

UTO: Sì, da mia madre.

MARIANNE: Lei è stata solo uno strumento. Lo sai bene, che c'è un disegno superiore.

UTO: Ma che disegno. Non farti dei film, adesso. Per piacere.

Fa per andare indietro: sposta il peso sul tacco dello scarpone destro, sente la gomma elastica che si piega per lasciargli arretrare l'altra gamba e prendere distanza, sottrarsi.

Ma c'è questo ronzio da nota bassa di chitarra elettrica distorta e sostenuta all'infinito, e l'idea di essere nei sotterranei dell'ashram pieno di attività altamente depurate e ritualizzate, senza traccia di bassi impulsi che però qui in basso sembrano nella loro sede naturale. Pensieri di braccia pensieri di mani, pensieri di schiene, pensieri di fianchi pensieri di seni, pensieri di contatti e di strusciamenti, tessuto su tessuto e pelle su pelle; pensieri di respiri corti, onda magnetica che avvicina che respinge, spazio di mezzo che si riduce che si allunga.

Sono andato all'indietro verso la scala, ho detto "Andiamo, magari?"

Marianne a due quattro sei otto metri, al centro della stanza, molto pallida e nervosa e incerta; ci ha messo un minuto intero prima di fare di sì con la testa.

Qualche risultato con Jeff-Giuseppe

Cammino a passi alti nella neve, fuori dallo stradino che Vittorio ha sgombrato con la pala come ogni giorno. Sollevo le ginocchia, appoggio i piedi con cautela nella consistenza bianca e farinosa, soffio fuori il fiato, guardo la nuvola di vapore condensato finché si è dissolta; rifletto. Quando dico "riflettere" non so bene cosa intendo, perché in realtà i miei pensieri sono fermi, appoggiati su se stessi come mobili in una stanza. La mia attenzione gli gira intorno e gli passa sopra, non li smuove né li illumina né li rende trasparenti. Non so neanche se siano pensieri veri e propri, o piuttosto semplici condense di sensazioni e dati di fatto, ognuno impregnato della propria immobilità. In momenti come questi mi viene da chiedermi se è la mia intelligenza a trascinarmi troppo in alto e troppo lontano, o se in realtà sono stupido. Mia madre mi considera un genio, ma il suo naturalmente è un punto di vista troppo parziale; i miei maestri di piano al conservatorio dicevano che ho delle qualità molto al di fuori della norma, ma si riferivano a doti tecniche più che intellettive. Gli insegnanti di teoria musicale e quelli delle altre materie invece non avevano un'alta opinione di me, tendevano a considerarmi un animale da tastiera con molto istinto e quasi nessuna capacità di elaborazione. Non gli ci voleva molto a notare quanto mi era facile assimilare sequenze di note musicali da una partitura e rielaborarle come mi pareva, e quanta resistenza naturale avevo invece a seguire chiunque nei territori inconsistenti dell'astrazione. Io stesso non sapevo bene come vedermi: un momento mi sembrava di avere delle qualità fantastiche, e un momento dopo di non averne nessuna; di capire tutto quello che c'era da capire anche al di là della comprensione, e di non capire niente; di essere affacciato sull'orlo di una prospettiva luminosa, e di affondare nell'inutilità più immobile. A volte mi saliva dentro la sensazione vaga ma intensa di avere qualche genere di missione da compiere nel mondo; a volte mi sentivo inchiodato a terra dai miei limiti e difetti. Mi sentivo un santo; mi sentivo una carogna. Mi sentivo uno stupido, mi sentivo un genio. Spesso si pensa che uno stupido o una carogna non siano consapevoli di esserlo, ma è un luogo comune, ho conosciuto degli stupidi e delle carogne che si rendevano benissimo conto dei loro limiti, e ne erano compiaciuti e ne soffrivano. Credo che per i geni e per i santi sia più o meno la stessa cosa, solo che quelli che lo sono davvero tendono a fare finta di non saperlo, e molti che non lo sono fanno sapere senza il minimo pudore di pensare di esserlo.

Riguardo al mio aspetto, era una questione simile. Un giorno mi sembrava di camminare in un videoclip o in una pubblicità, con i lineamenti e l'andatura più suggestivi che si potessero trovare, un perfetto alone di luce tra i capelli; poi magari solo cinque minuti più tardi mi sentivo un ragazzetto patetico, con il naso aguzzo e i capelli troppo sbiancati e dritti, un'andatura a scatti che mi faceva sembrare una specie di burattino. Un momento mi pareva del tutto naturale che Marianne mi vedesse come una manifestazione divina, il momento dopo mi vergognavo di non essermene vergognato di più e prima, avrei voluto nascondermi sotto la neve.

Invece ci cammino sopra a passi alti e lenti, e mi chiedo chi sono e quali sono i miei limiti naturali, quali sono i miei limiti estensibili. Mi chiedo perché sono qui, alla fine, se è un passaggio inevitabile nella mia vita, o un fondo di bottiglia in cui sono finito per la mia inerzia. Oscillo tra ammirazione di me stesso e autodisgusto, non riesco a restare della stessa opinione per più di cinque passi, anche se sono passi alti e lenti da due secondi l'uno.

Jeff-Giuseppe è uscito dalla casa, zampetta alle mie spalle con aria incerta. Gli dico "Allora?"

Lui tiene le mani nelle tasche del piumino, gli occhi rivolti alla neve, li alza due o tre volte con aria interrogativa.

Gli volto le spalle, faccio finta di dimenticarmi di lui; lui mi zampetta ancora dietro, fa un mezzo cerchio nella neve alta per arrivarmi di fianco. Dice "Fino a quando rimani qua?"

"Non lo so," gli dico. "Non ho ancora deciso."

"Ma più o meno?" dice lui. La tensione comunicativa gli rompe la voce, e non ci vuole molto, gli dà un tono da corvaccino disperato.

Dico "Dipende. Sto cercando di capire perché sono qui."

Jeff-Giuseppe inclina la testa, dice "In che senso?"

Mi fa piacere l'attenzione con cui mi segue, l'ammirazione e la dipendenza che riesco a leggere nei suoi occhi. Mi dà un rilievo da palcoscenico, o da schermo di cinema: mi sembra di avere uno sguardo più profondo, mi sembra che i miei passi scrocchino meglio sulla neve. Gli dico "Nel senso che a volte capiti in un posto o ti succede qualcosa o incontri qualcuno e ti sembra normale e non gli dai nessun peso, e invece c'è una ragione, no? Solo che non è facile capire quale, sul momento."

"E tu come fai a capirlo?" dice Jeff-Giuseppe, per niente sicuro di avere capito.

"Lo *sento*," dico io. "Come con il pianoforte, più o meno. Non è che ogni volta che un tuo dito preme un singolo tasto tu debba avere una visione perfettamente razionale e distaccata e precisa di tutte le migliaia di note che devi suonare e della distanza e del peso e del colore di ognuna, come se le guardassi dall'alto con tutto l'agio e il tempo che vuoi. Ci sei dentro, e basta. Vai sull'onda rapida, no? È come slalomare con gli sci tra gli alberi di una foresta. Devi intuire il percorso man mano che lo fai, e subito, anche; non c'è verso di premere stop ogni due secondi per calcolare a freddo."

Non ne ero così sicuro, in realtà, né ero uno sciatore così bravo; appena sotto le mie parole c'era un pulviscolo infinito di dubbi e incertezze, mi sentivo difettato e lento e pigro e inefficace, indeciso, vulnerabile. Ma non avevo neanche voglia di scavare tanto sotto la superficie, per fortuna: bastava poco per dimenticarmene. Bastava Jeff-Giuseppe che mi veniva dietro con la sua espressione da discepolo non-ufficiale, in attesa di risposte e spiegazioni; mi sembrava di potergliene dare quante ne voleva.

Gli dico "È che ho la sensazione di avere qualche genere di responsabilità, qui." Mi viene una vera voce responsabile, mentre lo dico, un vero sguardo intriso di responsabilità.

"In che senso?" dice di nuovo Jeff-Giuseppe, mentre cammina all'indietro per vedermi in faccia.

"Non lo so," dico io, con ancora meno sforzo di rendermi comprensibile, come ho visto fare così bene al guru. Dico "Forse verso la vostra famiglia, verso la gente di qui. Verso il mondo, non lo so."

In un altro luogo o momento una frase del genere mi farebbe ridere subito dopo averla pronunciata, ma qui acquista un suono strano che mi fa affiorare delle lacrime agli occhi, calde. Jeff-Giuseppe mi guarda, raddensato di non-comprensione, ammirazione senza forma.

Più tardi nel caldo riparato ovattato del soggiorno gli insegno al piano gli accordi di un pezzo rock cattivo. Ce ne vuole per fargli capire che non può suonarlo come uno dei brani classici che ha imparato a memoria con tanta diligenza: gli martello dieci volte di seguito una dimostrazione, gli dico "Mettici forza! Mettici un po' della rabbia che hai dentro!"

"Quale rabbia?" dice lui, con uno sguardo laterale da giovane bovino incerto, batte sui tasti senza nessuna efficacia.

Gli grido nell'orecchio "La rabbia di tutti questi anni a fare il bravo figlio di mamma! A cuccarti tutto quello che ti passano, senza mai sognarti di protestare! A dire sempre sì senza fare la minima resistenza! Tutti i discorsi di Vittorio e tutte le prediche di tua madre, i compiti e i doveri e le missioni, le rotture di balle senza fine!"

Jeff-Giuseppe dice "Non dico sempre 'sì'"; ma intanto sta già cominciando a suonare con più grinta di prima, comincia a venire poco a poco fuori dalla sua remissività abituale.

Gli dico "Fai arrivare la rabbia alla punta delle dita!" Gli dico "Immaginati di litigare con Vittorio, o con tua madre!" Gli dico "Immaginati che ti chiedano di fare una cosa che non hai nessuna voglia di fare! Che siano lì a fissarti e sorriderti, dirti 'Per piacere, Jeff?' 'Per piacere, Giuseppe?'"

Lui va avanti e avanti sugli stessi accordi, e poco alla volta la rabbia gli risale davvero alle dita, lo fa suonare con un'energia che cresce fino a sorprendermi. Non devo dirgli più niente, posso anche allontanarmi di qualche metro senza che lui si affievolisca. Vado fino al divano all'altro lato del soggiorno, e la sua furia continua ad aumentare, lo fa martellare sulle corde basse come una specie di torello infuriato che cerca di uscire a cornate dalla stalla. Gli grido ancora "Immaginati che ti stiano addosso a pungolarti per farti sorridere! A spiegarti tutto quello che devi pensare!" Non ce n'è più bisogno: ormai va per conto suo, calca di più la mano ogni volta che riprende il giro da capo.

Poi sono venti minuti buoni che suona, e vedo la Range Rover tornare nello spiazzo, Vittorio scendere e scaricare i soliti sacchi e sacchi di provviste e materiali, trascinarli verso la casa seguito dal cane Geeno. Non dico niente a Jeff-Giuseppe, lo lascio andare avanti a suonare con tutta la rabbia che ha dentro; leggo qualche pagina di un libro sui processi di invecchiamento tolto dalla libreria alla mia destra.

Due minuti dopo Vittorio è nella camera vetrata di decompressione con due o tre sacchi, ansimante e ansioso come sempre di scaricare sugli altri la sua tensione sommersa. Batte sul vetro scorrevole interno, dice "Ehi! Chi mi dà una mano?"

Faccio finta di niente, non lo guardo, non poso il libro. Jeff-Giuseppe non lo sente neanche, preso com'è dal giro di accordi martellati che gli viene sempre meglio.

Così Vittorio apre la porta scorrevole, grida a Jeff-Giuseppe "Ti dispiacerebbe aiutarmi, che devo prenderne altri quattro in macchina?"

Mi guarda solo in modo marginale mentre grida al suo figliastro; come se mi riconoscesse una specie di natura extraterritoriale ma non proprio, preferisse forzare la mano sul bersaglio più facile. È stupito dalla musica che Jeff-Giuseppe sta tirando fuori dal piano, anche: si ferma e si assesta, prima di dire nella sua voce da megafono "Giuseppe? Mi hai sentito?"

Jeff-Giuseppe gira la testa verso di me con uno sguardo smarrito, il ritmo gli si scioglie tra le mani come un gelato su un calorifero; sembra sul punto di fermarsi, ma la mia espressione dev'essere abbastanza dura da fortificarlo, perché in pochi secondi l'energia gli torna nelle dita e negli occhi, il ritmo degli accordi riprende vigore e cattiveria.

Vittorio gli dice "Mi hai sentito?" Incredulo, perplesso; si chiede cosa stia succedendo nella bella casa che ha costruito con le sue mani.

Jeff-Giuseppe va avanti, non lo guarda, martella la tastiera con molta più foga di quando gli stavo addosso a incalzarlo. Mi chiedo fino a che punto riuscirà a resistere, quale pressione dovrà esercitare Vittorio per ricondurlo al suo ruolo.

Vittorio grida "Giuseppe?" Furioso, sgomento; gli si incrina la voce.

Jeff-Giuseppe suona e suona, e adesso gli viene davvero bene, l'intensità dei sentimenti compensa le sue carenze tecniche. Rosso in faccia, curvo in avanti sulla tastiera, la sua impostazione classica è andata in malora ma i polsi sono saldi, i muscoli delle dita lavorano come non hanno mai fatto.

Vittorio sta lì a guardarlo, appoggiato alla porta scorrevole, con una luce incerta e violenta negli occhi, una vibrazione compressa che gli attraversa la figura. Ma siamo a Peaceville, nel regno della dolcezza e della tolleranza: resta ancora qualche secondo sull'orlo di un'esplosione possibile e si ritrae, scuote la testa, si sforza di sorridere, torna fuori a ritirare gli altri sacchi dalla macchina. Fa di tutto per sembrare sereno e incurante e occupato da pure questioni pratiche, ma non ci vuole molto a leggere la rabbia e lo sconcerto che gli fanno marcare i passi nella neve battuta.

Qualche risultato con Nina

Nina su uno sgabello al bancone della cucina. Si riempie un bicchiere di succo di carote, pesca in una scatola di biscotti fatti in casa da Marianne. Allunga le mani a prendere banane secche, uvette, mandorle, noci. Si alza e fruga nel frigorifero, si ficca in bocca un pezzo di tofu, una salsiccetta fredda di soia; tira fuori una fetta di pane da un sacchetto. Mangia come se arrivasse da qualche carestia terribile, si fosse accorta da un momento all'altro di non avere mangiato niente per anni. Sembra già più piena di una settimana fa, le sue forme cominciano ad affiorare sotto il golf sovrabbondante. Si muove con più energia, anche: i suoi gesti hanno più autorità nello spazio, ricordano quelli di suo padre ma in una versione molto più piacevole.

La guardo da una decina di metri, mezzo schermato dietro un armadio, incerto se sentirmi orgoglioso o non sentire niente.

Lei se ne accorge, dice "Cosa guardi?"

"Niente," dico io. Non so se avvicinarmi o restare dove sono; esco dal riparo dell'armadio. Dico "C'è qualcosa di buono?"

"No," dice lei. Ma continua a mangiare, non si ferma; dice "A parte la roba dolce."

Mi avvicino, vado a prendere anch'io un'albicocca secca, una manciata di mandorle. Dico "Possiamo ringraziare Marianne."

"Sì," dice Nina, con un sorriso appena incattivito a un angolo. Dice "E mio padre che le va dietro."

Dico "La santa depurazione. Farina degli angeli e latte di soia sgrassato." Muovo piano le braccia come se avessi le ali, socchiudo gli occhi e ondeggio da un lato all'altro.

Lei mi guarda, metà timida e metà spavalda: bianco-nero, e il contrasto è ancora più forte adesso che sta recuperando energia. Dice "Lo sai che all'inizio mi eri molto antipatico?"

"Grazie tante," dico io, su un piccolo abisso improvviso di incertezza di me.

"Be', non facevi capire niente," dice lei. "Di cosa pensavi o di chi eri."

"Invece quelli che fanno capire tutto?" dico io, irritato e sgomento, contento che parli di me.

"No, ma avevi questo modo di fare," dice lei. "Te la tiravi così tanto."

"E adesso?" dico io: parte recita parte serio parte curioso parte sicuro parte paura di sapere.

Lei mi guarda i capelli, mi guarda le labbra; dice "Adesso a sentire Marianne sei una specie di santo, non so."

"E a sentire te?" le dico, anche se forse preferirei lasciar cadere l'argomento.

Nina dice "Eh?" Guarda in basso, guarda di lato; si mette a ridere.

Ridiamo tutti e due, ci avviciniamo e allontaniamo come sul ponte di una barca che rolla. Sguardi tirasguardi, gesti tiragesti; piccoli spostamenti dei muscoli delle labbra e delle sopracciglia, piccole alterazioni della chimica interiore; ritmo del respiro che cambia, ritmo del cuore. Battiti e pulsazioni, liquidi in circolo, temperature in oscillazione, campi magnetici che si attraggono.

Lei mi guardava da sotto in sopra, mi ha messo una mano su un fianco: ha appoggiato la punta delle dita come se avesse paura di scottarsi, ha fatto scivolare la mano aperta e lo sguardo le si è acceso, mi è venuta contro di schianto, labbra contro labbra corpo contro corpo nel risucchio di respiro raddoppiato sovrapposto.

Le ho premuto una mano sulla schiena, e il sapore della sua bocca e anche il suo odore sembravano diversi da quando aveva ripreso a mangiare, la consistenza del suo corpo cambiata anche se era ancora magra a sentirla così. Mi schiacciava contro il muro con un accanimento caldo e ansimato da giovane animale, pressione continua e tutti i muscoli in gioco; la sua lingua aveva un'insistenza sorprendente. Le ho infilato una mano sotto il golf, ma non sapevo bene cosa fare da lì in poi; eravamo nella cucina all'americana della famiglia Foletti, in piena vista del soggiorno tutto finestre; mi sembrava che i fatti stessero scavalcando la mia immaginazione ancora una volta, senza quasi lasciarle un margine di recupero.

Uto Drodemberg il seduttore, basta che faccia il minimo movimento e le donne gli si sciolgono davanti. Madri e figlie; basta che lui cambi espressione, basta che dica qualcosa. Basta che ci sia, non occorre che faccia niente. È lì, deve solo veicolare un po' del suo spirito più morbido e caldo nello sguardo. Non deve assumere nessun atteggiamento, non deve interpretare nessun ruolo. Perfettamente naturale e sciolto, può lasciar cadere le braccia come cadono, stare in piedi o seduto come gli viene. Basta che dica qualche parola o che guardi, basta che il messaggio-non-messaggio passi, donne si sciolgono in pochi secondi. Non è solo attrazione sessuale, è un richiamo più profondo e più difficile da spiegare, le donne lo sentono meglio degli uomini perché sono più ricettive. Ma anche i ragazzi come Jeff-Giuseppe possono sentirlo, perché non hanno ancora sviluppato la corazza adulta che gli impedisce di cogliere i segnali non-razionali non-decifrabili. È lo spirito veicolato in questo messaggio fisico, è questa la ragione di fondo, anche se non è del tutto chiaro neanche a lui perché è una cosa nuova è una cosa vecchia, prima ci pensava ogni tanto ma non è che avesse molti riscontri per esserne proprio sicuro, era come un'intuizione era come un dubbio. (Non è neanche un'attrazione solo spirituale, almeno non

*in un momento come questo, le sensazioni sono così confuse che sa-
rebbe ridicolo provare a ragionarci sopra.)*

Ho detto tra i capelli e l'orecchio di Nina "Non è meglio se andiamo in qualche stanza?" Caldo, odore di gommapane e di
pasta di mandorle, di pasta di semi di sesamo, di miele caldo
colloso, solido-liquido.

Nina ha detto "No, stiamo qui", respiro corto, palmi delle
mani sudati. Continuava a premermi addosso, fronte contro
fronte collo contro collo tempia contro tempia a seconda di come ci muovevamo, i suoi denti piccoli e aguzzi mi facevano un
po' male alla lingua ogni tanto. Ma neanche lei sembrava molto sicura di cosa fare da lì in poi: aveva l'aria di voler risolvere
tutto in termini di pura pressione, puro attrito, puro respiro-
respiro.

Le ho toccato il sedere, e mi stupiva come aveva già ripreso
forma e consistenza; le ho toccato i fianchi e la vita sotto il
golf, cercavo di vedere i miei gesti dal di fuori ma non ci riuscivo. Guardavo il pavimento quando potevo, con l'idea almeno di scendere al riparo del bancone della cucina. Ricerca di
spazio protetto, ricerca di una prospettiva orizzontale; piani
che slittano, lotta di gesti, anticipazione-sovrapposizione, immagini che scorrono a scatti. Nina ha intercettato il mio sguardo, mi ha stretto le mani dietro il collo e mi ha trascinato in
basso senza smettere di baciarmi; ero sorpreso dal suo peso e
dalla sua determinazione ostinata, dal calore umido del suo respiro, dalla forza delle sue gambe quando me le ha strette intorno.

Ma avevo appena cominciato a infilarle una mano frastorna-
ta sotto il golf che si è sentita la voce di Marianne: "Uto?" come una sirena da bombardamento che sorprende tutti nel modo peggiore e taglia ogni gesto a metà.

Nina ha stretto ancora la sua presa, mi ha fatto "Shhh" in un
orecchio.

Ma i passi frusciati di Marianne venivano dritti verso la cucina, e non avevo voglia di farmi sorprendere per terra senza il minimo controllo della mia posizione; mi sono svincolato dalle braccia e dalle gambe di Nina, sono saltato in piedi, fuori dalla protezione del bancone.

Marianne si è bloccata: ho visto le pupille che le si dilatavano per la sorpresa, invadevano i suoi occhi chiari di buio.

Mi sono aggiustato la camicia con il gesto più naturale che mi veniva, cercavo di respirare lento ma non era facile.

E Nina è venuta fuori da dietro il bancone un istante dopo, tutta spettinata e colorita in faccia, guardava Marianne dritto negli occhi con una specie di sguardo di sfida.

Marianne ha girato il profilo, cercato di sorridere ma non ci riusciva; mi è sembrata d'improvviso fragile e provata dalla vita, poco protetta dalla buona qualità e dal colore dei tessuti che aveva addosso.

Vittorio ha dei dubbi

Vittorio sulla porta a vetri interna, con un mezzo sorriso non divertito che gli tende le labbra. Dice "Hai voglia di venire con me in città? Devo comprare delle cose."

Lo fronteggio a breve distanza, senza espressioni. Struscio un piede sulla moquette spessa, assorbo l'attrito del cotone della mia calza sulla lana. Potrei dirgli solo "No", o non rispondergli neanche, girarmi e andarmene su per le scale come se non l'avessi neanche sentito, ma la tensione tra i nostri sguardi mi tira alla sfida. Gli dico "D'accordo."

Lui è sorpreso, anche se cerca di non farlo capire; dice "Bene."

Siamo andati via nella Range Rover ghiacciata, per la strada in mezzo ai boschi coperti di neve. Zitti per i primi venti chilometri almeno, in una sospensione di cose pensate e non dette, finti assorti nei fruscii di rotolamento scivolamento della macchina, finti attenti al paesaggio bianco.

Mentre passavamo un paese fatto di tre case e una pompa di benzina, Vittorio ha detto "Credo che Giuseppe ti consideri un po' il suo idolo, ormai." Accento trattenuto, ogni parola al guinzaglio per non farla mordere come avrebbe voluto.

Non gli ho risposto, guardavo la strada bianca davanti. Non mi sarebbe neanche dispiaciuto uno scontro aperto, a questo punto; ero pronto a qualunque genere di attacco, timpani e muscoli pronti.

Vittorio è stato zitto per forse un minuto, mi sembrava di sentire il risentimento che gli fermentava dentro e gli barluccicava nello sguardo; il tono delle frasi che stava pensando di dirmi. Invece a poco a poco ha disteso i muscoli delle mandibole e delle sopracciglia, quelli intorno agli occhi e alle labbra. Ha sorriso, anche se non gli veniva facile; ha detto "È in un'età così difficile, poverino. Non è né carne né pesce. Basta sentire la sua voce, no? Comincia a voler diventare autonomo, ma è ancora un bambino. Meno male che ha la fortuna di vivere in un posto così sereno. Senza sentimenti brutti tra le persone, o brutti modelli da seguire."

Pensavo alla sua faccia quando Jeff-Giuseppe martellava sul pianoforte gli accordi che gli avevo insegnato e non rispondeva alle sue richieste di attenzione; mi veniva da ridere.

Ha detto "Se fossimo rimasti in Italia o a New York probabilmente sarebbe già pieno di smanie di possesso e ansie di uniformazione. Sarebbe lì a riempirsi la testa di marche di scarpe da jogging e di nomi di idioti che recitano o suonacchiano, povere cretine siliconate della televisione e della moda."

Termini non-Peaceville, appena stemperati dal tono di finto distacco. Tenevo la tempia appoggiata al finestrino, sulla linea di confine tra l'abitacolo e il fuori, i desideri di controllo di Vittorio e la confusione del mondo aperto.

Vittorio ha detto "Ma sono contento che abbia a che fare anche con un ragazzo come te. Non va bene crescere solo in mezzo a santoni e persone spirituali, senza nessun contatto con la vita vera."

Lo guardavo in modo periferico, non sapevo se rispondergli o lasciarlo parlare al vuoto. Ho preso un respiro, ho detto "Perché, io non sono una persona spirituale, secondo te?"

Lui ha girato la testa, con una strana espressione incerta. Ha detto "Mah. Forse. È così difficile capire. Marianne dice di sì, e lei ha questa sensibilità straordinaria. Ha questo cuore talmente puro e profondo."

Mi chiedevo quanto credeva al suo tono da propagandista di sua moglie, adesso; quanto aveva bisogno di convincerne gli altri per convincersi lui.

Lui ha lasciato passare qualche chilometro di silenzio; ha detto "Anche Nina mi sembra molto affascinata da te. Certo sei riuscito a farla mangiare, e non c'era riuscito neanche il guru."

Mi sembrava che avrebbe preferito avere ancora una figlia anoressica, piuttosto di dovermi riconoscere un merito; il suo tono era così bloccato tra rancore represso e perplessità da togliermi qualunque voglia di ribattere.

Ha detto "Hai anche una situazione simile alla loro. Anche tu con la mamma separata e una famiglia complicata dietro, no? Questo gli dà la sensazione di esserti abbastanza vicini, credo."

Ho solo alzato le due mani a palmi in su, senza allontanarle dalle ginocchia. La strada scivolava in pendenza tra campi coperti di neve, non c'era niente di significativo nel paesaggio.

"Perché comunque non è facile," ha detto Vittorio. "Per quanto ci si possa stare attenti. C'è sempre un problema di equilibri e di carenze, in una famiglia. La vita di una persona che cresce è sempre complicata."

Mi colpiva l'urgenza che gli invadeva a poco a poco la voce mentre parlava, la rendeva molto meno serena di come lui avrebbe voluto. Guardava avanti, si sforzava di mantenere una buona posizione rilassata, ma gli riusciva sempre meno.

Mi ha detto "Tu per esempio hai sofferto molto, della tua situazione?" Mi guardava a intervalli, guardava la strada bianca e dritta nella pianura più bassa.

"No," ho detto io.

"Non ti sei sentito abbandonato?" ha chiesto lui, sempre più incalzante. "Non ti sei sentito scavalcato e dimenticato, senza abbastanza affetto e attenzione?"

Adesso mi faceva rabbia che insistesse tanto su questo punto per capire quanto poteva avere sbagliato con sua figlia Nina; mi veniva voglia di dargli una spallata e mandarlo fuori strada, anche se ero seduto nella sua stessa macchina. Gli ho detto "No."

Lui è stato zitto ed è probabile che avrebbe voluto tempestarmi di altre domande; nei suoi occhi c'era una luce di sgomento che non gli avevo mai visto prima.

Città. Traffico che scorre lento e fluido lungo la via principale. Fa un effetto strano, dopo tutto questo tempo di isolamento fuori dal mondo: lo spazio sembra invaso e sovraffollato, attraversato da troppi movimenti. Guardo le insegne delle banche e dei fast food e dei supermercati, le grandi scritte rotanti e pulsanti ai due lati della strada a quattro corsie, mi sembra quasi un'allucinazione.

Vittorio dice "Si fa fatica a tornare in mezzo alla mischia, dopo un po'. E questa è una mischia che fa ridere, ancora. Ma New York o Parigi o anche solo Milano dopo qualche mese di Peaceville, è uno shock."

Guardo fuori, mi chiedo se in questo tempo ho perso almeno parte delle mie difese immunitarie; che danni mi ha provocato restare ostaggio in casa Foletti, quanto permanenti.

Vittorio dice "Devi tenerti in esercizio, per riuscire a tornare nel mondo normale. Sai come gli astronauti nelle capsule spaziali, che devono fare ginnastica per non ritrovarsi con tutti i muscoli atrofizzati dalla mancanza di gravità quando tornano sulla terra? Qui devi importi di venire in città almeno ogni tanto, anche se non ne hai voglia. Altrimenti rischi di non poterci mettere più piede, restare a Peaceville per tutta la vita."

"E sarebbe grave?" gli chiedo, pensando a tutta la recita di realizzazione e appagamento che lui e sua moglie hanno messo in atto da quando sono arrivato.

"Be', non so," dice lui, vena difensiva che gli affiora nella voce. "È che bene o male bisogna ancora avere a che fare con il mondo. Anche se molto poco, il minimo possibile delle frequentazioni. Marianne non si muoverebbe mai da Peaceville, ogni volta ce ne vuole per trascinarla in città. Le dà fastidio il rumore e lo smog, le danno fastidio gli sguardi e le voci e la

214

volgarità della gente. Ha una vera avversione fisica ormai, le è peggiorata molto negli ultimi due anni. Ma io ho ancora un lavoro. Diventerebbe un po' complicato se non riuscissi più a mettere piede in una galleria d'arte."

Eravamo entrati nell'immenso lago di asfalto davanti a un grande magazzino; ha fermato la macchina, siamo saltati giù.

Dentro lo spazio era sconfinato come quello di una stazione ferroviaria, percorso in tutta la lunghezza da scaffalature su cui erano impilati barattoli e bidoni di vernici e smalti e colle e solventi e maniglie e serrature e mensole e scatole di chiodi e viti e bulloni e martelli e cacciaviti e seghe e ogni possibile utensile o attrezzo o accessorio che si possa usare nella costruzione o nella manutenzione di una casa.

Vittorio ha indicato intorno, mi ha detto "Non è incredibile? Non è magnifico?" Scorreva lo sguardo sugli scaffali, da un lato all'altro e dall'alto in basso, come se tutti questi oggetti potessero controbilanciare le perplessità e il rancore e i dubbi che gli erano venuti fuori negli ultimi tempi.

Non ho neanche mosso la testa per dargli ragione, irrigidito in difesa com'ero.

Lui sembrava non pensarci più, camminava a passi ancora più divoranti del solito, trascinato da un genere ancora più estremo di euforia realizzativa di quando inchiodava i pannelli sul retro della sua casa. Diceva "C'è tutto, qui. C'è *tutto*."

Lo seguivo a qualche passo di distanza, lo guardavo girare la testa in dieci direzioni e alzarsi in punta di piedi e abbassarsi sulle ginocchia e sfiorare con le mani tutti gli attrezzi e materiali che riusciva a raggiungere. Eccitato come un grosso bambino, tutti i sensi occupati dai messaggi visivi e tattili che gli arrivavano da intorno; non riusciva a stare fermo. A vederlo così la sua mi sembrava una specie di manifestazione patologica, più che una recita: aveva bisogno di costruire continuamente qualcosa per rassicurarsi, mi sembrava. Lasciare tracce, marcare impronte sul terreno, battere chiodi, spalare neve, alzare la voce, fare gesti di contatto, fare domande, dare risposte, inspirare con forza, muovere le braccia, stringere, dare consigli, raccogliere attenzione per non lasciare spazi vuoti alla paura, o ai dubbi.

Ha preso cinque o sei scatole di tasselli di ottone di diversi formati, viti e chiodi di dieci tipi almeno, barattoli di trattante per il legno, tubi di silicone, colle epossidiche: allungava le mani verso gli scaffali come un orso affamato di frutta, buttava tutto nel carrello. Diceva "Non sono *belle*, queste cose? Meglio di qualunque oggetto d'arte?"

"Non lo so," gli ho detto.

"Ma poi le usi anche tu, no?" ha detto lui, con lo sguardo che frugava gli scaffali con vera bramosia. "Le usi, le sedie e le scale e le finestre e i letti e i tavoli e le porte. No?"

"Poco," ho detto io. Era vero, non ero mai stato un grande abitatore di case, o usatore di oggetti; non avevo mai avuto bisogno di molto. Mi chiedevo se era un modo di sentirmi libero, o di compensare la delusione che il mondo mi provocava di continuo; se era una rivalsa o era paura o incapacità o cosa. Mi faceva anche rabbia pensarci, e farlo dentro un enorme supermercato pieno di oggetti da costruzione; mi faceva rabbia Vittorio che mi spingeva verso questi pensieri.

Lui ha detto "Anche a me sembrava di essere così. E a lungo, anche." Ha preso un pennello piatto da un espositore di pennelli; ha riallungato la mano e ne ha presi altri due, tre. Ha tolto la plastica di protezione, provato la consistenza delle setole sul palmo della mano, con una sensualità avida come se si trattasse di roba da mangiare. Ha detto "Mi sembrava di vivere di niente, avere un contatto puramente mentale con la vita. Di scivolare da una cosa all'altra come un fantasma creativo. Non mi attaccavo a nessun oggetto né luogo. Né persona, se è per quello. Ma poi sono cambiato."

Si è girato a guardarmi; non gli ho ribattuto né chiesto niente. Lui ha ripreso a camminare tra gli scaffali, spingeva avanti il carrello già mezzo pieno.

Ha detto "Poi mi è venuto in mente che conta quello che *fai*. Che le parole si dissolvono nel nulla e non lasciano tracce, restano solo le *cose* che sei riuscito a fare. Questo è il punto su cui io e il guru non siamo mai d'accordo."

"Perché, il guru cosa dice?" gli ho chiesto. Pensavo al guru, ma non era un'immagine molto precisa, oscillava tra l'ectoplasma che diceva saggezze generiche sul videoschermo della Kundalini Hall e il piccolo vecchio indiano che mangiava e faceva di sì con la testa nel soggiorno di casa Foletti.

"Dice che le cose materiali non importano," ha detto Vittorio, mentre si allungava a prendere una scatola piena di viti autofilettanti. "E forse è anche vero, se vedi tutto da una prospettiva estrema. Da quando tutto è finito. Ma finché siamo qui non possiamo fare finta di non esserci. Anche se è tutto provvisorio, e sappiamo che lo è. Finché mangiamo e respiriamo e proviamo delle sensazioni fisiche, no? Finché possiamo peggiorare il mondo o lasciarlo andare come va o provare a migliorarlo, no?"

Ha continuato a pescare tra gli scaffali, mentre parlava: scatole di guarnizioni e cerniere, rotoli di nastro isolante e tasselli e ganci, punte da trapano, un set di lime graduate, barattoli di trementina e di olio di lino cotto, dischi per fresatrice, dime, carta vetrata. Ha detto "E del resto il guru dice dice, ma poi apprezza le cose materiali quanto chiunque. Sa distinguere una bella casa da una brutta, sta molto attento al colore e alla stoffa delle sue tuniche. Gli piacciono le belle macchine. E l'hai visto con i biscotti di Marianne?"

Sono stato zitto perché non avevo voglia di fargli da spalla, ma ero colpito dagli impulsi contrastanti che gli giocavano dentro.

Lui ha fatto subito indietro-veloce, ha detto "Ma certo, ha una tale profondità di pensiero. È talmente un sant'uomo. Sono sicuro che potrebbe fare a meno di tutto da un momento all'altro."

Poi ha dovuto smettere di prendere cose dagli scaffali, il carrello era così pieno che non ci stava più niente.

Alla cassa l'ho aiutato di malavoglia a infilare in scatole di cartone tutto quello che aveva comprato, e ancora si guardava indietro con rimpianto per tutto quello che non era riuscito a prendere.

In macchina ha continuato a parlare, la mia mancanza di reazioni non lo fermava certo. Ha detto "Un tempo passavo attraverso i luoghi senza lasciare la minima traccia, e mi sentivo libero. Stavo in una casa senza appendere un solo foglio di carta alle pareti, tenevo i miei vestiti nelle valigie. Veniva gente a trovarmi e diceva 'Ma da quanto sei qui?' 'Da due anni,' dicevo, nessuno ci credeva. Stavo attento a non dipendere da nessuno, non far dipendere nessuno da me."

Fuori era già diventato buio, guardavo le luci delle macchine e le insegne luminose, mi sembrava che si appiattissero nello spazio per la voce di Vittorio che mi martellava nelle orecchie a spiegare verità ricostruite, ragioni in parte passate.

Ha detto "A un certo punto ero diventato così paranoico, avrei potuto finire in manicomio nel giro di qualche anno, o suicidarmi, non so. Invece ho incontrato Marianne, e con lei ho scoperto il gusto di esserci. Di usare il cuore e le mani per lasciare tracce nella vita e nelle persone." Mi ha guardato, con negli occhi una luce di sfida che sembrava una luce di disperazione; ha detto "Ma mi ci è voluto del tempo, Uto."

Cercavo di respingere l'invadenza del suo sguardo e del suo tono, usare una tecnica da aikido mentale per deflettere la pressione delle sue parole, farlo volare oltre trascinato dalla sua stessa spinta.

Lui ha smesso di parlare, guidava piano e guardava ai lati della strada a quattro corsie, le insegne e le scritte e i nomi e i simboli sui parallelepipedi bassi e larghi dei centri commerciali. Mi ha chiesto "Non hai fame?"

Non ne avevo, come quasi sempre, ma proprio in quel momento ho visto più avanti sulla destra un'insegna luminosa rotante a forma di enorme bistecca. Ho detto "Non ti viene voglia di mangiare carne, ogni tanto?"

Mi guarda, con una luce di incertezza che va e viene. Dice "Qualche volta. Ma mi sento così meglio, da quando ho smesso. Mi sento così più pulito e limpido, senza tossine fisiche o mentali."

"Io invece mi sento debole," dico io, con il sangue pieno di tossine fisiche e mentali. Dico "Mi sento dissanguare. Sento la forza e l'energia che se ne vanno." E non è proprio vero, o almeno non in termini così drammatici, ma la frustrazione da ostaggio è arrivata a intorbidarmi il cervello, mandarmi piccole scosse irregolari al cuore.

Vittorio sembra un pescatore che lotta con un pesce di fondo; dice "Guarda che mangiamo tutte le proteine e gli altri elementi che ci servono, noi."

"Non so," dico io. "Forse ha a che fare con dei meccanismi più profondi. Con i centri dove si forma l'energia."

Lui ride, dice "Ti sembro senza energia, io?" Però c'è un'onda bassa di preoccupazione nella sua voce; e ha rallentato ancora, si tiene sulla corsia di destra.

Questo mi fa sentire come un predatore che fiuta il sangue; gli dico "Sì, ma non hai la sensazione di una specie di lotta controcorrente? Come se nuotassi a tutta forza e riuscissi appena a compensare il fiume che ti riporta indietro?"

Vittorio sembra colpito dalle mie parole più di come mi aspettavo: ferma la macchina, dice "Ti do quest'idea?"

"Non lo so, te lo chiedo," dico io.

"Me lo chiedi perché ti sembra così?" dice Vittorio, ed è stupefacente come questa crepa di vulnerabilità si allarga nel suo modo di fare.

"Te lo chiedo," gli dico di nuovo.

Lui fa un gesto con la mano aperta, come se cercasse di convincere un pubblico più vasto; dice "No. E in ogni caso non dipenderebbe certo dal cibo. Ma non mi sono mai sentito così bene in vita mia. Sto molto meglio adesso a cinquantatré anni di quando ne avevo trenta. Sono più forte, ho più resistenza."

Fa cadere le parole una sull'altra come ciocchi di legno spaccati netti, ma la sua macchina è ferma a lato della strada, i suoi gesti hanno una qualità smarrita.

Dice "Ho sempre pensato che se uno non pensa di invecchiare, non invecchia affatto. Magari gli viene qualche segno di più in faccia, magari diventa un po' più grosso, forse un po' più lento. Ma non è certo questo che mi preoccupa. Io penso di diventare *meglio*, man mano che vado avanti."

"Non ho parlato di invecchiare," dico io. "Sei tu che ne hai parlato."

"E di cosa parli, allora?" dice lui, già senza il vantaggio che era riuscito a guadagnare in pura energia vocale.

"Di *dissanguamento*," dico io. "È una cosa molto più circoscritta. Li hai visti gli altri, a Peaceville? Hai visto come sembrano tutti un po' malati, o vecchi, o deboli? Come parlano piano, non hanno quasi voce?"

Lui prova ancora a ridere; dice "Ma *sono* un po' malati, o vecchi, o deboli, in buona parte. È per quello che sono andati a vivere lì. Non c'è mica tanta gente normale a Peaceville, l'hai visto, no?"

(Ultimi tentativi faticosi di serenità tirata come un telo patetico di copertura sopra lo sgomento, ma questo non commuove Uto Drodemberg, non lo frena né lo rallenta.)

UTO: È che di fondo siamo dei predatori. Possiamo anche imporci di non mangiare carne, ma ne abbiamo un bisogno disperato.

(Tono incisivo persistente, da televisione.)

VITTORIO: Non è vero. Io non ne ho nessun bisogno disperato. Sto benissimo.

(Ma il suo tono è disperato, per lo meno; il suo modo di guardare di lato.)

UTO: Poi un conto è se hai ottantacinque anni e stai tutto il giorno seduto a meditare. Ma se fai lavori pesanti nella neve e hai nel patrimonio genetico secoli e secoli di mangiatori di carne, è diverso.

VITTORIO: Io non mi dissanguo affatto. Ho tutto il sangue che mi serve, io.

UTO: Non hai detto che avevi fame, due minuti fa?

VITTORIO: Sì, ma di una bella pasta con le zucchine, non so.

UTO: E una fetta di carne bella sugosa e rosticciata, il sangue appena sotto la crosta? Sai quando mordi e i denti affondano nella consistenza piena di sapore, c'è questa azione concertata dei muscoli della mandibola e della lingua, mastichi e deglutisci e senti l'appagamento incredibile delle papille gustative e dello stomaco, l'energia che ti arriva in circolo nel sangue e va ai tessuti e ti sale alla testa?"

VITTORIO: Senti, se hai tanta voglia di carne ti accompagno. Io prendo un'insalata.

Ha messo la freccia, girato a destra nel parcheggio del ristorante, sotto la gigantesca bistecca luminosa rotante.

Sono sceso, andato verso le porte a vetri come un assassino, senza aspettarlo neanche.

Appena oltre le porte a vetri c'è una quantità forsennata di caldo e luce e colori e odori violenti, rispetto all'equilibrio studiato con tanta cura degli interni di Peaceville: bocchette di ventilazione convogliano molta più aria rovente di quanta ne serva, altra ne arriva dai fornelli e dalle griglie e pentole e casseruole della cucina a vista, dalle lampade e lampade che bombardano ogni tavolo e rendono ancora più aggressivo il rosso dei divanetti e delle sedie di finta pelle e si riflettono sui vetri che danno sulla strada e sulle facce delle poche persone sedute ai tavoli divisi da séparé di legno laccato nero.

Uto Drodemberg entra come si è già visto entrare in decine di film americani d'avventura: la stessa onda lenta di facce girate, la stessa scia di attenzione che segue la sua figura magra vestita di pelle nera che attraversa lo spazio con andatura elastica e leggermente provocatoria. Visto dall'alto, visto di tre quarti. Visto da una cinepresa che lo segue, una che lo precede. Rallentato, anche, c'è questa fluidità incredibile di movimento. Guarda dritto davanti, gli occhiali da sole sono abbastanza scuri da nascondergli gli occhi. Sguardi a

fessura di attenzione-indifferenza dei camerieri di fronte ai suoi ca-
pelli sbiondati quasi bianchi tenuti a ciocche dritte con la lacca
spray di Marianne. Il mento di una ragazzotta che si gira a guar-
dargli la schiena. Doppio mento di un grassone che alza appena la
testa dal piatto. Semisguardi incuranti-incuriositi-intorpiditi, eppu-
re in un modo opaco e sordo e distante si rendono conto che non è
un altro motociclista sceso dalla sua Harley-Davidson, non è un
vagabondo punk qualunque entrato perché moriva di fame. Nella
loro percezione marginale filtra almeno un'ombra o un alone di
idea, se lo ricorderanno magari anni dopo quando ci penseranno.
È uno scenario perfetto, in più: l'arredamento e le luci e le finestre,
la strada fuori rischiarata dai lampioni e dai fari delle automobili.
C'è una musica che esce da alcuni altoparlanti alle pareti, ma na-
turalmente la si può sostituire con qualunque altra, basta sincroniz-
zarla.

Vittorio è entrato quasi un minuto dopo di me, si guardava intorno con le mani nelle tasche del giaccone, disagio e non-appartenenza in ogni fibra.

Sulle pareti grandi fotografie a colori di bistecche e arrosti e
stinchi di maiale e cosce di tacchino, nomi e prezzi, anche una
formula dove per quindici dollari puoi prendere tutta la carne
che riesci a mangiare.

Un cameriere messicano ci ha portati a un tavolo, ci ha porto due liste con un'espressione di totale indifferenza.

Senza neanche guardare la mia, gli ho detto "Una bistecca
con l'osso."

"Cotta come?" ha chiesto lui, e mi faceva impressione non
vederlo sorridere, non leggergli il minimo atteggiamento di
amicizia o partecipazione. Ho pensato che forse Peaceville mi
aveva davvero fatto dei danni permanenti, mi è venuta ancora
più smania di recuperare.

Ho detto "Al sangue", anche se l'avrei preferita ben cotta.

Il cameriere ha fatto di sì con la testa, distante anni-luce.

Vittorio gli ha chiesto "C'è della verdura?"

"Solo carne," ha risposto il cameriere.

"Neanche patate?" ha chiesto Vittorio: sorriso teso da territorio nemico, l'inglese che gli peggiorava di parola in parola.

"Fritte," ha detto il cameriere, senza muovere un muscolo facciale più del necessario.

Vittorio ha detto "Va be', una porzione piccola", ed era chiaro che la brutalità del posto e l'indifferenza del cameriere l'avrebbero spinto a una risposta violenta, se non avesse messo tanti vincoli ai suoi istinti.

"Da bere?" ha detto il cameriere. C'era questo ronzio di lampade al neon e di ventole, di campi elettrici fuori controllo, sembrava di essere in un macello o in un obitorio spaziale, in una centrale dove i buoni sentimenti vengono fatti a pezzi.

Ho detto "Una birra", anche se avrei avuto voglia di qualunque bibita dolce invece.

Vittorio ha detto "Acqua per me." Tensione visibile nei suoi muscoli del collo, una tendenza a deglutire mentre gira intorno lo sguardo.

Il cameriere è tornato con un boccale di birra per me, un bicchiere tozzo di acqua per Vittorio. Ho messo il naso nella schiuma come se fosse la cosa che aspettavo di più al mondo, ho mandato giù tre sorsi amari e freddi senza prendere respiro né assaporare niente.

Vittorio ha detto "È questo l'aspetto terribile dell'America. Questo senso di terra di nessuno. Pura organizzazione di bisogni materiali. Questo spirito da officina moderna, no?"

"Perché ci state, allora?" ho detto io, con le dita premute sul vetro gelato pieno di birra amara.

"C'è anche dell'altro, per fortuna," ha detto Vittorio, ma pallido come non l'avevo mai visto.

Il cameriere è arrivato con la mia bistecca con l'osso e le patate fritte di Vittorio. La bistecca aveva un aspetto terribile, enorme e bruciacchiata e sanguinolenta e unta di grasso com'era; mi ci sono buttato come in un'impresa sgradevole ma necessaria, parte fame vera e parte spirito di provocazione, parte desiderio di rivalsa per tutta la dieta depurata e giusta e sana di casa Foletti. Come se dovessi recuperare in un piatto tutto quello che avevo perso anche prima di conoscerli, rimettere in circolo il sangue che non avevo mai avuto, con una determinazione feroce che mi faceva lavorare di forchetta e coltello, mi faceva tranguggiare i bocconi dopo averli masticati per pochi istanti a testa bassa.

Vittorio frugava con le dita tra le sue patate fritte, ne ha mordicchiate un paio senza nessun entusiasmo; guardava nel mio piatto, disgustato e attratto. Ha detto "Viene da bestie tenute in condizioni terribili. Ho letto un libro agghiacciante, sugli animali da allevamento. Stanno lì chiusi in uno stambugio, con la luce accesa tutto il tempo, ingozzati di triture di erbaggi e spazzatura e residui di macellazione. Per non farli impazzire e ammalare li riempiono di sedativi e antibiotici. Li riempiono di ormoni e di mille altre schifezze, così sono pronti in un quarto del tempo che ci vorrebbe in condizioni naturali."

"Te l'ha dato Marianne, il libro?" dico io rapido, a bocca piena, prima di lasciargli del terreno.

Lui perde subito lo slancio; dice "Sì. Dovresti leggerlo anche tu." Si guarda intorno, cerca di recuperare; dice "Vengono ammazzati nel modo più atroce, il sangue gli si riempie di veleno per l'angoscia e la paura. Se appena ci pensi ti passa la voglia per sempre."

Ma non ci riesce; e più dà connotati terribili alla bistecca che ho davanti, più vado avanti di forchetta e coltello.

Lui mangia un'altra patatina fritta, guarda le persone agli altri tavoli, i fari delle macchine nella strada, le fotografie di bistecche e stinchi di vitello e cotolette d'agnello e salsicce di maiale e cosce di tacchino in alto sui muri, guarda il mio piatto. Dice "Ma cosa sei, tu? Una specie di diavolo tentatore? Sei qui per mettermi alla prova?"

"È solo una bistecca," dico io, basso sul piatto ma senza smettere di registrare le sue espressioni, con le mandibole che lavorano a fatica contro la resistenza della carne. La birra che ho bevuto mi è già andata alla testa, addossa i miei gesti uno all'altro in modo impreciso.

Vittorio resta ancora sospeso tra controllo e mancanza di controllo; poi ha una specie di scatto, dice "Porca miseria, non è che succede niente, no? Non è che devo rompere un voto o qualcosa." Fa un gesto al cameriere, gli dice di portargli un piatto di pollo fritto; lo richiama, chiede anche un boccale di birra.

Poi eravamo uno di fronte all'altro davanti ai nostri piatti, Vittorio guardava con raccapriccio il suo pollo fritto nel grasso di bue fuso. Ne ha preso un pezzo tra le dita, l'ha accostato alla bocca in un ultimo tentativo di controllo, ha preso un morso, e in un secondo tutto il suo gioco di serenità e pacificazione dei sensi è saltato: si è messo a mangiare con un'avidità disperata da naufrago appena tirato a bordo, da cavernicolo dopo una lotta per la vita. Strappava via la carne di pollo a morsi selvaggi senza usare forchetta né coltello, tuffava le mani nel piatto prima ancora di avere finito di masticare, ingollava birra ogni pochi bocconi, con i gomiti piantati sul tavolo, la testa bassa, il grosso torso raccolto e inclinato verso un unico scopo.

Siamo andati avanti a mangiare e bere senza dirci una parola, seduti uno di fronte all'altro con lo sguardo nei piatti, io con la mia bistecca all'osso sanguinolenta, lui con il suo pollo fritto che gli colava grasso fuso e bruciacchiato tra le mani, esaltati tutti e due dalla totale non-purezza del cibo, senza quasi sentire il sapore ma con le proteine brute che ci entravano in circolo nel corpo. Vittorio teneva stretti i suoi pezzi di pollo come se avesse paura che qualcuno glieli portasse via, ci versava sopra sale e pepe e ketchup e senape e tutto quello che c'era nei barattoli e nelle bustine di plastica sul tavolo, rompeva con i denti la crosta panata e addentava la carne umida subito sotto, masticava con voracità cieca, preintelligente e prerazionale, strappava un nuovo morso prima ancora di avere deglutito. Mi buttava pezzi nel piatto, anche, mi pungolava con cenni barbari ad assaggiare; ha ordinato altre due birre al cameriere, un altro piatto di pollo fritto per tutti e due. Consumava un tovagliolo di carta al minuto per pulirsi le mani e la bocca e il mento dall'unto che colava, prendeva una nuova sorsata di birra, diceva "Ma porco cane, guarda se ci voleva questo pinocchietto tedesco-milanese per farmi regredire così."

Non mi sono offeso, anche se non mi faceva certo piacere sentirmi chiamare "pinocchietto"; mi bastava l'idea di aver fatto saltare la recita con cui mi aveva perseguitato fino a quel momento. La birra mi provocava un'elasticità interiore esaltata e distorta che mi faceva vedere tutto a occhio di pesce, mi avvicinava immagini e pensieri fino a deformarli e subito dopo li spingeva sullo sfondo: un momento ero al centro del ristorante bombardato dalle luci a tappeto, con tutto il controllo possibile su qualunque cosa mi venisse in mente di fare; un momento dopo ero schiacciato allo schienale della mia sedia, senza autonomia e senza voce, senza nessuna vera possibilità di intervenire sulla mia vita. Cercavo di mangiare con ancora più determinazione per compensare, ma avevo fame e non ne avevo più, ero divertito e non lo ero, ero freddo e caldo, ero lento e rapido, ero in preda a una nausea dolciastra che mi allentava i muscoli in un senso di delusione universale.

Vittorio invece sembrava pieno di energia ancora più del suo normale, solo che era un'energia buia e bassa rispetto a quella che gli avevo visto fino allora, c'era una luce disperata e insofferente che gli affiorava allo sguardo.

VITTORIO: Come la vedi tu, tutta la baracca? Che cosa ne pensi, davvero?

(Sguardo da sotto in su, vibrazione sorda nella voce.)

UTO: Quale baracca?

(Tappeto di gomma interiore, ogni parola e pensiero e percezione ci rimbalza sopra, lascia una scia come su uno schermo video di cattiva qualità.)

VITTORIO: Io e Marianne e la vita che facciamo. Peaceville. Il guru e tutto il resto.

UTO: Non lo so. Non state costruendo la felicità?

VITTORIO: Perché, ti sembra di no?

UTO: Dipende.

VITTORIO: Da cosa, dipende?

UTO: Da cosa intendi per felicità. Non lo so.

VITTORIO: Io sono lì per Marianne. Il che a te sembra assurdo di sicuro, no? Fare qualcosa per qualcuno?

UTO: Dipende.

VITTORIO: Rinunciare a qualcosa per qualcuno? Rinunciare anche a quasi tutto?

(Disperazione negli occhi, leggibile. Ultimo sorso di birra; ne chiede altri due boccali a gesti.)

UTO: Sono fatti vostri.

VITTORIO: Tagliarti via una parte della vita per rendere qualcuno felice ed esserlo anche tu di conseguenza?

UTO: Non lo so.

VITTORIO: Mettere giù delle basi permanenti, indiscutibili? Delle pareti solide che ti riparano dall'esterno?

UTO: Non lo so. Non chiederlo a me.

Lui ha ributtato nel piatto l'ultimo pezzo di pollo fritto che aveva in mano; si è messo a ridere, ha detto "Ti mancano le zuppe di grani di Marianne, eh? Quelle belle verdurine tagliate sottili sottili e bollite senza sale?"

Ho riso anch'io, ma non divertito, non contento.

Vittorio rideva con una specie di rabbia nello sguardo, rapida e feroce come la fame di carne che gli era venuta d'improvviso dopo tutte le sue professioni di distacco. Ha seguito i movimenti del cameriere che posava sul tavolo due nuovi boccali e ritirava i due vuoti; ha detto "Porca puttana, è incredibile l'effetto che ti fa la birra dopo tre anni senza bere niente."

"Tre anni?" ho detto io.

"Quasi quattro," ha detto Vittorio. Ha preso un sorso dal nuovo boccale, si è guardato intorno con uno sguardo dove ormai non c'era quasi più niente della serenità ostentata di quando era entrato. Ha detto "Da quando ho deciso di essere l'uomo perfetto che Marianne voleva."

"Perché, non lo sei?" gli ho chiesto. Mi sembrava assurdo parlare in modo così frontale, ma anch'io ero pieno di birra, c'era questa strana atmosfera senza argini.

Lui ha battuto una mano di piatto sul tavolo, ha fatto sobbalzare nei piatti lo sfacelo di ossa spolpate e pezzi di grasso e nervi e croste di panatura fritta e frammenti di pelle di pollo che c'era tra noi, le chiazze di grasso liquefatto e rappreso e sangue oleoso. Ha detto "Ci sono stati dei momenti in cui ne ero quasi sicuro. Mi sembrava un risultato incredibile. Come prendere una laurea per corrispondenza, no? O un brevetto di pilota d'aereo, te lo mandano per posta? O un passaporto di un altro paese? E quasi perfettamente in regola, puoi passare quasi qualunque controllo."

"Perché 'quasi'?" gli ho chiesto, senza più una percezione precisa della mia voce.

Lui si è raddrizzato, come se cercasse di resistere a una corrente che lo trascinava via. Ha detto "Perché poi dentro c'è di tutto, madonna. Ogni qualità e ogni difetto, come dice il guru. Basta che tu smetta di sorvegliarli per un minuto, cercano di rubarsi il posto nel modo più incredibile."

"E allora bisogna continuare a sorvegliarli?" gli dico. Ho una perdita di sensibilità, o di senso delle distanze; provo a togliermi gli occhiali da sole, ma non cambia.

Vittorio apre le mani a indicare intorno: la sala circolare e le facce sbiancate degli altri avventori, le foto di carni cotte in tutti i tagli possibili, le luci delle macchine fuori nella strada a quattro corsie. Dice "Dipende da cosa vuoi. Se vuoi farti travolgere da tutto quello che hai dentro e da tutto quello che c'è fuori, o no. A meno di non essere imperturbabili come te, che te la ridi di queste cose."

"Non sono imperturbabile," dico io, in un brutto timbro aspro. "Non me la rido."

"Ma forse hai ragione a ridertela," dice Vittorio. "Perché tanto è tutta una fregatura, alla fine. Puoi darti da fare quanto vuoi, non è come costruire una casa. Non c'è niente di abbastanza solido dove piantare i chiodi e girare le viti. Alla prima occasione viene giù tutto in un momento, senza neanche fare rumore. Non te ne accorgi neanche."

Mi guardava con aria interrogativa, ma non sapevo cosa dirgli, non mi ero mai ammazzato di fatica per costruire nessun rapporto in vita mia.

Lui si è alzato, ha detto "Usciamo? Andiamo dove c'è più vita?" La sua voce aveva un'esuberanza confusa, andava a strappi dalla tristezza alla rabbia. Faceva gesti lunghi, oscillava la testa, si guardava intorno come se volesse raccogliere tutti i significati del mondo. Ha pagato il cameriere in mezzo alla sala, gli ha lasciato una mancia ma il cameriere era contrariato che non l'avessimo chiamato al tavolo, non ha sorriso neanche all'ultimo.

"Che cordialità, eh?" ha detto Vittorio mentre uscivamo nel parcheggio. "Che bei rapporti sereni ci sono, fuori da Peaceville. Uno tende a dimenticarselo. È tutto merito tuo."

Anche verso di me aveva questo atteggiamento alterno, andava dal rancore alla quasi-amichevolezza ogni pochi secondi: dovevo riaggiustare di continuo le mie reazioni di risposta, mi costava fatica come una lotta tutta attacchi e finte tregue. Ero stanco e incerto e spaventato, mi sembrava di avere attivato una reazione a catena difficile da controllare.

Abbiamo ripreso la strada principale, Vittorio guidava lento e guardava di lato, in cerca di qualche segno di attività e divertimento. Diceva "Dov'è la vita, Uto? Dove sono le donne? Già che stiamo mandando in malora tutto."

"Lasciamo perdere," gli ho detto. Non avevo più voglia di stuzzicarlo oltre, non mi divertiva e non mi interessava; il rancore che avevo per lui mi si era versato in una specie di desolazione bassa e fredda.

"Eh no," ha detto lui. "Non lasciamo perdere niente. Io voglio la vita selvaggia e pulsante. La frenesia perversa della città, caro Uto."

Non ce n'era molta, per quanto guardasse di lato, a parte il traffico rado e le luci di qualche stazione di servizio e McDonald's e Pizza Hut. Scivolavamo lungo la strada come in un fiume di pensieri confusi, come due nemici in falsa tregua con i coltelli pronti, impulsi di attacco e di sfinimento che ci si alternavano nelle teste.

Poi Vittorio ha visto una palma al neon e il nome al neon di un locale, ha girato nel parcheggio, schiacciato il pedale del freno in modo da farmi volare in avanti, ha detto "Eccoci."

Dentro è tutto facce e braccia e piedi davanti a un bancone e ai tavolini come in fondo a un acquario melmoso male illuminato, luci gialle basse e ombra densa, musica pulsata ribattuta su frequenze sorde tra rumori di bicchieri. Voci gorgogliate, avviticchiate e spiralate, allungate come bave sonore, squittite trapanate scoppiate spruzzate saltellate. Risa, nomi, parole che si inseguono e fanno a gara. Gonne corte, gambe, sederi, bocche che ridono, denti che prendono luce, bianchi degli occhi che prendono luce, spalle stivali scarponi scarpe a piattaforma tacchi di dieci centimetri, mani che si allungano, toccano, strusciano, gruppi che si allargano che si restringono. Bicchieri che si vuotano che si riempiono, bocche che bevono che aspirano che soffiano fumo che assumono pose, occhi che guardano con insistenza che guardano con finta indifferenza, sguardi-muro sguardi-calamita sguardi-vischio sguardi-melassa sguardi-veleno, gambe che si muovono sulla musica sorda dagli altoparlanti molli di umidità e calore, oscillazioni laterali, piedi che salgono che battono sul legno rozzo del pavimento, odore di sudore odore di fumo profumo sintetico mescolato, tessuti sintetici attriti sintetici mentre sgusciamo oltre.

Vittorio si fa largo fino al bancone del bar, dice al barista "Due whisky doppi, con ghiaccio, senza soda." Si guarda intorno insistente indiscreto come uno che non esce da chissà quanto, mi dice "Eh?"

Mi passa un bicchiere, prende un sorso troppo lungo dal suo: rovescia la testa all'indietro, il bicchiere è già quasi mezzo vuoto. Mi dice "Bevi, Uto. Cosa fai, ti tiri indietro?"

Ne prendo un sorso, ma è come bere velluto impregnato di fumo. C'è questa atmosfera grossa, soffocata e lenta e rapida, chiusa su se stessa e affacciata su molti abissi, avrei solo voglia di uscire.

Vittorio sta già chiedendo un secondo bicchiere di whisky doppio, mette avanti una mano bramosa per anticipare i tempi. Mi domando cosa direbbe Marianne a vederlo adesso; cosa direbbero Nina o Jeff-Giuseppe, cosa direbbe il guru o uno qualunque degli abitanti di Peaceville. D'altra parte c'è una naturalezza nei suoi gesti di adesso, un peso stabile di predisposizioni profonde, da anitra che ritorna allo stagno dopo un periodo di secca. Non mi sembra di averlo spinto verso un territorio non suo, non mi sembra di avere una responsabilità così grande. Ha un'aria abbastanza contenta, mentre si guarda intorno tra la gente assiepata, mentre scruta tra la luce e l'ombra gli sguardi e le facce e i corpi.

Pochi tavolini più in là ci sono tre ragazze che parlottano tra loro e ogni tanto girano la testa verso di noi e ridacchiano e subito raddrizzano lo sguardo e fanno finta di niente e poi ricominciano a ridacchiare, tinte di capelli e bistrate e rossettate, vestite come animali della giungla rispetto alle donne spirituali di Peaceville. Vittorio gira la testa, loro girano la testa, anch'io giro la testa; c'è questo gioco di occhiate fin troppo elastiche per tutto l'alcol e il caldo e le voci e la musica e la confusione pressata ritmata respirata, questo gioco di scie incrociate.

Vittorio dice "Hai visto come ti guardano? Hai fatto colpo."

"Guardano anche te, mi sembra," dico io. Dobbiamo quasi gridare, attraverso il tessuto quasi incomprensibile di suoni.

"Ma va'," dice lui. "Quanti anni hanno, secondo te?"

Le guardo di nuovo; dico "Venticinque, forse."

"Hai occhio," dice lui.

Di colpo sono tutto elettrico e pieno di energia compressa: guardo verso le tre ragazzotte, riverticalizzo i capelli con due o tre colpetti, porgo il profilo suggestivo, mando giù una gollata di whisky che mi brucia la trachea e l'esofago.

Vittorio mi tocca un gomito, dice "Andiamo ad attaccare bottone?" Sta già andando prima che io possa rispondergli, non del tutto stabile sulle gambe; urta contro un paio di persone, fa voltare un paio di sguardi ostili e indifferenti. Va fino al tavolino delle ragazze, dice "Come va?"

Le tre ragazze guardano in su, si guardano tra loro, ridacchiano. Più bruttarelle viste da vicino, chiatte e compresse nei loro vestiti aggressivi, una con la faccia schiacciata e lunga.

Vittorio dice "Possiamo sederci con voi?"

Le ragazze fanno di sì e di no con la testa, come se la cosa non le riguardasse molto ma anche le divertisse; fanno di sì e di no con le spalle.

Vittorio cerca con gli occhi delle sedie libere nella mischia, me ne porge una e si prende l'altra. Ci sediamo tra le tre ragazze, beviamo dai nostri bicchieri mentre loro bevono dai loro con le cannucce.

Abbastanza allegre anche se volgari così come sono vestite e truccate, una con una pantera tatuata sul polso, un'altra con bretelle e minigonna di pelle rossa, calze nere al ginocchio sopra un paio di calze più trasparenti.

Vittorio punta un dito verso di me, dice "Lui è Uto. Uno dei più grandi pianisti che ci siano in giro."

"Cosa?" grida una delle tre, attraverso il tessuto alieno di suoni.

"Suona il piano!" grida Vittorio.

Le tre mi guardano, si consultano a sguardi, ridacchiano ancora. Quella con le bretelle allunga il collo, grida "Con chi?"

"Suono da solo," dico io: parte imbarazzato parte a mille metri di altezza sopra la scena.

"Uno dei più grandi al mondo," grida Vittorio alla ragazza con la pantera tatuata.

La ragazza con la pantera tatuata si allunga verso di lui ma con un margine di riserva, mi sembra di vedere già il movimento con cui si ritrarrà mentre ancora si protende. Gli dice "Di dove siete?"

"Italia," dice Vittorio, e di colpo mi sembra un povero emigrante, malgrado la sua fama d'artista e i suoi soldi e la sua famiglia, i suoi rapporti solidi con il mondo.

La ragazza si è già ritratta, ed è ancora allungata verso di lui.

"Ma viviamo qui da anni," dice Vittorio, come per riprendere terreno. Mi indica, dice "E lui ha tre o quattro nazionalità diverse. Ha un nome tedesco, anche. Parla non so quante lingue." Forza la voce contro la corrente del rumore, contro la corrente della lingua non sua, contro la corrente della noncomprensione; si affanna, rovescia energia a vuoto, grida e suda, si affatica.

La ragazza con la pantera tatuata mi indica, gli dice "Sei suo padre?"

"No, perché?" dice Vittorio, con un sorriso di panico. Dice "Siamo amici. Non c'è mica questa grande differenza di età."

Di nuovo le tre ragazze ridacchiano. Sono bevute anche loro, hanno i loro grandi bicchieri con il ghiaccio e le cannucce colorate, ma questi ridacchiamenti sembrano il loro modo principale di comunicare: una specie di linguaggio da cicale o da grossi roditori non molto articolati ma bene adattati alla vita, in grado di metabolizzare tutto quello di cui hanno bisogno.

"E tu cosa fai?" dice la ragazza con la pantera tatuata a Vittorio.

"Dipingo," dice Vittorio. Fa un gesto, come se avesse un pennello in mano o parlasse a delle selvagge su un'isola; dice "Quadri."

La ragazza dalla faccia piatta e lunga dice "Donne nude?" Si gira verso le sue due amiche e tutte e tre ridacchiano ancora; sembra che stiano cercando di fare uscire Vittorio ancora più allo scoperto per pura crudeltà incurante, per pura insistenza ottusa assordata accaldata collosa venata di profumi sintetici di gesti finti.

"No. Delle specie di paesaggi," si forza di dire Vittorio contro la corrente, troppo diretto e desideroso di comunicare, troppo esposto e fuori bersaglio. Dice "Ma non paesaggi con gli alberi e le case. Sono delle specie di paesaggi di dentro rovesciati fuori."

Le tre ragazze hanno già esaurito la loro curiosità: i loro sguardi hanno un'impermeabilità anfibia, non sembra che nessuna informazione possa arrivare a toccarle davvero. Mi chiedo cosa penserebbero di fronte a uno dei quadri di Vittorio; posso immaginarmi la gomma delle loro espressioni. O se io mi mettessi a suonare qualcosa per loro. Dovrei forzare la mano, credo, martellare ancora di più di come ho insegnato a Jeff-Giuseppe. Dovrei usare qualche acrobazia o qualche basso effetto, per catturare la loro attenzione: suonare con la schiena rivolta alla tastiera, o in piedi e tutto ripiegato in avanti; magari anche mettermi a cantare qualcosa. Ma non è che un pubblico difficile mi faccia paura, è solo una sfida in più.

Uto Drodemberg il pifferaio magico. Non c'è nessuno che gli si possa sottrarre. Suona per le persone più rozze e indifferenti e insensibili e sorde del mondo, intacca la loro impermeabilità. Cercano di resistergli con tutta la loro proterva mancanza di interesse, fanno muro, fanno una barriera di sguardi porcini, una barriera di musi di mucche al pascolo, ma non basta. Lui è lì sul palco in un cono di luce, non ha bisogno di forzare niente. Anzi gioca ad alleggerire il tocco fino all'estremo possibile, gioca sulle sfumature più impalpabili, commuove tutti. La più incurante e impermeabile delle ragazzotte è in prima fila, tutti i suoi lineamenti selezionati dalla natura generazione dopo generazione per deflettere le sensazioni sottili, ha una specie di carenatura mentale studiata nella galleria del vento, eppure le vengono le lacrime agli occhi, le viene la pelle d'oca. Si mette a singhiozzare, non ci può fare niente, è così.

Vittorio fa cenno al cameriere di portare altri bicchieri pieni, anche per le tre ragazze che fanno di no con la testa, dicono di no. È una situazione quasi intollerabile ormai, fatta di distanza abissale e distanza troppo breve e alcol, sguardi che non si lasciano sfiorare, sorrisi che tornano indietro a chi li produce. Vittorio ha un'aria debordata e sfatta, adesso che è venuto fuori dalla sua gabbia di sentimenti puri; sembra un cane senza più guinzaglio che corre a farsi travolgere dalle macchine. Beve a sorsi incontrollati il terzo bicchiere di whisky doppio appena il cameriere lo posa sul tavolo, si appoggia in avanti sui gomiti, guarda negli occhi la ragazza dalla faccia schiacciata, le dice "Come mai siete qua da sole?"

"E voi?" dice la ragazza dalla faccia schiacciata, con gli occhi socchiusi a fessura dei suoi antenati dell'estremo Nord Europa.

"Noi siamo andati a mangiare carne," dice Vittorio. "Poi cercavamo un po' di vita, ma non speravamo di incontrare tre ragazze carine come voi." Insistente, pieno di energia inutile, fuori registro e fuori luogo, fuori uso. Deve aver avuto una buona pratica di abbordatore da bar in passato, ma è rugginosa e mal tarata adesso, non produce nessun segnale di risposta. Deve rendersene conto, almeno in parte, perché annaspa, fa troppi gesti, suda.

"Vi piace la carne di cervo?" dice la ragazza con la pantera tatuata, in uno strano tono crudele.

"No," dice Vittorio. "A noi piacciono vivi, i cervi."

Le tre ragazze ridacchiano quasi isteriche adesso, senza ragioni apparenti. Succhiano alcol dalle loro cannucce; labbra strette, colli forti, occhi vetro di bottiglia, sguardi tra la gente vibrante vociante gesticolante già un poco più rada di quando siamo entrati.

"E voi tre cosa fate?" dice Vittorio, in un tono basso strascicato che forse considera seduttivo o forse gli viene così solo per l'alcol. Mi chiedo se ha usato un tono simile con Marianne quando l'ha conosciuta, quando aveva solo voglia di portarsela a letto e ancora non si immaginava lontanamente che l'avrebbe trascinato via dal mondo fino a un angolo spirituale del Connecticut coperto di neve.

"Parrucchiera," dice la ragazza con il tatuaggio, con un pollice contro il petto. Ma si gira di nuovo verso l'ingresso mentre lo dice, e anche le altre due si girano, c'è un ragazzone alto con giacca e berretto a scacchi che viene verso di noi.

Quando è vicino guarda me e Vittorio con una forma distratta e superficiale di ostilità, dice alle ragazze "Avete trovato compagnia?" Voce di naso e di palato, come cartone strappato.

Vittorio gli dice "C'è posto"; fa una specie di gesto d'invito, batte una mano sul tavolo.

Il ragazzone non registra neanche, si allunga a dare un finto pugno alla ragazza con le bretelle rosse. Squittii, risa di rana, gesti sovrapposti. Le altre due ragazze fanno come se noi non ci fossimo, sono tutte proiettate sul ragazzone. Quella con la faccia schiacciata gli chiede "Com'è andata?"

"Alla grande," ha detto lui. Ha indicato fuori, ha detto "Volete vedere?" Le tre ragazze si sono alzate subito: hanno preso le loro borse e l'hanno seguito verso l'uscita, senza dirci niente né fare il minimo gesto di saluto.

Vittorio aveva un'aria incredula, le ha guardate sparire tra la ressa. Ha scosso la testa, mi ha detto "Che bel successo, eh?"

Avrei voluto ridere o almeno sorridere, ma ero pieno di tristezza e confusione, non ci riuscivo.

Siamo rimasti ancora seduti affondati al tavolino qualche minuto senza parlare; poi Vittorio ha finito in una gollata il suo whisky e si è alzato, ha detto "Andiamo?"

L'ho seguito a passi gommosi tra la gente pressata, fuori nel parcheggio illuminato di luce livida da un paio di lampioni.

A pochi passi dall'uscita c'erano le tre ragazze con il ragazzone che era entrato e un altro ragazzone simile vicino a un camioncino, e sul cassone del camioncino un cervo morto sgozzato, con la testa carica di corna che pendeva dal bordo di metallo.

Me ne sono accorto prima io, perché Vittorio si guardava intorno in modo più vago, ma appena gliel'ho indicato si è bloccato, ha detto "Cos'è?"

"Un cervo," ho detto io, e avrei voluto essere già lontano qualche chilometro dal peso di questi sentimenti sfatti, dal risucchio del loro ulteriore disfacimento.

Siamo a forse dieci metri dal camioncino con il cervo ammazzato; siamo a zero metri, Vittorio lo sta indicando a uno dei ragazzoni.

"Bel lavoro," dice: accento italiano scoperto, non prova neanche più ad attenuarlo come faceva a Peaceville.

"Grazie," dice il ragazzone; fa un cenno con la testa, compiaciuto e sospettoso e indifferente. Il secondo ragazzone è più grasso, ci guarda senza espressioni. Labbra sottili, mandibola ipersviluppata, berretto a visiera rovesciato, fronte alta due dita. Le ragazze ci guardano senza più ridacchiare, dal fondo di qualche genere di corridoio mentale.

Vittorio si gira verso di me con le mani nelle tasche del giaccone, come se avesse freddo una volta tanto. Mi dice "Hai visto che fine fanno i cervi del guru?"

Faccio di sì con la testa, e certo non è un bello spettacolo vedere il cervo morto con la gola squarciata e la testa rovesciata all'indietro dal peso delle corna, dopo averne visti di vivi frementi palpitanti nel bosco. Ma mi sembra che Vittorio stia drammatizzando troppo; che molte altre ragioni convergano sul cervo e tornino indietro a ingolfargli la voce.

Lui tira fuori una mano di tasca e indica ancora il cervo ai due ragazzoni, dice "Vengono vicino a casa nostra, questi. Brucano l'erba sotto la neve, quando riescono a trovarla." La mano gli trema leggermente, e gli trema anche la voce, dà alle sue parole un accento ancora più straniero.

"Aha," dice il ragazzone più grasso, muove appena la testa. Uomo-maiale d'allevamento, uomo-pesce degli abissi, faccia rosa scorticata alla luce dei lampioni nel parcheggio del bar che pulsa quieto e implacabile nella notte.

"A volte gli diamo del pane," dice Vittorio, in una specie di tono accorato. "Vengono a mangiarcelo di mano, se siamo molto pazienti."

I due ragazzoni e le tre ragazze ci guardano come telecamere, fluidi e silenziosi, nessuna emozione riconoscibile.

Vittorio si avvicina ancora al ragazzone più asciutto, dice "Il guru dice che sono nostre possibili reincarnazioni. Precedenti o successive, dipende. Come tutti gli animali, no?"

Il ragazzone si gira verso il suo amico e verso le ragazze e contrae le labbra in un non-sorriso di ostilità siderale, dice "Chi cazzo è questo qui?"

E quasi nello stesso istante anche se mi sembra un istante prima lo vedo andare per terra come un pupazzo afflosciato, vedo Vittorio che grida "Vieni a sparare a me se hai il coraggio!" e gli dà un calcio quando lui rotola sull'asfalto del parcheggio con le gambe raccolte e una luce di stupore negli occhi.

Squittii acuti delle tre ragazze, calci e borsate alla schiena di Vittorio ma non li sente neanche, il secondo ragazzone più grasso che corre ad aprire la portiera del camioncino e tira fuori un fucile ma non è carico perché lo apre e prende anche una cartucciera e grida "Bastardo straniero fottuto io ti sparo!" ma è rallentato e confuso dalla sorpresa e le mani gli si affannano intorno alla cartucciera e invece di concentrarsi grida ancora "Io ti sparo!", e per puro istinto rapido abbasso la testa ma prim.. che lui riesca a caricare Vittorio gli è già arrivato addosso e gli strappa il fucile di mano senza nessuna fatica apparente e lo scaraventa lontano e il ragazzone gli dà un pugno su una spalla e Vittorio si gira e gli cozza la fronte contro il naso e il ragazzone cade all'indietro sul sedere come in un cartone animato, seduto a terra si porta le mani al naso e le ritira tutte piene di sangue e anche la faccia è piena di sangue, sangue che cola sull'asfalto del parcheggio, e intanto il primo ragazzone si è rialzato e torna alla carica con grida indistinte ma lento e perplesso nella sua furia e tira calci e pugni a vuoto e Vittorio gli dà un pugno in pieno petto e lo fa cadere di nuovo e contrarsi come un grosso bruco sofferente, grida e grida acute delle tre ragazze e qualcuno si affaccia sulla porta del bar, movimenti stoppati movimenti accelerati, luce livida luce livida, affacciamenti affacciamenti sotto la palma al neon, forse anche suoni di sirena o fari in avvicinamento o altre perturbazioni nell'aria dilavata e velenosa.

Sono andato a tirare Vittorio per un braccio, dirgli "È meglio se andiamo subito"; e certo non sarei riuscito a trascinarlo indietro di un millimetro se lui non si fosse girato di colpo con una faccia stravolta, non avesse detto "Sì, andiamo."

Poi eravamo sulla strada buia e deserta e coperta di neve verso Peaceville e Vittorio aveva ancora il respiro alterato, stava aggrappato al volante. Ha detto "Porca puttana, porca puttana. Alla faccia della pace e dell'equilibrio universale. Non so cosa mi è successo, merda."

"Se la sono cercata, anche," ho detto io, perché mi sentivo almeno in parte responsabile. "Non era un bello spettacolo, il cervo." Guardavo indietro ogni tanto per vedere se ci inseguiva qualcuno, ma c'era solo il nero della notte americana, si richiudeva come inchiostro alle nostre spalle.

Vittorio ha detto "Sì, ma non doveva succedere. Non dovevo perdere così la testa. Sono tornato indietro di quattro anni, madonna. Avrei potuto ammazzarli."

"Non li hai ammazzati, in ogni caso," gli ho detto. Avevo paura che perdesse il controllo della macchina; gli ho detto "Potresti rallentare un po', magari?"

Lui ha rallentato a una curva, ma ha ripreso velocità subito dopo. Ha detto "Avrei potuto. Mi era venuto questo terribile istinto omicida. Da un secondo all'altro, così. Pensi di esserti liberato per sempre di tutte le brutte parti di te, e invece sono ancora lì. Sono rimaste lì tutto il tempo."

"Sarebbe anche strano che se ne andassero," gli ho detto. "Se sono parti di te."

Mi ha guardato, ma non mi sembrava che desse molto peso alle mie parole; ha rallentato, in un paese fatto di pochi edifici ai due lati della strada e qualche lampione e qualche palo della luce, qualche macchina parcheggiata. Ha frenato davanti all'insegna luminosa di un negozio di liquori, ha detto "Arrivo subito."

Sono rimasto seduto a guardare fuori, sembrava una scenografia di qualche sceneggiato televisivo minore: quattro assi dipinte, tenute in piedi da qualche trave inclinata di sostegno. Mi chiedevo se quello che era successo era colpa mia, o avevo solo dato l'innesco a un processo inevitabile; se dovevo sentirmi in colpa; se dovevo non pensarci.

Vittorio è tornato, con una bottiglia in un sacchetto di carta marrone. Ha rimesso in moto e aperto la bottiglia, preso una gollata lunga. Me l'ha porta, ha fatto grattare e slittare le gomme sulla neve ghiacciata.

Ho provato a prendere un sorso, ma era bourbon americano aspro e forte come combustibile industriale; mi ci sono appena bagnato le labbra, gliel'ho restituito.

Lui ha bevuto ancora una gollata, e già accelerava di nuovo, faceva il pelo al muro di neve sul margine della carreggiata. Ha detto "Lo sai qual è la cosa più terribile di tutte, Uto?"

"Quale?" dico io, aggrappato al sostegno laterale, in anticipazione di un rovesciamento improvviso, una lunga scivolata su un fianco.

"Che mi sento *bene*," dice Vittorio, con una specie di sgomento da guerra. "Che mi sento vivo, fuori dalla glassatura estatica per la prima volta in quattro anni!"

Mi tengo più discosto che posso dalla portiera, bilanciato in modo da ammortizzare il colpo appena ci ribaltiamo. Anticipazione di suoni: metallo su neve compressa, metallo su asfalto, deformazione di lamiere.

Vittorio beve ancora, guida ancora più al pelo della carreggiata, margini quasi zero, ormai. Dice "Fuori da tutte le offerte prima delle richieste, dai bei gesti e dai bei pensieri, dai sorrisi e dai baci e dagli abbracci, dalle vecchie racchione grasse da trattare come se fossero le donne più desiderate al mondo! A parlare sottovoce tutto il tempo, appena parlo normale Marianne è lì a farmi cenni e vergognarsi di me e desiderare che io sia fatto in tutt'altro modo!"

Mi porge la bottiglia di nuovo; gliela respingo con la mano aperta, senza distogliere lo sguardo dalla strada. Precipitiamo nel buio nero denso appena solcato dai fari, attraverso lo spazio senza confini.

Vittorio beve ancora, grida "È che sono fatto così, Uto! Sono la persona sbagliata per questo posto! Forse anche una brutta persona in assoluto! Posso provarci quanto voglio, ma non c'è niente da fare! Sono violento e attaccato alla materia come pochi, Uto! Mi piace mangiare e mi piace bere e mi piace scopare, e se trovo un bastardo di cacciatore di cervi gli spacco la faccia! E mi va benissimo così, se vuoi saperlo! MI VA BENISSIMO COSÌ!"

Non capivo come potesse continuare a mantenere la rotta in queste condizioni, ma ci riusciva; la rabbia sconnessa che gli correva dentro doveva avere una strana nervatura precisa, o un senso della direzione almeno, nel dissesto generale di tutti gli altri suoi sentimenti.

Ha gridato "Stai lì come un imbecille a sforzarti di cambiare e migliorare e corrispondere alle aspettative degli altri tutto il tempo, e riesci solo a produrre qualche piccola soddisfazione transitoria, al massimo. Qualche piccolo riconoscimento parziale, fino al prossimo errore alla prossima recriminazione. Sai la pacca sulla testa del cane addestrato, no? La sardina per la foca da circo che fa girare un pallone sulla punta del naso?"

Pensavo che questa corrente di sarcasmo avrebbe forse potuto farlo rallentare; e ha rallentato infatti, ma la sua guida è diventata più imprecisa e pericolosa. Schiacciava il freno quando non avrebbe dovuto, recuperava il volante alle curve con qualche decimo di secondo di ritardo, guardava in un punto morto la luce dei fari, né abbastanza lontano né abbastanza vicino.

Ha detto "È che siamo così vigliacchi e deboli, madonna. Noi uomini, no? Passiamo la vita a cercare una donna abbastanza forte da poterle passare le consegne di nostra madre. Come bambini striscianti e imploranti, Uto. E loro sanno benissimo di avere il controllo, giocano sui nostri sensi di colpa e di inadeguatezza e sui nostri sistemi di proiezione con un istinto così sicuro. Giocano di attesa e di rimessa, no? Stanno lì in poltrona e stanno lì sulla porta, stanno lì a guardare tutto il tempo quello che riesci a fare, per decidere se dirti "bravo" o dirti che fai schifo."

Guardavo solo avanti adesso, mi tenevo attaccato al sostegno laterale e fissavo la strada ghiacciata come veniva fuori dal buio e ci veniva addosso con un preavviso di pochi metri di luce già mangiati lasciati dietro, con una curva una costa di collina un muro di neve compatta al margine della carreggiata, due centimetri al pelo della ruota.

Vittorio continuava a bere gollate dalla bottiglia, parlava con sempre meno controllo nella voce, sempre meno controllo sul volante. Si era anche fatto male a una mano nella rissa davanti al bar, ogni tanto leccava via il sangue dalle nocche scorticate. Ha detto "Magari ci mettono qualche anno a raggiungere il controllo totale, perché noi facciamo resistenza passiva come degli animali ottusi, no? Ma alla fine riescono ad averlo, e quando ce l'hanno lo usano senza il minimo scrupolo, perché sono convinte di agire per una buona causa! Per una causa superiore, no? Per un cavolo di causa superiore legittimata dal guru e dalla natura e da dio e dall'universo, hai capito?"

Ha gridato "È che la vita è una tale fregatura, Uto! È una tale fregatura *tremenda*, e non fa altro che peggiorare man mano che vai avanti. Man mano che ti scanni per essere una persona migliore, Uto!"

Poi ha sterzato troppo veloce e frenato troppo forte, e la Range Rover è partita via attraverso la strada ghiacciata, attraverso la curva che dovevamo prendere e attraverso il muro di neve e attraverso il buio nero come inchiostro; mi sono messo le mani sulle orecchie per non sentire almeno lo schianto definitivo.

La bottiglia salta fuori dal sacchetto di carta marrone e cola sul pavimento della macchina e sopra i miei piedi ma potrebbe anche essere sangue, potremmo già esserci distrutti e accartocciati perché siamo contro una costa di collina coperta di neve e le ruote girano a vuoto furiose come la voce di Vittorio poco prima, c'è un ultimo colpo e il motore è fermo, siamo fermi stoppati inclinati su un lato, in una nuvola di neve che ricade lenta nei due coni di luce dei fari.

Vittorio ha aperto la sua portiera ed è scivolato fuori, sparito nel buio.

Sono sceso anch'io dal suo lato, dal mio non ci riuscivo. Non mi ero fatto niente, salvo un colpo alla spalla ma per fortuna avevo la mia giacca di pelle robusta; riuscivo a muovermi bene, appena più leggero del normale nell'aria immobile e fredda. Non c'era un suono, a parte i versi di Vittorio che vomitava o rantolava a pochi metri dalla macchina.

E non avevo voglia di vederlo agonizzante o ancora meno di trascinarlo da qualche parte in cerca di soccorsi; ma mi sono avvicinato a passi scrocchianti affondati con il fiato sospeso, diversi possibili film in testa.

Stava solo vomitando nella neve alta; tra un conato e l'altro diceva "Porco cane, porco *cane*", con un accento dell'Italia centrale che fino a quel momento era riuscito a tenere sotto controllo.

Così ho camminato avanti e indietro lungo la Range Rover per non congelarmi; cercavo di capire se saremmo riusciti a tornare sulla strada o no, cercavo di capire che ore potevano essere. Cercavo di capire se anche questo sarebbe successo comunque, o invece senza di me Vittorio sarebbe stato a letto con sua moglie nella bella casa calda e confortevole che si era costruito con le sue mani. Cercavo di capire se ero solo un distruttore di equilibri, o un rivelatore di verità, o tutte e due le cose; e perché lo ero, se seguivo un puro istinto da carogna o la mia era una specie di missione; se ne ricavavo qualche forma di piacere o solo tristezza.

Marianne vuole capire

Marianne bussa alla porta, si affaccia con una tazza di tè d'erbe in mano, dice "Vuoi?"

Uto Drodemberg sdraiato sul letto a leggere un manuale di liuteria di Vittorio: si alza a sedere di scatto, salta in piedi.

"Come sei nervoso," dice Marianne, ma tesa anche lei: lineamenti allungati assottigliati dalla tensione.

Uto Drodemberg verso la porta, non verso di lei, dice "Stavo per venire giù." I capelli in parte appiattiti dal cuscino, dovrebbero già essere ritinti perché sono cresciuti neri alla base; ci passa una mano e li scuote con forza, guarda al di là di Marianne, verso la scala.

Marianne dice "Perché vuoi scappare così?" Pallida, blocca l'uscita. Odore di sapone neutro e olio di mandorle, microvibrazione appena sotto la pelle, aria tra le fibre soffici del suo golf color pesca abbottonato davanti.

UTO: Non voglio scappare. Voglio solo scendere.

MARIANNE: Bevi il tè, almeno.

UTO: Lo bevo di sotto.

MARIANNE: Ma cos'è, hai paura di me, adesso?

UTO: No.

(E non era vero; avevo paura della fibrillazione nel suo sguardo, del suo modo di inspirare a piccoli tratti, delle sue narici sensibili, cartilagini quasi trasparenti.)

Le ha preso la tazza di mano: le sue dita hanno sfiorato quelle di lei per un istante, quanto basta per sentire che erano calde e umide. Qualità minerale dello sguardo di lei, ma riscaldata, adesso; vampate di luce di spirito acceso.

MARIANNE: Mi spieghi cos'è successo ieri notte?

UTO: Non te lo ha già raccontato Vittorio?

MARIANNE: Sì, ma non ho capito. Vorrei capire perché è successo.

(Incerta, anche: dubbi e paure ed esitazioni di vario grado nel tremito leggero che attraversa la sua figura appoggiata allo stipite della porta.)

UTO: Se non lo sapete voi. Mica vi devo spiegare io la vostra vita.

MARIANNE: Però puoi farcela vedere. È già molto.

Chiude la porta, ci si appoggia di spalle. Troppo vicini, in quest'onda di risucchio: non c'è abbastanza spazio di arretramento nella stanza.

UTO: Io non posso farvi vedere niente. Guardatevela voi, se volete.

Lei fa di sì con la testa, riflette; ha questo modo di prendere terribilmente sul serio qualunque cosa lui dica, ormai: anche la più superficiale o inutile. Guarda basso, come se dovesse meditare su una lezione complessa. Poi si siede sul pavimento, raccoglie le gambe, alza lo sguardo verso di lui.

MARIANNE: Che strano, sei.

UTO: Perché strano?

MARIANNE: Perché sei così difficile da capire. Gli uomini non lo sono, di solito.

UTO: Ah sì? Non è che li conosca molto, gli uomini.

MARIANNE: Io invece sì, e non ne ho mai incontrati come te.

UTO: Devo preoccuparmi?

(Una specie di contrazione incontrollabile dell'anima, come un brivido di freddo interiore o di piacere o di paura. Vorrebbe essere fuori di qui e qui; vorrebbe ancora più attenzione, nessuna attenzione.)

MARIANNE: Dipende. Forse sono io che dovrei preoccuparmi.

UTO: Ma perché?

(Paura-paura, rapida.)

MARIANNE: Non capisco cosa pensi. Non capisco dove sei. Chi sei.

UTO: Non penso niente. Sono qui. Non sono niente di speciale. Non farti proiezioni o sovrapposizioni, per piacere.

(Indietro-veloce-indietro-veloce, più lei viene avanti con il suo sguardo e il suo respiro e il suo battito del cuore, con il suo irradiamento di attenzione offerta e richiesta.)

MARIANNE: Invece tu pensi *tutto*. Anche il guru se ne è accorto, dalla prima volta che ti ha visto. Anche i ragazzi. Anche Vittorio. Hai tutte le qualità del mondo e non vuoi farlo capire ma non ci riesci. Rendi solo più difficile leggerti dentro ma ti si legge lo stesso.

(Lei seduta per terra e Uto in piedi, avrebbe voluto sedersi solo per mantenere i loro sguardi sullo stesso asse ma non ci riusciva, aveva un equilibrio così scadente che non si arrischiava a muoversi. Ha sorriso, un sorriso che poteva solo peggiorare le cose, non gliene veniva un altro.)

UTO: Guarda che ti sbagli. Stai mettendo una fotografia su un'altra.

MARIANNE: Come fai a saperlo? Hai diciannove anni e sai tutto, dio santo. Hai quest'aria da delinquente di strada e invece sei un angelo.

UTO: Piantala, che angelo.

Uto Drodemberg arretra, pallido come un eroe da prima linea, come un poeta dell'Ottocento malato di consunzione, si appoggia al soffitto inclinato. Attraente-attraente, non ci può fare niente, non è una cosa che sceglie o ricerca. Ci si trova, nel modo più inevitabile. Non è neanche sicuro di cosa sia di preciso, ma dev'essere la mescolanza strana di vulnerabilità e distanza che c'è in lui, il suo modo di esserci molto e non esserci per niente, di guardare e ascoltare ogni minimo dettaglio e poi allontanarsi anni-luce in un battito di

*palpebre. È un gioco crudele, ma non è un gioco, non è una cosa
che calcola per un effetto; è così che è fatto, come un albero che
prende una piega e manda i rami dove non ce lo si aspetta, non
serve a molto stabilire se è colpa del vento o del terreno. Però di
nuovo la contrazione interiore, tra lo stomaco e il cuore. Il sangue
gli diventa freddo, i palmi delle mani gli sudano, è al centro di un
riflettore di luce polarizzata, è al centro del mondo al centro del-
l'universo e non gli piace ma è quello che cerca, ma non gli piace,
ma è quello che cerca, ma non gli piace.*

Marianne si porta una mano tra i capelli, inspira; sembra sul
punto di scoppiare a piangere. La situazione sta per rompersi
come uno specchio di tre metri quadri che frantuma in spicchi
sottili e in polvere di vetro tutto quello che rifletteva.

Via le luci di Natale

Chopin al piano per quasi un'ora, nella casa che sembrava vuota. Sapevo che non lo era; l'attenzione di Marianne e di Nina nelle loro stanze dava un senso diverso alle note sollecitate e carezzate e urtate dalle mie dita, le faceva riverberare sul legno d'abete delle pareti e attraverso la grande scatola armonica fino alle loro porte e ai loro cuori e timpani. Mi sentivo sicuro, in quel momento preciso; mi sembrava di poter allargare le braccia, premere le mani dove volevo, mettere angoli alla voce, volteggiare in una scia condensata di sguardi. Ogni ricciolo e onda e increspatura delle note che suonavo mi sembravano un riflesso delle mie possibilità, incredibilmente facili da materializzare.

Poi ho lasciato il piano di scatto come facevo sempre, mi sono molleggiato sulle ginocchia, ho scalciato e fatto qualche gesto di stiramento, sono andato a mettermi gli scarponi e la giacca di pelle per uscire. Nina mi ha raggiunto nella camera vetrata di decompressione.

Bianca e rossa, e si stava rimpolpando di giorno in giorno nelle sue giuste proporzioni, era molto più carina di quando ero arrivato. Ha detto "Posso venire con te? No, dimmi se ti scoccia."

"Vieni, vieni," ho detto io: con ancora forse il settanta per cento del senso di controllo che avevo mentre suonavo.

Siamo usciti al freddo nello spiazzo coperto di neve davanti a casa, iperconsapevoli tutti e due dei nostri passi. Vittorio era arrampicato su una scala telescopica appoggiata al palo, stava tirando giù il gran pavese di luci di Natale. Non ci ha neanche guardati; si teneva schermato dietro i gesti che faceva per raccogliere i fili e le lampadine colorate, dietro l'equilibrio che gli ci voleva per restare in cima alla scala.

Nina lo fissava, è rimasta in bilico qualche secondo su una frase o un gesto e ci ha rinunciato, è venuta dietro di me. Anche il cane Geeno è venuto via, ci è corso dietro con il suo galoppo pesante.

Non avevo idea di dove andare, così ho preso attraverso il bosco a sinistra della casa, dove la neve mi arrivava alle ginocchia. Il senso di controllo mi era già sceso a forse il cinquanta per cento, non mi giravo a guardare Nina per non farlo diminuire ancora.

Lei mi seguiva a pochi passi di distanza, ogni tanto si fermava a incoraggiare il cane che saltava come una foca per tenersi a galla in tutto il bianco. A un certo punto mi ha detto "Hai visto mio padre?"

"Cosa?" ho detto io, con una percezione di lei abbastanza precisa anche se non mi giravo.

"È nervoso, madonna," ha detto lei. "Stamattina non mi ha neanche salutata."

"Capita, no?" ho detto.

"No," ha detto Nina. "Non è mai capitato, da quando sta qui." Si è fermata ad ansimare, guardava il cane Geeno. Ha detto "E anche Marianne. Sono così elettrici, non li riconosco neanche più."

Mi sono fermato anch'io, non volevo darle l'idea di scappare. Ho detto "Anche tu sei difficile da riconoscere, cosa credi?"

"In che senso?" ha detto lei.

E avrei voluto una frase già pronta da dire ma non ce l'avevo; il senso di controllo era sceso a zero senza che neanche me ne fossi reso conto, riuscivo solo a respirare affannato.

Via il bravo figlio di famiglia

Jeff-Giuseppe nella cucina, con le scarpe ai piedi. Non sono proprio gli scarponi da neve che usa fuori, sono scarpe da jogging nere quasi nuove, ma pur sempre scarpe. Gli sono cresciuti i capelli, anche, e ha smesso di lavarseli e pettinarseli di continuo: li tiene all'indietro, in una specie di imitazione dei miei.

Mi si avvicina con il mento appoggiato a una spalla, sguardo basso; dice "Vuoi fumare dell'erba?"

"Come?" dico io, preso in contropiede.

"Dell'erba," dice lui, in un tono un po' più aperto di prima.

Nell'ex stanza degli ospiti convertita in sua stanza da quando sono arrivato io, tira fuori da una scatola uno spinello sottile già pronto. Fa fatica ad accenderlo, fa fatica a inalare il fumo: socchiude gli occhi, gonfia troppo i polmoni.

Gli chiedo "Dove l'hai presa, l'erba?"

"Scuola," dice lui; fa uno sforzo per non tossire, mi passa lo spinello.

Accende uno stereo compatto sul tavolo, c'è dentro una cassetta dei Deadbones: chitarre elettriche tirate fino a far saltare i coni degli altoparlanti, voci grattate sfibrate lacerate in competizione con le chitarre elettriche.

Gli dico "Come va?"

"Bene," dice lui, di nuovo con gli occhi socchiusi. Dice "Meglio." Gli è anche venuta una voce più bassa, o più stabile, almeno: riesce a tenersi su un registro, soprattutto nelle parole singole o in frasi molto brevi.

Mi veniva da ridere; mi sembrava che fossero passati anni da quando ero arrivato, da quando lui e suo padre mi aspettavano al varco davanti alle porte scorrevoli dell'aeroporto.

Jeff-Giuseppe ha fatto un gesto verso il resto della casa: finto incurante e finto distratto, modellato su uno dei miei gesti studiati così a lungo. Ha detto "Un bel casino." Non è riuscito a non tossire; ha preso subito un altro tiro per compensare.

"Cosa?" gli ho chiesto, anche se era chiaro di cosa parlava.

"Vittorio e Marianne," ha detto lui, con la mano allungata per ripassarmi il fumo, non c'era quasi più niente.

"Litigano?" gli ho chiesto, mi sembrava di andare molto veloce ed ero immobile.

Jeff-Giuseppe ha fatto di sì con la testa, è andato a premere avanti-veloce sullo stereo compatto.

Gli ho detto "Non dicevate che qui a Peaceville non litiga mai nessuno? Che è impossibile litigare?"

Lui ha schiacciato play nel mezzo di una ballata lancinante, ha alzato ancora il volume, mi ha guardato da sotto le sopracciglia.

Mi sembrava troppo una mia imitazione, male assimilata e male padroneggiata, ma pur sempre un involucro di comportamento, un veicolo di modi di fare per andare da un punto all'altro dello spazio o semplicemente stare fermi, esserci. Provavo un misto di imbarazzo e orgoglio e pena e partecipazione; mi sono messo a ridere.

Jeff-Giuseppe mi ha guardato ancora più obliquo, cercava di capire se ridevo dei suoi o di lui; si è messo a ridere.

Ridevamo e andavamo in circoli per la stanza, la musica dallo stereo era come una marea venata di brutte correnti e di correnti interessanti, di acque ferme.

Via la felicità coniugale

Marianne e Vittorio che litigano, nel corridoio tra la loro stanza e lo studiolo. Litigano-litigano, non è lo scambio di frasi quasi impercettibilmente irrigidite in cui esprimevano finora i loro disaccordi: le loro voci arrivano attraverso la porta nel soggiorno in frequenze cattive, fanno male all'orecchio.

Marianne dice "È che sei così centrato su te stesso, non riesci a capire davvero gli altri."

"No, certo. Sei solo tu che li capisci," dice Vittorio. "Sei solo tu che hai il dono della sensibilità straordinaria."

Mi fa l'effetto di assistere a un disastro aereo dal bordo della pista: la stessa miscela di incredulità e intrattenimento, angoscia amplificata e tentazione di vedere meglio. Vorrei uscire dal soggiorno per non sentirli, e so benissimo che non ci riuscirei mai; vorrei almeno non distinguere le loro parole, vorrei distinguerle tutte.

Marianne dice "Lo vedi come diventi rozzo? Come diventi aggressivo, appena ti senti in torto?" Voce da lama di acciaio temprato seghettato, adesso che non si sforza di farla suonare dolce; la sua anima dura che viene fuori.

"Io non mi sento affatto in torto," dice Vittorio. "Ma tu naturalmente hai una visione così alta delle cose, riesci a distinguere i sentimenti degli altri da una verticale perfetta, no? I torti e le ragioni." Rancore violento, man mano che libera a strappi quello che sente dalla glassatura di anni di sforzi di comprensione e accettazione. Dice "Sei sempre così sicura di *essere* la ragione."

"Lo vedi come non sai ascoltare?" dice Marianne con voce ancora più aspra. "Lo vedi come sei violento?"

"Sei tu violenta!" grida Vittorio. "Con tutti i tuoi discorsi sulla comprensione e il rispetto degli altri, l'umiltà e la respirazione profonda e le altre balle! Hai questo fondo di prevaricazione nera! Questo spirito da crociata, con la spada in mano per tagliare la testa agli infedeli!"

C'è una pausa, breve; me li posso vedere che si studiano a breve distanza, si assestano per un'ulteriore degenerazione di rapporti. Marianne dice "Ti rendi conto di quello che dici? Ti rendi conto del *tono* che hai?" Ma il suo tono non è molto meglio; stanno andando dritti verso un precipizio ormai.

"E tu, ti rendi conto di quanto sei *implacabile*?" dice Vittorio. "Di che razza di sforzo spaventoso è solo stare ad ascoltarti? Cercare di adeguarsi alla tua cosiddetta sensibilità? Come camminare su un cavolo di terreno minato tutto il tempo, con le arterie strizzate solo per cercare di non mettere un piede nel punto sbagliato e saltare in *aria*?"

"È che tu non hai mai *capito* questo posto," dice Marianne, in una voce che scava trincee e camminamenti. "Sei venuto qua solo perché avevi paura di *perdermi*, per tenermi buona. L'hai fatto come avresti potuto andare a vivere in qualche villaggio turistico in Spagna o in Costa Rica. Per fare il grande artista magnanimo che asseconda la moglie un po' pazza ma ispirata finché non gli dà troppo fastidio. Hai costruito la casa e tutto il resto solo perché ti *divertiva*, non sei mai riuscito ad andare oltre."

Vittorio grida "E me le dici adesso, queste cose? Dopo quattro anni di quieta paranoia claustrofobica fuori dal mondo? Dopo quattro anni di vita bruciati buttati via per sempre?"

"Lo vedi?" dice Marianne, più trattenuta solo perché lui non riesce più a trattenersi. "Lo vedi che quando sei sincero lo riconosci che ti costa stare qua?"

"Certo che mi costa!" grida Vittorio. "E non hai idea quanto! Stare a smorzare e smorzare tutto tutto il tempo, buttare acqua fredda e rallentare e abbassare il tono, come se fossimo in un cavolo di chiesa permanente! Quattro anni di letargo forzato, madonna, quattro anni buttati dalla finestra solo per starti dietro, e ancora hai il coraggio di lamentarti invece di baciare in terra!"

"Lo vedi?" dice Marianne di nuovo. "Lo *vedi*?"

Vittorio grida "Tu non ti rendi conto di quanta attenzione ti ho riversato addosso come un idiota, invece di dedicarla alle mille altre cose di cui avrei dovuto occuparmi!"

"Sì, bravo!" grida Marianne, in un tono da violoncello antico in cattive condizioni: la risonanza stridula e gutturale e legnosa e cerata della sua tavola d'abete interiore. Grida "Dovrei ringraziarti in ginocchio? Per avermi fatto la carità della tua *attenzione*? Invece di occuparti solo di te stesso, gratificarti con il tuo lavoro e le tue amiche e i tuoi amici schifosi e con tutte le cose fantastiche che ti dicono quelli che non ti conoscono?"

Vittorio grida "Non avere paura, lo so che l'unica vera persona fantastica al mondo sei *tu*! La sola santa, che porta il Verbo tra i poveri selvaggi e lo inculca con la violenza se è necessario!"

Un colpo sulla parete di legno: rumore di vetro andato in pezzi, bicchiere o lampada da tavolo. Mi sembrava di vedere i frammenti che si spargevano sulla moquette chiara; gli occhi infiammati di Vittorio e di Marianne che si giravano intorno come in una lotta da pollaio. Mi chiedevo se avrei dovuto intromettermi a fare da paciere, ma ero quasi sicuro che avrei solo peggiorato le cose. Mi chiedevo se avrei dovuto prendere le parti di uno dei due, far degenerare ancora la situazione, già che c'ero.

Marianne ha detto "Lo vedi chi è violento?"

"Sei tu violenta!" ha gridato Vittorio ancora più scardinato. "Sei tu che non vuoi accettare l'idea che le persone sono come sono e che cercare di cambiarle è la peggiore delle prevaricazioni!"

"Sì, e invece dovrei accettare tutto e stare zitta!" ha gridato Marianne in un tono ancora più distorto. "Come quando eravamo a Milano!"

Sembravano davvero due animali da cortile, sentiti attraverso la porta e le pareti di legno: due oche o due grosse anitre esasperate dalla convivenza forzata e prolungata. Me li vedevo zampettare uno intorno all'altro, avanti e indietro tra occhiate laterali e allungamenti di collo, atteggiamenti di aggressione e autoprotezione ed evasione; me li vedevo cercare varchi uno nella difesa dell'altro, sondare i punti di forza e i punti di vulnerabilità.

"Dovresti accettare *cosa*?" grida Vittorio, con le corde vocali che gli vibrano allo spasimo nel grosso corpo, fanno risuonare di rabbia tutta la casa. "E *io*, cosa devo accettare? Starmene qui in mezzo a tutta questa neve a fare inchini e fare 'Om', senza uno straccio di ispirazione o di contatto con la vita vera, con questi poveri zombie smorti e smunti e dissanguati in questo cavolo di provincia estrema del *nulla*?"

Sono dalla sua, adesso, faccio il tifo per lui attraverso la porta; sono contento di averlo aiutato a rendersi conto di come stanno le cose, averlo aiutato a liberarsi dalla prigione in cui era chiuso.

Lui grida a sua moglie "Con quel tuo sorriso illuminato mentre passi sopra a chiunque come un carro armato di buone intenzioni!"

Marianne in un tono tutto angoli e spezzature dice "E quando sarebbe che passo sopra in questo modo terribile? Me lo spieghi?"

"*Sempre!*" grida Vittorio. "Guarda adesso, per esempio. Per fare la santa redentrice sei riuscita a metterci in casa questa specie di punk psicopatico che ci distrugge la vita."

"Cosa *dici*?" dice Marianne, in una miscela di indignazione e disgusto.

E sono indignato e disgustato anch'io: tutta la mia partecipazione per Vittorio mi torna indietro alla velocità della luce.

Marianne dice "È un ragazzo straordinariamente sensibile, con delle qualità grandissime. Anche lo Swami l'ha detto. Come ti permetti di parlare così di lui?"

Adesso sono dalla sua, naturalmente: invaso da un senso di riconoscenza e di calore che mi scioglie dentro. I suoi gesti verso di me mi passano attraverso la testa dilatati come attraverso una lente di ingrandimento: il suo modo di respirare mentre mi guarda, le sue labbra pallide socchiuse, il leggero alone azzurro-argentato che ha intorno agli occhi, gli zigomi nordici alti. Sarei dalla parte di chiunque fosse dalla mia, in realtà, tanto mi sento stanco e fragile e assediato in questo momento; vorrei essere nella stanza al piano di sopra, con la porta chiusa e la cuffia del walkman alle orecchie, non sentire più niente.

Vittorio abbassa la voce, e può darsi che si immagini che io lo senta, ha costruito lui la casa e sa come trasmette i suoni, ma anche a questo volume è carico di una quantità incredibile di risentimento. Dice "Sì, un ragazzo straordinariamente sensibile che cerca di farsi mia figlia sedicenne."

"L'ha *salvata*, Vittorio," dice Marianne con enfasi soffiata-aspirata. "L'ha fatta guarire, e lo sai quanto stava male."

"Avrebbe ripreso a mangiare comunque," dice Vittorio. "Cosa dovrebbe essere, adesso? Una specie di santo?"

"È uno strumento di dio," dice Marianne. "L'ha detto il guru."

E sono fuso, sono fuso; è incredibile quanto uno possa farsi confortare da una semplice concatenazione di suoni sentiti di nascosto attraverso uno spessore di legno.

"Ma ti rendi conto?" dice Vittorio. "Ti rendi conto a che punto sei? Quel megalomane piccolo psicopatico bastardo, con quei fottuti occhiali da sole. Uno strumento di dio, cazzo. È riuscito a traviare tuo figlio che è ancora un bambino, l'ha rovinato in poche settimane. Ma immagino che anche questo sia per il suo bene, no? E fa il ruffiano con te, cosa credi, che non me ne sia accorto? Ti ha fatto perdere la testa come una ragazzina scema, madonna."

Qui Marianne ha emesso una specie di squittio acuto da animale ferito, come se lui le avesse schiacciato un piede o l'avesse punta al fianco con uno spillo; ha gridato "Come ti *permetti*?"

La situazione stava precipitando sempre più rapida, mi faceva venire una pelle d'oca da velocità pura. Responsabilità-non-responsabilità, divertimento-paura, zero distanza, distanza anni-luce.

Vittorio ha gridato "Brava! La protettrice del giovane santo! Vai avanti, vai avanti! Fai quello che ti pare! Tanto io mi sono rotto le balle di fare l'orso ammaestrato da circo! Avete finito di prendere e prendere e lamentarvi perché comunque non è mai abbastanza! Andatevene al diavolo tutti! Tenetevi il vostro santo, tenetevi la casa, io me ne *vado*!"

La sua voce si è avvicinata troppo rapida perché io potessi allontanarmi dalla porta e raggiungere le scale; un istante dopo era nel soggiorno. Mi ha visto e si è fermato, con uno sguardo incredibilmente carico di istinti di aggressione.

Uto Drodemberg che riesce a deflettere un pugno come nel manuale di aikido con Ki, riesce a far volare oltre Vittorio Foletti trascinato dalla sua stessa furia cieca. Uto Drodemberg che subito dopo gli dà perfino la mano con un gesto galante, lo aiuta a rialzarsi. Vittorio Foletti che attacca una seconda volta a tradimento, carico di pura slealtà e invidia sanguigna pesante, inarrestabile inevitabile come qualunque fenomeno naturale. Uto Drodemberg che chiude gli occhi per un pugno in piena faccia, vola all'indietro nel buio denso del non-visto non-pensato. Occhi chiusi, respiro mozzato a metà, stoppato alla bocca dello stomaco. Uto Drodemberg per terra, cerca di proteggersi la testa con le braccia ma senza un vero accanimento di sopravvivenza, uno dei più grandi pianisti del mondo e un giovane di grandissima sensibilità, di fatto rinuncia a difendersi da un'aggressione così bestiale. Vittorio Foletti che gli dà calci nei fianchi con tutta la forza di cui è capace, come un cinghiale o un rinoceronte inferocito al di là di qualunque controllo per essere stato messo di fronte alla sua immagine di cinghiale o rinoceronte. Rumore di costole rotte, ma si può anche non sentirlo a chiudere l'orecchio interno, si può non sentire più niente a interrompere la strada dai ricettori acustici al cervello. Lampi di luce nera e bianca, echi molto distanti. Uto immobile a terra senza respiro senza sentire più niente, grida di Marianne arrivata troppo tardi, grida dei ragazzi che rientrano da fuori o escono dalle loro stanze e cercano di capire cos'è successo e corrono a chiamare i vicini. Vittorio Foletti tremante come un vero omicida, parte sgomento parte appagato da quello che ha fatto, sguardo iniettato di sangue, carico di ragioni solide radicate e testimoniate, attese pesate precipitate alla fine una sull'altra. Stanza ferma, suoni riassorbiti. Il corpo di Uto Drodemberg sulla moquette chiara in una posa come se corresse, non è una brutta immagine per quelli che vengono a vederlo ed erano rimasti colpiti da lui quando era vivo prima che Vittorio lo ammazzasse.

Invece Vittorio mi ha guardato molto fisso per forse due secondi, poi senza dire niente è andato fino alla prima porta scorrevole, l'ha aperta e l'ha fatta scivolare dietro di sé; era già oltre la seconda, fuori con gli scarponi ai piedi e il giaccone sulle spalle, camminava a passi furiosi attraverso lo slargo coperto di neve.

Via la regina del focolare

Rumore di un motore alle mie spalle, da dietro una curva della strada coperta di neve. Luce bianca violenta, mi abbaglia anche attraverso gli occhiali da sole. Accelero il passo sul margine della carreggiata, guardo il bosco che scende alla mia destra, ma la neve è troppo alta, non ho voglia di affondare. La Range Rover sbuca dalla curva, si mangia come niente la distanza che ho cercato di prendere, mi viene dietro come un animale da preda, verde scura in tutto questo bianco, con i suoi brutti occhi di fari, il suo ringhio meccanico. Ho un forte impulso di mettermi a correre più veloce che posso, ma è chiaro che non servirebbe a niente, servirebbe solo a farmi perdere dignità a questo punto.

Così rallento e mi metto le mani in tasca, faccio finta di guardare il paesaggio intorno, rigido come sono all'idea di Vittorio dietro il finestrino, rancore sordo e selvaggio condensato nei suoi occhi. Il muso del predatore meccanico è già dietro di me, mi alita la sua vibrazione così vicino alla schiena che posso sentire il calore del motore; avrei solo voglia di avere una pistola da tirare fuori di tasca, puntarla a due mani contro il parabrezza.

Ma non era Vittorio al volante: era Marianne, ancora più pallida e tesa del solito. Ha abbassato il finestrino, mi ha detto "Dove vai?"

"Faccio due passi," ho detto io, sollievo che già si mescolava a un nuovo genere di apprensione.

"Non vieni con me?" ha detto lei. "Vado a una casa a cinque minuti da qui. Devo aiutare una signora che non si può muovere."

Avrei avuto voglia di scappare via nella direzione opposta senza neanche risponderle, invece sono salito di fianco a lei.

Lei guidava con dei movimenti meccanici, ogni tanto mi dava un'occhiata-richiesta di soccorso.

Alla fine le ho detto "Come va?", anche se non avevo nessuna voglia di entrare nei suoi psicodrammi famigliari.

"Così," ha detto Marianne. "È un momento un po' difficile. Avrei bisogno di parlare allo Swami. Gli ho già chiesto un incontro."

Sono stato zitto, anche se era chiaro che avrebbe voluto domande ulteriori; guardavo fuori senza espressioni.

Lei non aveva nessuna intenzione di lasciar cadere, continuava a lampeggiarmi uno sguardo laterale intermittente. Ha detto "Ci sono un po' di problemi con Vittorio. È difficile. Non abbiamo mai litigato per quattro anni, e adesso di colpo sembra che dobbiamo rifarci in un solo giorno. Sono sconvolta."

Guidava piano, ma senza pensarci; speravo solo di non finire fuori strada una seconda volta nel giro di così poco. Le ho chiesto "In che senso, rifarvi?"

"Non riusciamo più neanche a parlare," ha detto Marianne. "C'è una tale distanza tra noi, me ne sono resa conto solo ieri. Vittorio ha un tale *rancore* verso di me, una tale non-comprensione. È terrificante. Non riesco a crederci."

"Non-comprensione di cosa?" dice Uto. Spera solo che non parli di lui; spera solo che ne parli. Dentro e fuori la situazione, come sempre; vicino-lontano, caldo-freddo.

"Di *tutto*," dice Marianne. "Eravamo così convinti che la nostra vita fosse perfetta, e invece c'è un abisso tra noi. Un abisso."

"Guarda che capita a tutti di litigare," dice Uto. "È abbastanza normale, nel resto del mondo." Cerca solo di arretrare dalle sue possibili responsabilità, è l'unica cosa che gli interessa; non è l'unica cosa.

MARIANNE: Non è questione di litigare. È quello che c'è sotto. C'è questa specie di odio incredibilmente profondo.

UTO: Ma poi vi passa, no? Stasera sarete di nuovo come prima.

MARIANNE: No, invece. Non c'è verso di tornare indietro, dopo quello che ci siamo detti.

(Sicura come di una malattia conclamata, diagnosi cristallina. Non-filtri, non-schermi di protezione.)

UTO: E cosa vi siete detti, di così terribile?

(Gioca col fuoco, adesso. Fuoco freddo, brivido lungo la schiena.)

MARIANNE: Non sono le parole.

Ha girato in una piccola strada, si è fermata davanti a una casa di legno simile a casa Foletti ma più piccola. Non ha aperto la portiera, e non l'ho aperta neanch'io; dalla casa non venivano segni di vita. Siamo stati zitti e fermi ai nostri posti, guardavamo davanti.

Poi Marianne di punto in bianco ha detto "Anche mio padre faceva il pittore, lo sapevi?"

"No," ho detto io.

"Ma totalmente diverso da Vittorio," ha detto lei. "Nei suoi quadri, e di carattere. Era l'inaffidabilità più assoluta. Cambiava umore da un minuto all'altro. Comunicava a me e a mio fratello un'insicurezza terribile. Magari lo vedevo di mattina tutto allegro e affettuoso, poi tornavo a casa da scuola, ed era nero. Ma *nero*, così cupo e depresso da fare paura. Oppure si entusiasmava di qualcuno o di qualcosa, e poi se ne stancava nel giro di pochissimo. Iniziava una collezione di minerali, non so, parlava solo di quello e comprava tutti i libri che riusciva a trovare sull'argomento e andava in giro per l'Europa a cercare nuovi pezzi. Poi un giorno gli chiedevo come andavano i minerali e lui diceva 'I minerali?' Come se gli avessi fatto la domanda più stupida del mondo."

Cercavo di immaginarmela, mentre faceva domande a suo padre: magra e aguzza e nervosa, a dodici o quattordici anni nella campagna del Württemberg. Mi immaginavo gli embrioni delle sue espressioni di adesso: gli sguardi in spostamento continuo, la sollecitazione costante, quel suo modo di stare a ridosso delle sue aspettative tutto il tempo.

Ha detto "Ero così abituata a vederlo cambiare umore da un momento all'altro. Mi sembrava quasi normale, anche se continuavo a rimanerci male. Ma quando avevo tredici anni c'è stato una specie di punto di rottura. È venuto fuori anche con l'analisi, molti anni dopo."

"Cos'è successo?" le ho detto, anche se non avevo nessuna voglia di mettermi a fare l'analista anch'io. Ma ero curioso: risucchiato oltre la facciata dei suoi modi di fare, nelle correnti torbide della sua sensibilità estrema.

Lei si teneva una mano sulla fronte, come se ricordare le facesse male; ha detto "Eravamo in vacanza in Liguria, in un paesino delle Cinque Terre dove affittavamo una casa d'estate. Stavamo lì luglio e agosto e a volte anche settembre, mio padre dipingeva tutto il tempo. Diceva che la luce lo riempiva di ispirazione, anche se poi i suoi quadri erano sempre solo dipinti in sfumature di grigi e bianchi e neri."

Non aveva nessun dubbio sui limiti della mia attenzione; si era abituata a questo abbassamento di soglie, a questa disponibilità incondizionata di tutti ad ascoltare tutti. Avrei voluto dirle di tagliare, ma ero preso nel vischio della situazione, chiuso in un abitacolo davanti a una casa di sconosciuti coperta di neve.

Marianne ha detto "Avevamo un cane da quando ero piccola, faceva parte della famiglia ormai. Rudi, si chiamava. Uno schnauzer medio pepe e sale. Molto intelligente, anche, non è vero che gli schnauzer sono stupidi. A mio padre piaceva perché se lo portava dietro nelle passeggiate sulle colline quando non dipingeva. Camminava per chilometri, con il cane dietro. Solo che negli ultimi tempi questo Rudi aveva cominciato ad avere qualche problema nervoso. Succede, con i cani di razza molto selezionati. Gli venivano degli scatti, non so, magari stavamo giocando e si rivoltava, cercava di morderti. Ma non per cattiveria, era buonissimo."

Mi faceva tristezza, anche, sentirla parlare così meticolosa di fatti di chissà quanti anni prima come se fossero ancora di importanza cruciale, ogni piccolo elemento collocato al suo posto preciso per non alterare il significato d'insieme. Potevo vedermi il contesto rigido e legnoso della sua infanzia, i quadri di suo padre in sfumature di grigio, la famiglia di tedeschi in Italia nei primi anni sessanta; la loro percezione alterata ed equivocata del Mediterraneo.

Ha detto "Mia madre semplicemente aveva detto a me e a mio fratello 'Stateci attenti', non è che ne facesse una tragedia. Però un giorno siamo andati tutti e quattro in passeggiata, siamo saliti in cima a un monte da dove si vedeva tutta la costa sotto. Era una giornata bellissima, sotto c'era questa distesa argentata del mare, come mercurio vivo, con le onde appena increspate dal vento. Mio padre diceva 'Guardate, è un'ispirazione fantastica', e anch'io mi sentivo ispirata, anche se non ero un'artista. Era un'ispirazione più profonda, l'ho riscoperta solo molti anni dopo, quando sono venuta qui. Sai quel senso di universale che ti arriva nell'animo? Al di là delle parole e dei ragionamenti? Questa infusione cosmica, come dice lo Swami, quando l'universo ti comunica tutta la sua meraviglia?"

Facevo di sì con la testa, ma avrei preferito che si tenesse alla storia del cane. E avrei preferito che parlasse tedesco o inglese, piuttosto che italiano: aveva un buon lessico, non doveva mai fermarsi a cercare un termine o un'espressione; solo che le venivano fuori tutti questi spigoli, le parole legate e indurite da fare pena.

Ha detto "Comunque, eravamo in cima a questo monte, in questo stato di illuminazione straordinaria, e io e mio fratello ci siamo messi a giocare con il cane. Ci inseguivamo e giravamo in tondo come si fa con i cani, no?, e a un certo punto io ho schiacciato un piede a Rudi con la scarpa senza accorgermene, Rudi ha avuto uno scatto e mi ha morso a una gamba."

Si è fermata, mi guardava negli occhi. Non capivo perché me lo raccontasse, perché io la stessi ad ascoltare; che strano genere di chimica c'era tra noi.

Lei sembrava sul punto di mettersi a piangere da un momento all'altro; ha detto "Mi sono toccata la gamba, e perdevo sangue perché mi aveva morso vicino a una vena, non so, e mio padre mi ha vista e ha fatto un salto da dov'era, ha preso Rudi e l'ha scaraventato giù dalla montagna."

Ho detto "Madonna", ma mi sembrava la scena di un fumetto, più che un terribile episodio traumatico; non riuscivo a prenderla sul serio.

Marianne mi fissava dritto, con tutto il dolore melodrammatico del mondo che le fiammeggiava nello sguardo azzurro; ha detto "È stato terribile. Passare da uno stato di spiritualità così intensa a questa violenza selvaggia, senza nessun passaggio intermedio. Questa violenza primordiale, senza pensieri né sensibilità né niente."

"E tuo padre?" le ho detto, con un vero sforzo per mantenere un'espressione compresa.

"Era disperato," ha detto lei. "Mi ha ripetuto cento volte che l'aveva fatto per difendermi. Aveva perso la testa a vedere la mia gamba che sanguinava, gli era venuto una specie di riflesso automatico. Si è messo a piangere come un bambino, subito dopo, ma io ero sconvolta. L'idea che mio padre potesse compiere un gesto così, qualunque fosse la ragione."

Ho cercato ancora di stare serio, ma mi veniva da ridere: il riso mi saliva dentro come acqua che viene su con una pompa. Mi sono messo a ridere nel modo meno controllato del mondo, ero piegato in due dal ridere. Avevo nell'occhio interno la scena: il bel quadretto idilliaco di vita turistica rovinato dallo schnauzer medio pepe e sale che vola giù nel panorama, mi faceva accartocciare sul sedile.

Marianne mi ha guardato, scossa com'era, ma non si è offesa; dopo qualche secondo ha sorriso, si è messa a ridere anche lei. Mi sembrava che le costasse fatica, però rideva.

Questo mi ha fatto smettere; le ho detto "Mi dispiace."

Lei ha detto "No, no, hai ragione. È giusto ridere. Ma per farlo devi avere una visione, e io per anni non l'ho avuta. Per anni questo è stato lo spettro dell'instabilità, per me. Mi svegliavo di notte sudata fradicia, vedevo mio padre sul ciglio del burrone, Rudi che volava giù."

"È per questo che hai sposato Vittorio?" le ho detto, né serio né per scherzo.

"Sì," ha detto lei.

Siamo rimasti seduti zitti sui nostri sedili nella macchina ferma nella neve, non c'era un solo suono. Mi chiedevo se la signora paralitica da aiutare era morta, dormiva, ci aveva sentiti arrivare.

Marianne ha detto "Davvero. L'ho sposato per compensare tutta l'instabilità e l'incertezza e i dubbi tra cui ero cresciuta. Mi sembrava stabile come una roccia, o semplice come una roccia, se vuoi. Mi sembrava che l'unico problema con lui fosse conquistare la sua attenzione. E i suoi quadri erano così pieni di luce e di colori. Era così terreno e mediterraneo, non mi sembrava che avrebbe mai potuto buttare il cane di famiglia giù da un dirupo."

"E invece non è una roccia?" le ho detto.

Lei ha guardato fuori, si è passata una mano nervosa tra i capelli. Ha detto "Lo è. Ma è proprio questo il problema. È la sua stabilità che mi esaspera, adesso. La sua incapacità di staccarsi da terra. E il suo spirito mediterraneo. Questa mollezza di fondo, questo rapporto così carnale con la vita. Mi sembra di dovergli tradurre tutto, ogni volta che parliamo di spiritualità, e non perché io sono tedesca e lui italiano, non è una questione linguistica. È che lui è un uomo di terra, può arrivare allo spirito per amore mio ma deve sforzarsi tutto il tempo. Se lo deve imporre, ed è il contrario di quello che sostiene lo Swami. E non ci riesce neanche, alla fine, e si riempie di rancore per averci provato."

Le tremano le labbra, allunga una mano a toccarmi una spalla ma la ritira subito: luce azzurra che lampeggia, respiro ravvicinato.

Metto una mano sulla maniglia della portiera, dico "Dobbiamo andare, forse? Non c'è la paralitica da aiutare?"

"Non chiamarla così," dice Marianne a mezza voce, quando siamo fuori e andiamo verso l'ingresso per il vialetto spalato forse da Vittorio o da qualche altro volontario. "Ha avuto un trauma nervoso l'anno scorso, quando suo marito è morto. Era uno dei fondatori di Peaceville, era stato lui a invitare lo Swami dall'India la prima volta."

"E appena è morto, lei *trac*?" dico io, con un gesto e una faccia da orso impagliato.

Lei mi guarda scioccata, eppure ancora protesa in uno sforzo di comprensione; dice "Poverina, erano così legati. Ha perso l'uso delle gambe, da un giorno all'altro." Parla sottovoce, siamo davanti alla porta, sotto una corona di vischio rimasta da Natale. Dice "Lo Swami l'ha invitata a vivere all'ashram, dove sarebbe più assistita, ma lei vuole restare qui. È ancora abbastanza autonoma, vedrai."

Ha suonato il campanello, e dopo forse un minuto la porta si è aperta, c'era una signora tonda e bianca su una sedia a rotelle, ha detto "Non è una bella giornata?"

"Saraswati!" ha detto Marianne, si è slanciata ad abbracciarla nel suo modo sovraespressivo. Mi ha indicato, ha detto "Conosci Uto?"

"L'ho visto da lontano," ha detto la signora tonda e bianca. "Ma ho sentito parlare di lui, naturalmente. Il grande pianista."

"Sì," ha detto Marianne, le brillavano gli occhi. Ci siamo tolti le scarpe, eravamo nel soggiorno, luminoso quasi quanto quello di casa Foletti ma su una scala più ridotta, tutti gli oggetti e le librerie sistemati all'altezza della signora tonda sulla sua sedia a rotelle.

Si muoveva intorno abbastanza disinvolta, avanzava e retrocedeva e anche girava su se stessa con le mani sulle ruote. Ha detto "Siete rimasti là fuori un bel po', eh?"

"Parlavamo," ha detto Marianne, ma è diventata rossa mentre lo diceva; ha fatto finta di guardare fuori da una finestra.

C'era questo clima assurdo, di complicità e purezza spirituale e allusioni, mi metteva in imbarazzo e mi piaceva. L'aria era leggera in modo estremo, depurata più ancora che nelle altre case di Peaceville; mi sembrava di poter ascoltare lo spazio vuoto tra un mobile e l'altro.

Marianne ha detto "Cosa possiamo fare per te?" alla signora tonda e bianca sulla sedia a rotelle.

"Niente," ha detto la signora. Avrà avuto forse ottant'anni, ma i suoi occhi erano scuri e rapidi, non dovevano perdersi molti dettagli di noi due nel suo soggiorno.

Marianne camminava in circoli, alzava d'un tratto le braccia e le lasciava ricadere lungo i fianchi in un modo infantile. Ogni tanto guardava verso di me, puro istinto che la attraversava. Ha detto "Niente niente?"

"No, grazie," ha detto la signora tonda e bianca. "È già passato Shivananda stamattina presto."

Mi era venuto un affinamento incredibile dell'udito, perché mentre la guardavo parlare sorridente e disinvolta mi sembrava di poter ascoltare lo sforzo che le costava il suo atteggiamento: l'affanno per comunicare e per muoversi, tenersi alla nostra altezza malgrado la sedia a rotelle, non lasciarsi cadere sotto la linea della compassione. Mi sembrava di poter ascoltare il suono dell'attenzione di Marianne, il suono del paesaggio immobile fuori; il suono del tempo che passava.

La signora tonda e bianca sulla sedia a rotelle ha detto "Però mi fa piacere vedervi. Sedetevi. Volete dei biscotti?"

E non so bene cosa mi ha preso, ero stretto tra imbarazzo e claustrofobia e divertimento, dispiacere e indifferenza totale, con questa strana percezione del vuoto tra gli oggetti e questa strana ipersensibilità acustica; senza pensare a niente ho detto alla signora sulla sedia a rotelle "No, vorremmo che ti alzassi, più che altro."

Uto Drodemberg il santo. Alone luminoso che gli dà luce ai capelli in un modo incredibile quando si muove nella stanza. Fa un gesto verso la signora sulla sedia a rotelle, e la signora si alza. Lui le punta un dito verso la fronte, lei va indietro per un attimo sullo schienale della sedia a rotelle e si alza. È in piedi, cammina a passi incerti e stupefatti attraverso il soggiorno, e certo non ha un equilibrio straordinario dopo un anno che non si muove, ma cammina. Anche solo due minuti prima sarebbe sembrato impossibile ma cammina. Marianne in lacrime, la signora in lacrime, si abbracciano in piedi al centro della stanza. La signora comincia a fare dei salti goffi intorno, non riesce ancora a crederci, non si ricorda bene come usare le gambe. Neanche Marianne riesce a crederci, guarda Uto e piange. Ammirazione senza limiti, ammirazione-attrazione, attenzione così concentrata da impedire a chiunque di parlare ma non ce n'è bisogno, non c'è verso di tradurre in parole un momento come questo.

La signora sulla sedia a rotelle mi guarda perplessa, ha l'aria di non capire cosa intendo.

Mi sembra tardi per tornare indietro, adesso che mi sono sbilanciato: mi sembra di poter andare solo avanti, a questo punto. Le vado vicino attraverso la sua perplessità e le appoggio una mano sulla fronte, lento. Le appoggio la mano sulla fronte liscia e abbastanza fresca, le dico "Ti alzi?"

Lei non si alza; scuote appena la testa, con un sorriso di imbarazzo o incredulità o compassione. Dice "Non capisco", si guarda intorno.

E Marianne si è già intromessa tra di noi, dice "Uto?" Dice "Scusa, Saraswati, ma Uto è molto stanco. È un momento molto difficile, un po' per tutti noi. Sono sicura che lo puoi capire. Scusaci tanto."

"Non ti scusare," dice la signora sulla sedia a rotelle, con la tolleranza infinita che hanno tutti qui, almeno finché non esplodono come è successo a Vittorio. Dice "Sono sicura che l'ha fatto con una buona intenzione."

"Sì, ma è davvero stanco," dice Marianne, mentre mi tira verso la porta per una manica. Dice "Ha bisogno di riposarsi, adesso."

Quando eravamo forse a un chilometro di distanza dalla casa della paralitica, mi ha detto "Cosa ti è venuto in mente?" Incerta, aspettative liquide elettriche nel suo sguardo.

"Mi è venuto così," ho detto io, preso in un vischio di delusione che non mi faceva sentire più niente. Ho detto "Forse è solo che mi annoiavo."

Marianne mi ha guardato senza nessuna convinzione sedimentata, sfiorava appena l'acceleratore con la punta del piede.

Via un braccio

Passi pesanti su per le scale, attraverso la musica che ho nella cuffia; Vittorio affacciato sulla porta prima che io abbia il tempo di assumere una posizione di difesa. Dice "Mi daresti una mano a tagliare della legna per una vicina?" Sguardo ostile, fondo di sfida, ironia angolata male.

Sguardo-vetro a specchio di risposta; non gli lascio vedere niente di quello che penso. Dico "Va bene", spengo il walkman e chiudo il libro di astronomia elementare che ho in mano, mi alzo, mi infilo gli occhiali da sole come se non mi costasse la minima fatica. Flessibile, baricentro basso, movimenti fluidi; scivolare di lato al minimo urto.

Strappato via dalle mie immagini circolari, dal riparo di tana e dall'aria riscaldata; trascinato fuori nel freddo dello spazio aperto, nella luce violenta che riverbera su tutto il bianco del paesaggio. Nevica di nuovo, anche: fiocchi piccoli e rapidi, pesanti come gocce di pioggia gelata condensata. L'aria mi fa male alle narici alla fronte alle tempie alle orecchie allo stomaco nel tratto fino alla macchina; risentimento altrettanto freddo e acuto dell'aria, rabbia fredda di animale stanato. Allarme all'idea del rancore che deve avere accumulato anche lui, dei desideri di vendetta che gli si sono avvitati dentro compressi come molle.

Andiamo per la strada coperta di neve, ma sembra che le ruote incontrino molto più attrito dell'ultima volta che guidava Marianne, ci dev'essere qualcosa che non va forse con l'albero di trasmissione. Neanche il suono del motore è quello di prima, produce una vibrazione sorda e fonda come il nostro risentimento reciproco. Vittorio tende l'orecchio ma sta zitto, si limita a tenere la rotta; vibriamo e rotoliamo senza dire niente attraverso questo mare di bianco, con tutta questa neve rapida e pesante che tamburella sul tetto di lamiera e sui vetri, rende il lavoro difficile ai tergicristalli.

Mi aspetto da un momento all'altro che lui mi gridi che gli ho rovinato la vita e distrutto l'equilibrio della famiglia, ma non lo fa. Mi aspetto che schiacci di colpo il piede sul freno e faccia slittare di qualche metro la macchina e mi prenda per la giacca in un vero slancio omicida; non lo fa.

Invece a un certo punto dice "Hai visto com'è Marianne?"

"In che senso?" dico io, troppo rapido.

"Be', non ti sembra che sia cambiata abbastanza?" dice Vittorio.

"Da quando?" gli dico, troppo lento.

Lui non mi guardava; ha detto "Da prima che arrivassi tu."

Ho cercato di concentrarmi sul paesaggio, ma potevo guardare solo davanti, i finestrini laterali erano coperti di neve. Ho detto "Non lo so. Non ho idea di com'era prima."

"Già," ha detto Vittorio. "Ma come diresti che è, adesso?"

"Non lo so," ho detto di nuovo. Non riuscivo a trovare l'angolazione giusta per farlo scivolare oltre sul suo stesso slancio secondo la tecnica dell'aikido con Ki; ho detto "Un po' nervosa?"

Lui ha sorriso, risentimento puro in forma di sorriso. Ha detto "È fantastica questa tua distrazione, Uto. Questo tuo distacco stellare. Immagino che venga in dotazione con tutte le tue altre qualità straordinarie."

"Non capisco di cosa parli," gli ho detto, nell'abitacolo saturo di rancore come l'atmosfera di un pianeta non abitabile.

Vittorio ha detto "Del resto è proprio questo che l'ha folgorata, no? Questo tuo essere così straordinariamente lontano da terra."

Mi sono aggiustato gli occhiali da sole sul naso, cercavo di salvare un minimo di stile anche in un momento così penoso.

"Anche Nina è rimasta folgorata," ha detto Vittorio. "E Giuseppe, no? Sei riuscito a conquistare tutta la famiglia, davvero. Complimenti."

"Non capisco di cosa parli," gli ho detto di nuovo. Guardavo tutto il bianco fuori quando il tergicristallo liberava la mia parte di parabrezza, ma questa difesa cedevole non mi dava soddisfazione: avrei avuto voglia di gridargli contro qualcosa, tirare fuori anch'io il rancore che avevo per lui.

"Di niente," ha detto lui. Adesso sembrava assorto, più che furioso: appoggiato su un'onda lunga di risentimento che andava molto oltre di me, oltre l'orizzonte. Ha girato a destra per una strada secondaria, senza vera attenzione, senza quasi più traccia dell'eleganza zen con cui guidava quando mi era venuto a prendere all'aeroporto con Jeff-Giuseppe.

Guardavamo tutti e due la neve che sommergeva i prati e gli alberi e le staccionate e le siepi ai due lati, con il riscaldamento che ci soffiava in faccia. Mi veniva in mente il sedere di Nina, lo sguardo di Marianne, Jeff-Giuseppe con le mani in tasca; gesti e parole mi cadevano fitti nei pensieri come la neve sul paesaggio.

Vittorio ha detto "Non ti preoccupare, Uto. Non ho certo bisogno di dirtelo, ma non ti preoccupare. La vita per te è una specie di supermarket, no? Prendi tutto quello che vuoi, anche quello di cui non sai cosa fare, tanto è lì a disposizione. Tanto hai una carta di credito illimitata, per ora."

Cercava di tenere un tono distaccato, ma non ci riusciva: la rabbia gli faceva agglutinare le parole, gli intorbidava lo sguardo.

Dice "Goditela, caro Uto. Tutto quello che per te è scontato io devo ottenerlo con uno sforzo. Tu ce l'hai e basta. E non l'apprezzi neanche."

"Cosa ne sai, tu?" gli ho chiesto, con una voce che mi era diventata ruvida come carta vetrata, mi dava altrettanto fastidio alla gola.

"Be', lo vedo," ha detto lui. "Questo tuo modo incurante di avere talento, senza pensarci e senza sforzo, senza nemmeno volerlo."

"Hai abbastanza talento anche tu, no?" gli ho detto. "E anche abbastanza riconosciuto, no? Non mi sembra che ti possa lamentare."

"Sì," ha detto lui. "La differenza è che io mi devo *ammazzare* per dipingere un quadro. A te basta sederti a un pianoforte. Ti basta respirare, in quel modo svogliato che hai anche quando respiri. Hai questa specie di dono del cavolo, e non ne fai *niente*." L'odio lo stava travolgendo, adesso: l'odio verticale per la nostra differenza di età e l'odio orizzontale per i nostri diversi modi di essere, l'odio in andata per me, l'odio di ritorno per sua moglie. L'odio gli passava attraverso il corpo e gli si riversava nei gesti e nella voce, forzava i contorni di ogni sua parola fino a farla diventare una specie di arma a percussione che mi minacciava da vicino.

Gli ho detto "Anch'io ho faticato, da piccolo. Mi facevano suonare per ore e ore ogni giorno, non ne avevo nessuna voglia. Avevo i maestri sempre addosso."

"Poverino," ha detto Vittorio. "Povero martire, che compassione."

Gli ho detto "Non è proprio così semplice come sembra. Credo che ci sia qualcosa di più."

"Cosa? *Cosa?*" ha detto lui, con una voce da rissa che veniva sotto a sfidarmi in modo sempre più aperto. "Io ogni volta che dipingo un quadro devo mettere in gioco tutte le mie energie fino alla *disperazione*. Devo fare questa lotta patetica, sudare e piangere per la rabbia e la frustrazione, faticare finché mi viene la nausea. Non hai la minima idea di cosa sia, tu. Di cosa voglia dire. Il giovane dio che deve solo posare le mani su una tastiera, la musica viene fuori da sola. Meno si sforza, più è sublime. Così zen, non c'è da stupirsi che il guru sia rimasto tanto incantato."

Cercavo di guardarlo il minimo possibile, non raccogliere la sfida, eppure almeno una parte di me aveva voglia di farlo, il sangue mi friggeva dalla voglia di rispondergli sullo stesso piano. Un colpo secco sul collo, un colpo di gomito alle costole che gli fa perdere il controllo della guida, un calcio alla testa appena è finito sul pavimento della macchina, nella frazione di secondo tra la sorpresa e l'attivazione dei suoi istinti di reazione.

Uto Drodemberg il killer. Magro e sottile e pallido, contro Vittorio Foletti tutto solidità e radicamento, faccia arrossata dall'aria aperta muscoli polsi larghi grosse gambe grossi piedi piantati a contatto con la terra respirazione profonda terrificante intollerabile. Vittorio Foletti che va all'attacco come un orso inferocito, come un contenitore vivente traboccante di ragioni offese, buoni sentimenti intaccati e sovvertiti. Uto Drodemberg che si abbassa e scivola di lato, si gira ed è già pronto per un nuovo attacco. C'è una flessibilità incredibile nelle sue giunture, una rapidità incredibile nelle sue braccia e gambe, non ha fretta di arrivare al colpo decisivo. Salta arretra scivola di lato si gira, riesce a eludere ogni tentativo di impatto frontale, salta in alto e vola, è molto sopra l'abitacolo e la macchina e la strada e la neve, volteggia vicino alle nuvole nel più puro e sereno distacco, senza sforzo senza tensione senza vincoli di nessuna delle leggi fisiche.

Gli dico "Non è colpa mia, se fai fatica a dipingere."

Vittorio mi guarda, saturo in ogni fibra di risentimento per tutto quello che ha fatto per la sua vita e che la sua vita non ha fatto per lui.

Gli dico "Non è neanche colpa mia se fai fatica a vivere."

Lui sembra sul punto di scattarmi contro, ma si trattiene; non dice niente, sorride avvelenato, si morde il labbro di sotto.

Siamo arrivati, anche: fermi davanti al vialetto di accesso di una piccola casa bassa prefabbricata, dove qualcuno è già venuto a spalare la neve prima che riprendesse a cadere.

Siamo scesi senza parlare, andati verso la porta d'ingresso. Una pallidona magra vestita da semimonaca ci stava guardando da dietro i vetri di una veranda, ha fatto un cenno di saluto.

Vittorio le ha gridato "Buongiorno, Hawabani. Dov'è la legna?" Così pieno di rabbia repressa che non riusciva più a usare il tono soffice di Peaceville, gridava come un carrettiere centroitaliano.

La Hawabani ha socchiuso una finestra e ha sporto un dito magro e arcuato, a indicare una catasta di ciocchi ben ordinati. Ha detto "Tagliatemela piccola, però. Altrimenti non entra nella stufa."

"Più piccola che possiamo, stai tranquilla," ha detto Vittorio, in un tono quasi da insulto. Odiava anche lei, ormai; odiava tutta la comunità spirituale e i gesti e i sorrisi e gli scambi di cortesie, non riusciva più a nasconderlo.

La Hawabani ha ben richiuso la finestra, è sparita dentro casa.

Vittorio è andato a prendere la motosega in macchina, si è infilato un paio di guanti da lavoro, ha tirato il cavetto di accensione: rumore lacerante nel silenzio del paesaggio, odore di miscela bruciata che avvelenava i fiocchi di neve e li faceva fondere a mezz'aria.

Mi costa non girarmi e correre via a salti attraverso la distesa di neve che ci separa dalla strada principale. Devo bloccare tutte le mie molle interne per restare fermo con le mani in tasca, guardare la condensa del mio fiato anche se la mia attenzione è tutta al margine destro del mio campo visivo.

Uto Drodemberg, appena inclinato su un lato con un'indolenza leggera, nobile e romantica. Un bel contrasto con l'andatura di Vittorio Foletti che viene avanti con la motosega in mano. Sentite che genere intollerabile di vibrazioni sonore riesce a produrre, in confronto a quelle che Uto Drodemberg tira fuori dal pianoforte. Confrontate i due sguardi, mentre Vittorio Foletti si avvicina sem-

pre più e Uto Drodemberg sta fermo, aspettando di sentirsi mordere il fianco dalla catena dentata da un momento all'altro.

Vittorio è passato oltre, ha detto "Se vuoi un paio di guanti, sono in macchina."

Ho fatto finta di non sentirlo, l'ho seguito dov'era impilata la legna in tronchetti lunghi. Lui ne ha preso uno e lo ha appoggiato su un ceppo, ha abbassato la catena della motosega, prodotto vibrazioni ancora più feroci, mandato una nuvola di segatura tutto intorno a sporcare la neve. Poi ha preso i due pezzi e li ha segati di nuovo in due; ha detto "Piccoli, eh? Piccoli piccoli", li ha buttati di lato con un calcio. Mi ha guardato, ha fatto un cenno sbrigativo per farsi passare un altro ciocco.

E adesso non so se è intollerabile fargli da aiutante, con il rancore che c'è tra noi, o ci si può vedere anche un lato divertente, o addirittura è l'occasione per un atteggiamento nobile da parte mia, scendere nel basso di un'attività così stolida e ripetitiva. Se guardo la situazione in questa chiave, può andare; si tratta solo di mantenere un sottile margine di distacco in ogni gesto, un'ombra di malinconia che mi affiori agli occhi e allunghi in modo appena percettibile i miei movimenti, li adagi sull'onda di una possibile colonna sonora.

Raccoglievo i tronchetti e li posavo davanti a Vittorio, lui abbassava la motosega senza aspettare un istante, li tagliava a metà mentre ancora stavo ritirando la mano, di nuovo in due mentre mi spostavo di lato. Non si fermava per aspettarmi, non rallentava neanche di poco: andava avanti come se volesse fare a pezzi anche la padrona di casa, oltre a me, fare a pezzi tutta Peaceville. Ha detto "Che poi tanto non esiste nessuna vera riconoscenza, per queste cose. Appena sotto i sorrisi."

Mi facevano male le mani sulla scorza ruvida gelata dei tronchetti, ma era troppo tardi per andare a prendere i guanti da lavoro in macchina, avrei perso subito il poco vantaggio di nobiltà che riuscivo a mantenere.

Vittorio ha detto "Neanche con la tua donna. Puoi lavare i piatti ogni volta che avete finito di mangiare. Puoi ammazzarti in attenzioni. Piccoli e grandi e medi gesti. Alla fine *non conta*. Alla fine le considerazioni sono altre."

Le sue parole mi arrivavano a strappi nello stridore selvaggio, insieme agli spruzzi della segatura che ci finiva nei capelli e negli occhi e nei polmoni mescolata all'odore di olio e benzina. Mi sembrava che Vittorio non si rivolgesse neanche a me in modo specifico, ma a un uditorio più generale, agli ascoltatori osservatori del mondo nascosti nel paesaggio coperto di neve.

Diceva "Puoi fare di tutto. Dimenticarti quello che vuoi. Dimenticarti chi sei. Metterti in secondo piano. Come una comparsa. Mettere in primo piano lei. Fare lo spettatore a tempo pieno. L'assistente e ammiratore a tempo pieno. E non basta *mai*."

Il rancore lo spingeva a lavorare con una violenza maniacale: mi sembrava che si avventasse su ogni nuovo tronchetto che gli passavo con più furia, in modo da produrre più rumore e più fumo e più segatura.

Diceva "C'è questa specie di rapporto automatico. Tra quello che dai e quello che viene preso. Non importa quanto dai. Quello che viene preso è sempre di più. O quello che viene chiesto. E quello che viene chiesto non ce l'hai. Passi la vita a riempire il tuo negozio. Di cose che vorresti offrire a chi vuoi bene. Commestibili e no. Tutti i colori e le forme. Le consistenze. Ti sembra che ci sia fin troppo. Ti sembra che dovresti addirittura eliminare qualcosa. Fare un po' di spazio. Invece lei si guarda intorno. E scopre che proprio quello che voleva. Non c'è. Magari non te lo dice. Ma lo pensa. Lo pensa. Ha quest'aria così *delusa*. Madonna."

Si gira a guardarmi, con occhi così pieni di rabbia da farmi quasi desiderare che la situazione degeneri del tutto, salti dai cardini che l'hanno trattenuta fino a questo momento. Urla selvagge, gesti violenti, lineamenti distorti, padrona di casa affacciata alla finestra, accuse e insulti al di là di qualunque possibile controllo. Non ho paura, va benissimo. Vai, vai.

Vittorio va avanti a tagliare, con le grosse braccia che gli tremano per le vibrazioni, gli occhi socchiusi per evitare le schegge che volano dappertutto, a momenti sul punto di perdere l'equilibrio. Non rallenta il ritmo, ma anzi sembra che lo acceleri di un poco ogni volta, per mettermi in difficoltà e perché la rabbia continua a crescergli dentro in modo inarrestabile.

Dice "Così forse alla fine. Hai ragione tu. Caro Uto. A fregartene di tutto. E di tutti. A dare il minimo. Prendere quello che ti serve. È così. Che bisogna fare. È così!"

Nel giro di venti minuti aveva già prodotto una montagna di pezzi di legna da sommergerci la padrona di casa, bloccarle i movimenti peggio della neve. Ma non si fermava, continuava a segare come se volesse fare fronte a tutte le richieste della vita in una volta sola, saldare tutti i debiti con gli interessi e metterceme ancora.

Ha detto "Tanto puoi spremerti fino al midollo. Di devozione pura. Rinunciare a tutto il resto. Che potresti fare nella vita. E non è lunga, Uto. Ma puoi bruciartela tutta. Solo per lei. Sacrificarti come un cretino. Diventare un asceta. Niente sale, niente di niente. Poi arriva il primo pinocchietto. Freddo e cinico. Travestito da teppista. Travestito da angelo. E lei perde la testa. Completamente. Ha questo sguardo. Fiuta la traccia, no? È *lui* quello che cercava!"

Continuavo a passargli legni, con le mani che mi facevano male e i timpani rintronati dalle sue parole e dallo stridore della motosega e gli occhi e i polmoni che mi bruciavano per la segatura e per il fumo di miscela bruciata, avrei voluto rispondergli ma non lo facevo. Andavo più veloce che potevo, per non dargli la soddisfazione di lasciarmi indietro: sollevavo e spostavo e raccoglievo legna come una furia, a volte riuscivo a incalzarlo in anticipo, lo costringevo a calare la catena rotante con ancora più frenesia. Era una specie di gara selvaggia, dove nessuno dei due voleva darla vinta all'altro; ci urtavamo spalla contro spalla ogni tanto, ci soffiavamo vapore addosso con tutto il rancore del mondo, aumentavamo ancora il ritmo.

A un certo punto ero così dentro questo gioco che gli ho gridato attraverso il rumore "Adesso taglio io!"

Vittorio si è girato con una luce incerta negli occhi, mezzo sorriso ironico sulle mie capacità di tagliatore di legna e di rapporti con il mondo materiale.

Questo mi ha spinto a insistere, allungare una mano verso la motosega, gridargli "Faccio io!"

Lui mi ha fissato ancora, coperto di segatura e sudato com'era; mi ha passato la motosega.

Me la passa anche perché dev'essere stanco malgrado la sua energia apparentemente inesauribile, ha già tagliato un quintale di legna a ritmo da lavori forzati, ma continua a fissarmi con uno sguardo di sfida mentre impugno la maniglia e abbasso la catena in movimento grattato furioso sul primo tronco e lo faccio mordere dai piccoli denti metallici invisibili nella frenesia di scorrimento, faccio mangiare un solco rapido nella polpa di cellulosa che schizza tutto intorno insieme al fumo e al rumore lacerante.

Vittorio dice "Che bravo. Puoi fare qualunque cosa, se ti ci metti. Un vero genio poliedrico. Ha ragione Marianne. E così caritatevole. Così dedito agli altri. Guardatelo!"

Vado avanti lo stesso, con i piedi che mi scivolano sulla neve sciolta e ghiacciata, il sudore che mi cola sulla fronte e sotto la giacca e si congela malgrado il movimento e lo sforzo e la rabbia e la frustrazione che mi bruciano dentro. È molto meno facile di come mi sembrava a guardare Vittorio, ci metto molto più tempo di lui e sono molto meno stabile e preciso, le sue occhiate laterali senza tregua mi esasperano e mi affrettano e mi sbilanciano nel modo peggiore.

Lui dice "Ma naturalmente ti dovrei ringraziare, no? Come dice il guru. Esserti riconoscente come un cane ripescato da un fiume, no?"

E mentre lui parla con questa rabbia scardinata nella voce e io vado avanti con altrettanta furia nelle vibrazioni e nel fumo e nel rumore, il tronco cede prima del previsto o slitta sul ceppo gelato, in ogni caso di colpo non c'è più e io sono inclinato sul nulla e sbilanciato con la motosega in movimento e tutto il peso in avanti, scivolo con una lentezza inevitabile, scatto dopo scatto:

Il mio piede sinistro.

Le fibbie del mio scarpone sinistro.

Il mio braccio sinistro.

Vibrazione incontrollabile lungo il braccio destro.

Sguardo di Vittorio dall'alto (sorpreso-allarmato).

Sguardo mio dal basso (neutro-curioso).

Il peso che mi tira avanti (tutto è instabile).

Il mio respiro, regolare.

Cuore in accelerazione (distante).

Mano sinistra a terra (contatto, tentativo di equilibrio).

Motosega nella mano destra (dita ancora premute sulla leva del gas).

I denti grattanti urlanti divoranti della catena in movimento, troppo rapidi per essere visti sul cuoio nero opaco della manica della mia giacca che si apre come con una cerniera invisibile.

Fitta di dolore immaginato anticipato posticipato freddo caldo ridicolo distante troppo vicino Vittorio che grida e mi arriva addosso in ritardo sulla sua espressione e in anticipo sulla sua voce rumore fumo odore di olio bruciato di pollo fritto di bistecca scottata, al sangue.

Cado in avanti leggero sulla fine del rumore e del fumo e dell'odore e dello sforzo di stare in equilibrio.

Gli si potrebbe proiettare dietro un fondo di nuvole in movimento, se non fosse banale. Forse meglio un fondo di paesaggi variabili, nuvole e alberi visti dall'alto, un lago ripreso da un elicottero a volo radente, su cui farlo scivolare senza il minimo sforzo in questa posizione da volatore incurante. Ma può andare anche tutta la neve che c'è intorno, non manca certo il materiale scenografico. Il rosso molto rosso del sangue che cola sul bianco molto bianco, visto dall'alto in una ripresa che sale e si allontana fino a inquadrare la casa e i boschi e le altre case e il tempio-fungo e la Kundalini Hall e l'intera regione ovattata smorzata ammantata nella sua distanza infinita dai suoni del mondo.

L'ostaggio diventa un eroe

Luce. Caldo. Morbido. Liscio. Fruscii di passi. Fruscii di stoffe. Fruscii di respiri. Fruscii di sguardi.

Non sono nel mio letto in cima alle scale, sono in un letto di ospedale, con due cuscini di piuma sotto la nuca, una fasciatura complicata che mi blocca il braccio sinistro. Fruscio dello sguardo di Marianne. Fruscio dello sguardo di Nina, di Jeff-Giuseppe subito dietro. Fruscio di un'infermiera vicina a un lavandino. Vittorio immobile con le spalle alla finestra. Non sono neanche sicuro che il braccio sinistro ci sia ancora. Sento un dolore ristretto e tirato sotto il gomito, nel punto dove mi sono tagliato con la motosega, ma potrebbe essere solo una memoria di sensazioni, come ho letto in qualche libro sulla prima guerra mondiale a proposito dei mutilati di guerra. Provo a muoverlo e non ci riesco; non capisco. Non-familiarità di sensazioni, eppure mi sembra tutto già vissuto: ho già visto questa scena da fuori e da dentro, in ogni dettaglio minuto. Fruscio dell'infermiera in avvicinamento. Richiudo le palpebre, non mi importa del braccio. Fruscio di Marianne in avvicinamento, dice nel suo tono più soffice "Uto? Sei sveglio?" Incerta, onda alterna di apprensione. Mi lascio ricadere all'indietro, ristacco i collegamenti; non mi importa niente di niente. Equidistanza perfetta, leggerezza di nuvola.

Uto Drodemberg che gira e rigira nello spazio. Fa capriole e piroette in aria, in avanti e all'indietro. Braccia ai lati della testa come un tuffatore, scende in picchiata attraverso le nuvole e poi frena e risale ad arco, vola a faccia in su. Raccoglie le gambe e le braccia, rimbalza nello spazio come una molla. Si allarga e si restringe, non c'è limite. Oltre le forme, al di là delle linee e delle fisionomie da riconoscere. Percepisce tutto in termini di luce, variazioni di densità, oscillazioni di temperature. Fasci e onde di energia. Calore rosso calore bianco calore blu. Può risalire dritto su per il fascio luminoso del tempio-fungo, zampillare dall'apertura sopra la cupola e girare molto in alto sopra il paesaggio, energia dalla punta dei piedi alla punta delle dita delle mani estese in fuori vibranti di tutta l'energia dell'universo. Può tornare giù in picchiata, verso il basso delle sensazioni e dei sentimenti, delle attrazioni del formicolio del languore della fame della sete delle forme bisogno acuto di una faccia desiderio di contatto tatto gesto sguardo atto.

Mal di testa. Sete. Labbra secche. Il punto dove mi ero tagliato mi pungeva e pizzicava in modo insopportabile sotto la fasciatura. Ho allungato la mano destra, più cauto che potevo, una lumaca drogata di mano, faceva un millimetro al secondo. Il braccio sinistro c'era ancora, ma dal gomito in giù non sentivo niente. Ho provato ad alzarlo: niente.

Sguardo in avvicinamento. Respiro e mano in avvicinamento. Marianne in avvicinamento sulla stessa onda soffiata del suo respiro. Un bicchiere di spremuta d'arancia, me lo accosta alle labbra. Sorride. Sorriso-respiro. Fruscio di stoffa. Piccoli sorsi, il liquido freddo e zuccherino mi scende in gola e per un percorso infinito fino allo stomaco, mi va in circolo insieme al suo colore arancione.

Marianne mi ha detto "Come va?" Mi guardava da un metro, molto più chiara dell'infermiera bianca che le prendeva il bicchiere vuoto di mano, nella luce bianca attraverso le tende bianche alla finestra.

"Il braccio?" ho chiesto, con una voce più roca di quella che avrei potuto avere se solo mi fossi schiarito la gola, ma preferivo così.

"È un brutto taglio," ha detto Marianne, in un tono perfettamente soffice. "Ti hanno dovuto ricucire tutto. Non so quanti punti." Talmente pervasa di spiritualità, aveva una specie di orgoglio da martire per interposta persona.

"Però?" ho detto, rivolto più all'infermiera che a lei, paura e incuranza universale che mi si alternavano dentro.

L'infermiera ha detto "Tra poco viene il dottore, le spiegherà lui la situazione."

Marianne sorrideva piena di luce, sguardo da ghiacciaio himalaiano; ha detto "Devi essere forte e sereno. L'importante è che tu sia vivo."

"Già," ho detto io, stupito del mio distacco eppure con un battito disperato da coniglio in fuga subito sotto, pensavo non è possibile non è possibile. Pensavo indietro-veloce-indietro-veloce ma restavo fisso su pausa, non c'era verso.

Spazio. Pensieri-non-pensieri che girano su se stessi, come pianeti nello spazio. Sete. Voci filtrate. Fruscii. Respiri in avvicinamento.

Marianne dice "Uto? C'è il dottor Samuelson, qui."

Il dottore mi fissa a poca distanza. Capelli grigi, ma è giovane. Forse troppo giovane; tutto il suo modo di stare in piedi e muoversi è studiato per compensare. Sorriso da pilota in passaggio di categoria. Sicurezza ostentata su basi malcerte. C'è anche Vittorio, vicino alla porta, mi guarda senza espressioni.

"Allora?" dico io. Voce-carta vetrata.

"Siamo svegli?" dice il dottor Samuelson. Sguardi convergenti dell'infermiera e di Marianne. Non ci sono tasti da schiacciare, ci sono dentro fisso.

Cerco di muovere il braccio sinistro ma non ci riesco. Pausa, con una fantastica stabilità di immagine, non c'è traccia di tremolio. Non sento l'avambraccio non sento il polso non sento la mano non sento le dita non sento i polpastrelli: zero.

Il dottor Samuelson sorride ancora, gli tirerei addosso un cuscino con la mano buona. Sorriso-cattiva notizia, arretrato e misurato nei suoi effetti. Sorriso-scuola medica, credo. Dice "Hai fatto un bel lavoro di taglio, Uto. Muscolo e nervo, anche un pezzo di osso, per fortuna la motosega si è fermata prima che tranciassi via proprio tutto."

"E adesso?" gli dico, con ancora più irritazione all'idea che mi chiami per nome.

"Adesso devi riposarti," dice Samuelson. "E ringraziare di avere ancora il braccio attaccato, Uto."

"Ma usarlo?" gli chiedo, e il battito disperato da coniglio in fuga tende a venire in superficie anche se lo ricaccio sotto.

"Vedremo," dice Samuelson. "È presto, per dirlo."

"Però?" gli dico, in un tono più duro.

"Dovrai fare molta rieducazione," dice lui. "Esercizi con le macchine, fisioterapia, ionoforesi." Tono da politico, tono da raccontatore professionale di bugie; si muove e parla lento per compensare il dubbio di sembrare troppo giovane. Forse si tinge i capelli, anche, certo il grigio aiuta.

"E...?" gli chiedo.

"Si ottengono degli ottimi risultati," dice Samuelson. "Con molta pazienza. Ma non bisogna avere aspettative eccessive. Non credo che potrai più suonare il piano, almeno con la sinistra." Guarda Marianne, che deve avergli raccontato tutto di me; dice "Non avrai più molta sensibilità all'avambraccio o alla mano, ma con il tempo potrai fare qualche movimento."

"Zero sensibilità?" dico io, già più in controllo del mio tono.

Samuelson mi guarda, non del tutto deciso sul grado di brutalità da usare; fa cenno di sì con la testa. Dice "Ho paura di sì."

"Perfetto," dico io. Voce equilibrata, lineamenti distesi, grande distanza tra i battiti delle ciglia. Mi chiedo se è normale conservare un senso del teatro anche in un momento come questo, di fronte a un braccio perso nel modo più idiota del mondo, quando il panico e la rabbia e l'incredulità mi spingerebbero solo a urlare.

Marianne e l'infermiera sembrano ammirate, in ogni caso. Vittorio con le spalle al muro non muove un muscolo. Il dottor Samuelson è perplesso, non capisce bene con chi ha a che fare. Mi dice "Cerca di riposarti, Uto. Ci vediamo domani." Saluta tutti ed esce, seguito da un assistente che era rimasto sulla porta.

Marianne viene a sistemarmi meglio i cuscini. Vittorio resta fermo a guardarmi da qualche metro, poi si decide ad avvicinarsi; mi sfiora il braccio sano, dice "Mi dispiace." Mi sembra che frigga di rabbia, appena sotto le parole; è probabile che mi riempirebbe di botte se potesse.

Sua moglie non lo guarda, guarda solo me.

Entrano anche Nina e Jeff-Giuseppe, pallidi e sgomenti, in punta di piedi. Si fermano in mezzo alla stanza, mi fanno piccoli cenni di saluto, dicono "Come va?"

Faccio un cenno ancora più ridotto con la mano superstite, muovo appena le labbra anche se potrei parlare. Guardo Nina, pienotta come sta diventando finalmente, penso a quando l'avevo stretta tra le braccia nel bosco e in cucina: alla sensazione delle mie due mani sulla sua schiena.

Lei mi guarda da qualche metro di distanza, come un giovane animale allarmato, senza decidersi a dire niente. Si gira verso Jeff-Giuseppe, hanno tutti e due gli occhi pieni di lacrime.

Dico "Non drammatizziamo, adesso. Per piacere", anche se mi viene un tono da telefilm più che da film come avevo pensato. Sorrido, porgo il profilo migliore. Penso che fregatura incredibile che fregatura incredibile, un braccio perso perché la pallidona semimonaca si possa rinzeppare la stufa fino a scoppiare di caldo come se fosse ai tropici.

Nello stesso tempo non mi dispiace e non mi importa più di tanto; e a vedermi da fuori non mi sembra di dare una brutta immagine. Devo anche essere pieno di sedativi o anestetici, certo hanno la loro parte in questo distacco.

MARIANNE: Perché glielo hai fatto fare?

VITTORIO: È lui che ha voluto.

MARIANNE: Ma non dovevi.

VITTORIO: Se ha insistito. Mi ha strappato la motosega di mano.

MARIANNE: Tu non dovevi lasciargliela.

VITTORIO: Cos'è adesso, mi consideri responsabile?

MARIANNE: *Sei* responsabile.

VITTORIO: Gli ho solo chiesto se voleva venire ad aiutarmi.

MARIANNE: Un pianista così straordinario. Adesso non potrà più suonare.

VITTORIO: Smettila di guardarmi come se fosse colpa mia.

MARIANNE: *È* colpa tua.

VITTORIO: Ah sì? E l'avrei fatto anche apposta, magari?

MARIANNE: Sei talmente pieno di ostilità verso di lui.

VITTORIO: E perché dovrei esserlo?

MARIANNE: Perché è così giovane e puro e sensibile.

VITTORIO: Poverino.

MARIANNE: Così pieno di doti naturali.

VITTORIO: Mentre io sono vecchio e impuro e insensibile e privo di doti naturali?

MARIANNE: Certo ti ha dato fastidio fin dal primo momento.

VITTORIO: E come lo sai, tu?

MARIANNE: L'ho visto. Non ci vuole un'aquila.

VITTORIO: Ah sì? E come?

MARIANNE: Dal tuo modo di fare.

VITTORIO: Quando?

MARIANNE: Sempre.

VITTORIO: Per esempio?

MARIANNE: Sempre. Anche Nina e Jeff se ne sono resi conto.

VITTORIO: Non è vero.

MARIANNE: Invece sì. Hai avuto questa ostilità istintiva fin dal primo momento.

VITTORIO: Ma guarda che è stato lui tremendamente ostile verso di me, dal primo momento.

MARIANNE: Era solo timidezza. E tu hai reagito in modo così negativo, invece di cercare di capirlo.

VITTORIO: È lui negativo, come fai a non vederlo? È una carogna.

MARIANNE: Non è vero.

VITTORIO: È carico di rancore allo stato puro.

MARIANNE: Ma è comprensibile, dopo la disgrazia terribile a Milano e tutti i problemi di famiglia che ha avuto prima. Non ci hai pensato?

VITTORIO: Ci ho pensato, e mi sembra molto probabile che sia stata colpa sua, se quel poveretto di Antonio si è fatto saltare in aria.

MARIANNE: Sei un mostro, Vittorio. Come fai a dire queste cose?

VITTORIO: Ma l'hai visto bene, il tuo angelo? L'hai visto, come si comporta?

MARIANNE: Parla piano, che ti sente.

VITTORIO: È una specie di virus, il tuo angelo.

MARIANNE: Come fai a dire queste cose?

VITTORIO: È un virus mortale, ci ha contagiati tutti, madonna.

MARIANNE: Smettila.

VITTORIO: Da quando è entrato in questa famiglia ha lavorato per distruggere la nostra felicità, giorno dopo giorno. Ha intaccato tutto quello che avevamo costruito.

MARIANNE: Non è vero. Sarebbe successo comunque, lo sai benissimo. Ci ha fatto solo vedere le cose in modo più chiaro.

VITTORIO: Le ha solo avvelenate e fatte degenerare più che poteva. Le ha solo intaccate a una a una, con quel gusto perverso che ha.

MARIANNE: Non è vero. È una persona altamente sensibile e spirituale. È un grande artista, anche se è così giovane.

VITTORIO: Te lo dico io, quanto è spirituale. E non è un grande artista. È solo un virtuoso, è diverso.

MARIANNE: Ha un vero dono di Dio, l'ha detto anche lo Swami.

VITTORIO: Lo Swami si è fatto imbrogliare, come tutti.

MARIANNE: Nessuno può imbrogliare lo Swami.

VITTORIO: Sì che lo si può imbrogliare. Non ci vuole neanche molto, guarda. Te lo fai su come vuoi, lo Swami.

MARIANNE: Come fai a parlare così? Ti rendi conto di quello che dici?

VITTORIO: E tu ti rendi conto di come non ti rendi conto di niente? Non è mica colpa dello Swami, se il tuo Uto è un virus.

MARIANNE: Ti sei già dimenticato di come ha guarito Nina?

VITTORIO: Piantala con questa storia. Sarebbe guarita comunque, prima o poi. E non hai visto il modo subdolo e laido che ha di starle dietro?

MARIANNE: Sono solo cose tra ragazzi.

VITTORIO: Sì, che innocenza. Che tenerezza. Ma non hai visto come continua a insinuarsi e insinuarsi? Con quegli sguardi e quei gesti da psicopatico del cavolo?

MARIANNE: Smettila, Vittorio.

VITTORIO: Perché? Ti dà fastidio? Forse se l'è già portata a letto.

MARIANNE: Smettila.

VITTORIO: E con te? Anche con te sono solo cose da ragazzi, poverino? Il nostro giovane angelo.

MARIANNE: Sei pazzo? Cosa stai dicendo?

VITTORIO: Ti si è già infilato nel letto, o non ancora?

MARIANNE: Tu sei completamente pazzo!

VITTORIO: Perché tu invece sei sana, eh? A stargli dietro come fai? Senza il minimo spirito critico? Come un'invasata esaltata? La discepola di un piccolo punk criminale che entra come un virus nella vita della gente sana.

MARIANNE: Tu mi fai pena.

VITTORIO: Anche tu mi fai pena. Sei una povera vittima di questo mare di parole a vuoto. Di questo mare di sorrisi a vuoto e gesti a vuoto. Di questa comprensione infinita per qualunque ragione di chiunque.

MARIANNE: Smettila di urlare.

VITTORIO: Io urlo perché non ne posso più di questa maledetta prevaricazione soffice! Non ne posso più di sentirmi schiacciare il cervello, sentirmi schiacciare i nervi per non fare o dire quello che voglio! Non ne posso più di parlare sottovoce!

MARIANNE: Così lo svegli.

VITTORIO: E chi se ne frega! Ci ha distrutto la vita, cosa vuoi che me ne freghi di svegliarlo?!

MARIANNE: Non è stato lui, a distruggercela.

VITTORIO: Chi è stato, allora?

MARIANNE: Sei stato tu. Sei tu che non sei ancora riuscito a liberarti di tutti i brutti sentimenti che avevi prima di venire qui.

VITTORIO: Ah sì?

MARIANNE: Sei tu che sei rozzo e insensibile. Che sei così legato alla terra da non riuscire a vedere nient'altro.

VITTORIO: Ah sì?

MARIANNE: Sei tu che non c'entri niente con questo posto.

VITTORIO: Neanche con questa casa?

MARIANNE: Neanche con questa casa.

VITTORIO: Neanche se l'ho costruita io? Se ci ho buttato dentro tutto quello che avevo per più di un anno?

MARIANNE: Non basta costruire una casa. È come sei tu, dentro.

VITTORIO: E come sono, dentro?

MARIANNE: Sei pieno di brutti sentimenti, Vittorio. Ti sei sforzato di cambiare, ma non ci riesci.

VITTORIO: Non mi hai detto cento volte in questi anni che ero diventato un altro? Che ti sembrava una specie di miracolo eccetera?

MARIANNE: Era quello che desideravo. Non era la realtà.

VITTORIO: Perché la realtà qual è?

MARIANNE: Che non capisci. Che avveleni anche le cose più belle e pure con la tua non-comprensione e i tuoi sospetti e le tue gelosie e i tuoi squallori.

VITTORIO: Senti che tono usa, adesso.

MARIANNE: Perché tu che tono usi?

VITTORIO: Senti chi è ostile.

MARIANNE: Io non sono ostile. Cerco solo di dire quello che penso.

VITTORIO: E cosa pensi?

MARIANNE: Che questa disgrazia terribile è il risultato dei tuoi sentimenti negativi verso Uto.

VITTORIO: Ah sì? Allora gli ho fatto tagliare il braccio perché lo odiavo?

MARIANNE: Non so perché l'hai fatto, ma l'hai fatto.

VITTORIO: Sì, e gli ho spinto io il braccio sotto la catena, no? L'ho attirato in trappola apposta per farlo a pezzi! Tu hai la luce della verità, è inutile cercare di resisterti. Tanto vale confessare.

MARIANNE: Smettila, non mi diverti.

VITTORIO: Senti che tono di disgusto, ormai.

MARIANNE: Sai benissimo come stanno le cose tra noi.

VITTORIO: Come stanno? Spiegamelo.

MARIANNE: Lo sai quanto me. Non urlare che lo svegli.

VITTORIO: Spiegami, così almeno mi posso regolare, no?

MARIANNE: Non urlare, andiamo di là.

VITTORIO: Non sto urlando.

MARIANNE: Andiamo di là, per piacere.

VITTORIO: Dai, spiegami.

MARIANNE: Abbi almeno un po' di rispetto per le sue condizioni.

VITTORIO: Tu spiegami.

MARIANNE: Andiamo di là.

Ex stanza di Vittorio e Marianne. Luce dalle finestre, aria tiepida, odore di pulito. Grande letto armatoriale, perfetto equilibrio tra sostegno e morbidezza. Piumino leggero e caldo, è un piacere spostare un piede per sentirlo frusciare respirare. Uto Drodemberg con il braccio sinistro fasciato-paralizzato nel letto, cuscini ben sistemati a sostenerlo e confortarlo. Metà dei libri di casa Foletti sparsi intorno, chiusi e aperti, con e senza sovraccoperte. Non ha nessuna ragione fisica per non alzarsi e camminare o almeno tornare nell'ex stanza di Jeff-Giuseppe in cima alle scale, e in realtà le sue gambe sono irrequiete; ma dopo un incidente così tragico non occorrono ragioni o giustificazioni, ci si può adagiare nei dati di fatto, affondarci quanto si vuole.

È entrata Marianne come un colpo di vento, pallida bianca ancora più del solito. Ha detto "Uto, il guru è venuto a trovarti. Te la senti di riceverlo?"

Ho detto "Sì" in un tono distante, tornando indietro da una buona distanza. Il braccio sinistro mi faceva un male sordo al punto del taglio, sotto non lo sentivo per niente: niente.

Marianne è venuta a sistemarmi con la più grande cautela i cuscini, ha detto "Sei sicuro? Non sei troppo stanco?" Sguardo chiaro dalle pupille dilatate, impulsi in conflitto.

"Me la sento, me la sento," ho detto io, come se si trattasse di uscire su un palcoscenico con zero preavviso.

Lei ha aperto le tende, lasciato invadere la stanza di altra luce. Ha detto "Vado a dirglielo", è uscita con uno sguardo lungo.

Ho migliorato ancora la mia posizione nel letto: la testa appena reclinata su un lato, il braccio sinistro ben in mostra nella sua fasciatura.

Bussare alla porta, *toc toc* tenue come in un ricordo di almeno qualche ora, mese, anno. Il guru entra nella stanza a piccoli passi, con Marianne e una sola assistente un passo più dietro. Dice "Si può?" nel suo piccolo inglese masticato e accentato, come un vecchio gnomo nobile vestito di bella stoffa.

"Prego," dico io, in un tono parte sofferente parte distaccato che mi viene senza nessuno sforzo.

Marianne lo accompagna vicino al letto, raggiante ancora più di quando lo aveva ricevuto a cena, e intanto entrano anche la seconda assistente e Jeff-Giuseppe e Nina e Hawabani la pallidona, Vittorio per ultimo. La stanza è piena di altri fruscii di vestiti, fruscii di respiri, sorrisi.

Sorrido anch'io, ma appena, in modo da lasciare abbastanza dramma alla mia condizione.

Il guru mi si avvicina ancora, ed è un letto basso, si deve chinare per guardarmi in faccia. Mi guarda senza dire niente, muove solo le labbra come fa di solito, mi appoggia una mano sulla fronte. Sento le sue dita all'attaccatura dei capelli, più forti e calde di come mi aspettavo, mi premono la fronte e tornano indietro. La buona lana morbida della sua manica, il suo polso molto sottile appena sotto; l'aria che circola tra stoffa e pelle. Odore di erbe; odore muschiato di selvatico di evoluto. Dice "Bravo, bravo, bravo giovane Uto."

Si raddrizza e si gira, soffia nel palmo aperto, sorride senza limiti.

Tutti gli altri stavano in silenzio perfetto, facevano appena di sì con la testa. Anche Nina arrossata agli zigomi come una mela, anche Hawabani la pallidona che piangeva senza cercare di trattenersi, anche Vittorio pieno fino agli occhi di risentimento feroce.

Il guru già andava a piccoli passi verso l'uscita, seguito dalle due assistenti e dalla scia degli altri che in parte ancora guardavano verso di me.

L'eroe si riprende

Nina viene a portarmi un ananas tagliato a fette, me lo posa di fianco, sul tavolino basso fatto da suo padre. Si è tagliata i capelli, corti e irregolari, con una singola ciocca lasciata lunga e sbiondata che le scende sulla fronte. Le danno un'aria più adulta e più infantile e più indipendente e più fragile; un po' mi dispiace per lei, un po' sono contento.

Si ritrae subito, ma mi guarda fisso. Timidezza, ostinazione, desiderio di contatto.

Le dico "Quando li hai tagliati?"

"Stamattina," dice lei; si passa una mano sulla nuca. Il suo corpo sembra ancora più formato, per contrasto, più solido.

"Stai benissimo," le dico. Cerco di vedermi attraverso i suoi occhi: pallido, reclinato sul gomito sano, con i capelli scarruffati, sguardo nobile sofferente.

Nina retrocede verso la porta aperta, senza smettere di guardarmi; con una mano sulla maniglia mi dice "Vuoi qualcos'altro?"

"Mi potresti leggere qualcosa?" dico io. Questo stato di seminvalidità ha l'effetto di accelerarmi i riflessi in modo strano, rallentato come sono: di trasformare una sensazione in parole prima ancora che abbia avuto il tempo di pensarci.

Nina diventa ancora più bianca e rossa, distoglie lo sguardo, torna a fissarmi. Dice "Cosa vuoi che ti legga?"

"Quello che vuoi," dico io. Respiro corto-fondo. Atmosfera compressa e dilatata. Battito ravvicinato di cuore.

296

Lei si guarda intorno, tra i libri sparsi sul tavolino e sul letto e sul pavimento, i libri sugli scaffali; la sua attenzione tutta trattenuta nei suoi gesti.

Le dico "Scegli tu. Uno qualsiasi." Voce-velluto, voce-vino vecchio, denso e stoffato; mi viene bene da questa posizione.

Resta ancora incerta, poi prende a caso un libro di discorsi del guru, mi fa vedere la copertina con aria interrogativa.

"Va bene, va bene," le dico, anche se non mi interessa, mi interessa solo che lei lo legga.

Lei si siede per terra a gambe incrociate; le guardo i talloni nelle calze bianche, i calzoni dove la stoffa si tende così bene verso l'inguine. Dice "Allora"; comincia a leggere dalla prima pagina, in una voce composta compita da lettura di scuola, è uno strano contrasto con i suoi capelli di adesso.

Le ho detto "Non potresti venire più vicina?" Avevo solo voglia di ridurre la distanza, le mie sensazioni mi affioravano alle labbra senza trovare resistenza.

Lei si è girata a guardare la porta aperta, ha detto a mezza voce "C'è Marianne, di là."

"E allora?" ho detto io. Mi sembrava di avere trovato un antidoto alla mia incertezza paralizzante, anche se pagato caro.

Nina è andata a chiudere la porta, ha esitato ancora con la mano sulla maniglia; ha girato la chiave nella serratura, così lenta e cauta da non produrre il minimo rumore.

Il suo respiro mentre si siede sul letto: lo spostamento d'aria mentre appoggia la sua persona e raccoglie le gambe. Riprende a leggere, considerazioni del guru sulla percezione del tempo, ma riesco solo a sentire il suono e il colore della sua voce, mi fa venire la pelle d'oca.

Le ho detto "Non vieni ancora un po' più vicina?" Voce-lagna, voce-tiramiele, grattata strusciata curvata verso di lei come un amo come un punto interrogativo.

Lei si è spostata verso di me, senza guardarmi: ha allungato le gambe e le ha raccolte, si è fermata quando mi sfiorava un ginocchio con un ginocchio. Ha ripreso a far scorrere la sua voce lungo le parole inanellate del guru, lungo le ripetizioni e i ritorni e le brevi onde ricorrenti di immagini e di suoni.

Allungo la mano sana sulla stoffa del piumino, la faccio scorrere un millimetro al secondo nell'attrito setoso fino a raggiungerle una caviglia. Nina mi dà appena uno sguardo, continua a leggere, solo con un'intonazione più bassa e calda e irregolare che rende quasi insostenibile la sua voce.

Sono andato in su con la mano per la sua gamba, anche se i miei movimenti erano molto limitati dalla mia posizione. Ma scorrevo le dita sul cotone teso dei suoi pantaloni come se scivolassi nella corrente limpida della sua voce, nel ritmo puntiglioso di scuola appena increspato dallo scorrimento delle mie dita. Il cuore mi batteva più netto, contratto-espanso al centro del petto. Reclinato com'ero su un lato, con il braccio inerte che mi pesava dall'altro; per qualche ragione avere dei limiti rendeva la cosa ancora più intensa e sottile e difficile da resistere.

Nina continuava a leggere, descrizioni di stati mentali e di stati meteorologici, e più andavo avanti a carezzarle l'interno della coscia meno mi sembrava che anche lei seguisse il senso di quello che leggeva, eppure andava avanti, e a ogni passaggio della mia mano c'era una specie di affrettamento nelle sue parole, un leggero cozzare e spingersi una con l'altra come ragazzine mezzo spaventate e mezzo eccitate lungo un corridoio.

Sono scivolato ancora più verso di lei, un martire-lumaca-angelo-drogato ancora più lento e attratto e torbido e morboso e inetto e focalizzato. Ho fatto salire ancora la mano: seguivo la cucitura del cotone all'interno delle sue cosce, i muscoli ben fermi sotto, raccoglievo il tepore, la leggera vibrazione che la percorreva dentro a ogni sfregamento leggero premuto insistito ripassato. E anche se ero ormai tutto reclinato allungato su un lato per potere arrivare con le dita al centro convergente delle sue gambe, non mi sembrava una posizione innaturale o goffa. Mi vedevo da fuori, pallido e magro e sofferente, con un braccio fasciato e i capelli scarruffati, proteso tra le onde del piumino trapuntato verso di lei che teneva ancora il libro tra mani instabili ormai, e mi sembrava una specie di quadro romantico dell'Ottocento. Mi sembrava un'immagine abbastanza poetica e decadente: il compiacimento che ne veniva era intenso quasi quanto le sensazioni tattili dei miei polpastrelli e il respiro di Nina e il suo modo di affrettare le parole e dischiudere le labbra e arrossarsi ancora alle guance e guardare verso la porta ogni tanto.

Ho guardato anch'io verso la porta, mi è sembrato di sentire un bussamento discreto, nocche ben considerate. Anche Nina l'ha sentito, si è fermata a metà respiro: ho sentito il suo peso specifico che aumentava da un secondo all'altro, il suo sguardo che mi veniva incontro di corsa violenta.

Le ho detto sottovoce "Continua a leggere." Cercavo di rallentare il battito del cuore per sentire meglio, ma non c'erano più suoni; mi sono lasciato ricadere nel tepore torpore nello scorrimento. Nina è scivolata di lato, ancora più accessibile alla mia mano destra. Le ho sbottonato i pantaloni, tirato giù la cerniera, ho fatto scivolare le dita sul cotone bianco delle sue mutandine.

Lei cercava di continuare a leggere, ma il ritmo della sua voce era sempre più irregolare, la sua dizione scolastica inceppata e sbilanciata, interrotta e ripresa fino a essere incomprensibile. Nessuno dei due seguiva più il senso delle parole, non c'era verso; eravamo persi e travolti tra le onde del piumino, nell'attrito sdilinquito insistito senza misura dei nostri corpi che scivolavano uno contro l'altro sempre più caldi e convulsi. Cercavo di preservare un'eleganza romantica decadente o perversa alla situazione, malgrado il braccio fasciato paralizzato e la difficoltà di poter contare su una sola mano anche se ben attiva e ansiosa di raccogliere sensazioni; cercavo un equilibrio tra controllo e perdita di controllo, tra essere e inseguire e cercare e avere e assaporare e ansimare e guardare e sentire.

A un certo punto Nina mi ha stretto forte le gambe intorno e ha preso fiato d'un colpo, si è inarcata all'indietro con una specie di rapido scatto elastico di nuotatrice dell'aria; e sono scattato anch'io verso di lei, da qualche trampolino interiore flessibile teso allo spasimo.

Poi eravamo fusi confusi tra le onde del piumino, non riuscivo più a rintracciare nessuna specifica sensazione. Guardavo Nina con occhi radenti e non la guardavo, non pensavo; non ero sicuro di esserci, non ero sicuro di non esserci.

E hanno bussato di nuovo alla porta; sono rotolato più veloce che potevo al centro del letto, mi sono tirato sopra il piumino mentre Nina si rimetteva i vestiti veloce come in un clip a fotogrammi saltati.

Era già al centro della stanza, già con una mano sulla chiave ma lo sguardo ancora verso di me.

Ho reclinato la testa sul cuscino; un istante dopo c'era Marianne sulla porta aperta, diceva "Come sta il nostro ferito?"

Nina ha fatto due passi all'indietro lungo la parete, ha detto "Gli stavo leggendo un libro." Ma il colorito delle sue guance era troppo intenso per dissimularlo, il suo sguardo ancora troppo acceso; eppure non cercava davvero di giustificarsi, c'era una specie di luce da battaglia nei suoi occhi.

Ho detto "Mi stava leggendo i pensieri del guru"; accaldato e congestionato com'ero, con il cuore che mi batteva ancora veloce. Ma ero già riuscito a rimettermi i calzoncini di felpa grigia che mi aveva prestato Jeff-Giuseppe; cercavo di tornare esangue e languido e sofferente come prima.

Nina mi fa un cenno ed esce, con uno sguaaaardo nella scia lunga dei nostri gesti di prima. Nostalgia-euforia, senso di controllo, senso di non-controllo; senso di poter fare qualunque cosa voglio, senso di poter fare solo quello che c'è da fare.

Marianne resta sulla porta, mi dice "Non hai bisogno di niente?"

"No, grazie," dico io, socchiudo gli occhi per sfumarla via.

Ma lei non si decide a uscire, anzi mi sembra che vibri di più nella mia direzione man mano che i passi di Nina si allontanano senza nessun rumore per il corridoio.

Non avevo più voglia di stare lì sdraiato a fare l'invalido; ho scalciato via il piumino, mi sono alzato mal bilanciato. Ho dovuto appoggiarmi alla parete subito dopo, con la testa che mi girava, flussi di sangue sballati.

Marianne è venuta a sostenermi, dire "Appoggiati a me, respira con calma." Le ho appoggiato la mano sana su un fianco: la curva sotto la lana leggera, la tensione della pelle, la temperatura. Ci guardavamo fondi negli occhi, ero colpito da come i suoi cambiavano colore tutto il tempo. Le ho dato un bacio sulla bocca, senza desiderio e senza intenzione, solo perché mi sembrava che lei se lo aspettasse, perché mi sembrava di essere infuso di un senso di santità troppo intenso ed effervescente per contenerlo nei miei confini.

Lei mi ha premuto contro le labbra chiuse, mi ha premuto tempia contro tempia, mi ha premuto le mani sulla schiena, ci stringevamo forte. Pensavo che avrei potuto abbracciare così tutte le donne del mondo, senza desiderio né intenzione, spinto solo dal fiume torbido di luce che mi sentivo scorrere dentro. Pensavo che avrei potuto sciogliere qualunque nodo e alleviare qualunque genere di tensione, far scomparire dolori e conflitti e resistenze difficili, illuminare l'ombra. È curioso, perché la situazione non sarebbe sembrata mistica a nessuno, eppure non mi ero mai sentito così mistico in vita mia: non mi ero mai sentito così un catalizzatore di forze, calore puro che mi passava attraverso fino a farmi scottare le mani.

E mi sono reso conto che la sinistra mi scottava quanto la destra, bloccata com'era nella fasciatura a culla che mi sosteneva l'avambraccio. Mi ero abituato ormai a non sentirla per niente, come se avessi un pezzo di legno pesante dal gomito in giù, un puro ingombro inerte che mi sbilanciava, e adesso invece sentivo di nuovo il sangue e il calore e l'energia o la luce o quello che era scorrermi attraverso i nervi e i tendini e i muscoli e i vasi sanguigni e i capillari, mi faceva pizzicare i polpastrelli. Riuscivo a muovere le dita, anche, o almeno così mi sembrava: riuscivo a contrarle sotto la fasciatura, premerle una contro l'altra e rilasciarle.

Mi è venuto da gridare, drammatizzare la cosa nel modo più teatrale, ma Marianne era ancora molto intenta a premersi contro di me, anche se con attenzione per il braccio invalido, e nello spazio di qualche secondo ho pensato che era meglio aspettare. Ero scosso e incredulo peggio che se fossi riuscito a levitare fino al soffitto: pensavo alle parole misurate e realistiche del dottor Samuelson all'ospedale, al suo sguardo-cattiva notizia; pensavo ai gesti del guru quando era venuto a trovarmi, al suo modo di toccarmi la fronte appena sotto l'attaccatura dei capelli.

Mi sono staccato da Marianne, ho detto "Ahia! Mi fa male il gomito."

"Scusa," ha detto lei, con uno sguardo da fondo di lago alpino, incredibilmente più sereno di prima. Ha detto "Scusami tanto."

"Non ti preoccupare," ho detto io, già seduto sul letto di nuovo.

Lei mi ha sistemato il piumino, ha detto "Scusami, Uto, per piacere. Non so cosa mi è successo." È andata con la più grande cautela fino alla porta, mi ha guardato ancora da lì, è uscita.

Appena è stata fuori ho tolto il braccio sinistro dalla fasciatura a culla, ho srotolato via tutta la benda. Il taglio era nerastro e secco, mi pizzicava più che farmi male; e l'avambraccio e il polso e la mano erano tornati sensibili e si muovevano. Ho provato ancora a contrarre le dita e distenderle: funzionavano, anche se con una frazione di secondo di ritardo rispetto a prima. Ho provato a tamburellare i polpastrelli sul dorso dell'altra mano; li ho passati sulla stoffa del piumino e sulla lana della moquette folta, me li sono passati tra i capelli, lungo la linea del naso: erano tornati vivi e sensibili, forse in modo ancora più acuto. Li passavo su tutti gli oggetti che c'erano nella stanza, e mi sembrava di percepire molte più sfumature di prima, in una gamma molto più sottile e articolata e complessa; facevo solo fatica a sostenere il braccio per come i muscoli erano rimasti inattivi a lungo, il resto era solo meglio.

Mi sono seduto di nuovo sul piumino dove c'era ancora l'odore di Nina, mi chiedevo se quello che mi era successo era un miracolo, come bisognava definirlo altrimenti. Mi chiedevo come avrei dovuto renderlo pubblico: quando e dove, con che atteggiamento. Mi dispiaceva non avere avuto l'uso di tutte e due le mani quando ero con Nina, anche; cercavo di immaginarmi come sarebbe stato. Ho riavvolto il braccio e la mano con cura nelle bende, me li sono riappesi al collo.

Vittorio ai limiti estremi

Vittorio trascina una grossa cassa di legno nella neve alta; lo guardo affacciato sulla seconda porta scorrevole del soggiorno, con una mano in tasca e il braccio sinistro al collo. Intorno alla casa non ci sono più i percorsi che lui spalava tanto accuratamente giorno dopo giorno: si affonda fino a mezza gamba dappertutto.

Fa finta di non vedermi neanche, ma poi si ferma, dice "Come va il nostro giovane martire?"

"Bene, grazie," dico io, riparato dietro il mio braccio fasciato come dietro il più inattaccabile degli scudi. Gli dico "E tu?"

"Benissimo," dice lui. "Sbaracco tutto." Ha ripreso a trascinare la cassa di legno, lasciava un solco largo nella neve.

Lo seguo a distanza, a passi cauti per il mio equilibrio non perfetto; gli dico "In che senso, sbaracchi?" Attratto dall'odio che traspira da ogni suo minimo movimento, parte spavento parte un genere adrenalinico di gratificazione. Senso di sfida, risposta a un segnale sonar, senso di rivalsa, desiderio di guarire anche lui; non so esattamente cosa.

"Me ne vado," ha detto Vittorio, in un tono roco per lo sforzo. "Via. Tanto non sono mai stato un grande uomo spirituale."

"Ma come?" gli dico, con un'onda improvvisa di tristezza autentica che mi viene addosso, comprensione pura.

"Lascio il campo," dice lui, come un grosso cane che abbaia, un orso ferito che fa un attacco simulato. Dice "Meglio così, no?"

Ho pensato di salutarlo e andarmene da qualche altra parte, ma non ci riuscivo; avevo questa compulsione a seguirlo, questo bisogno disperato di vederlo sorridere di nuovo.

Lui ha continuato a trascinare la cassa nella neve alta intorno alla casa, lungo il muro dove fino a una settimana prima aveva tenuto un percorso così ben sgombro. Mi sembrava strano che adesso questa manutenzione si fosse interrotta, infinite ore quotidiane di attenzione e di cura e di impegno muscolare sparite senza lasciare la minima traccia. L'idea mi inquietava; mi faceva pensare che forse una persona con poco controllo interiore ha bisogno di molto controllo esterno per mantenere un equilibrio di qualche genere; che provare avversione per gli equilibri è diverso da provare piacere quando questi equilibri si sono dissolti.

Eravamo arrivati al suo laboratorio; l'ho seguito dentro, sono stato a guardarlo mentre apriva la cassa di legno foderata dentro di stoffa, staccava da un gancio una delle sue chitarre.

Ha fatto per metterla nella cassa, e invece di colpo ha cambiato idea e l'ha schiantata sul bordo del tavolo da lavoro: *vram*, come un accordo ultraviolento nel più acceso dei concerti, ci sarebbe stato da registrarlo. Non si è fracassata subito, malgrado tutto era riuscito a ottenere davvero una costruzione leggera e resistente; ha dovuto dare altri colpi selvaggi per mandarla in pezzi, tirare il manico con furia finché è venuto via dalla cassa squarciata, la tavola armonica di abete di Engelmann e le fasce e il fondo di palissandro indiano ridotti a lunghe fibre scheggiate sotto la verniciatura accurata.

"Ma perché?" gli ho detto, ancora troppo sorpreso per fermarlo.

Lui si è girato a guardarmi con una specie di sorriso da matto, ha detto "Visto?" Ha strappato via le corde, spaccato in due il manico sullo spigolo del tavolo, buttato tutto nella cassa di legno. Ha detto "Tanto non mi sono venute così bene, alla fine. Non credo che nessuno le suonerebbe mai, fuori da Peaceville."

Ha preso un'altra chitarra non finita, ha cominciato a fare a pezzi anche quella: *vram vram*, altri colpi selvaggi, altri legni che andavano in pezzi e in schegge, in piccoli frammenti irriconoscibili.

Ho cercato di fermarlo, gli ho detto "No, per piacere."

Ma lui era inarrestabile, mi ha spinto di lato, e l'avrebbe fatto con molta più violenza se non fosse stato per il mio braccio fasciato. Ha gridato "Per piacere *tu*. Per piacere tu, porca miseria! Almeno questo!"

Sono stato a guardarlo a breve distanza, nel frastuono di legni fracassati, mi dispiaceva come se fossero stati degli Stradivari.

"Buona legna per il camino," ha detto Vittorio. "Perfettamente stagionata e asciutta."

Pensavo alla maniacalità con cui mi aveva descritto le differenze tra i legni e le loro specifiche qualità timbriche, al valore che dava a quello che era riuscito a mettere insieme. Avrei voluto fermarlo, ma era chiaro che non ci sarei riuscito neanche con tutte e due le braccia a disposizione, così sono rimasto fermo con la schiena agli scaffali di attrezzi mentre lui staccava le chitarre una dopo l'altra dai loro sostegni e le fracassava a terra, in una strana combinazione di furia estrema e sistematicità artigianale. Spaccava e strappava e riduceva in pezzi, buttava nella cassa i frammenti dei legni pregiati levigati piegati e incollati come se fosse un lavoro, una specie di opera conclusiva.

Quando ha finito, ha detto "Visto? Non ci vuole molto a mandare in pezzi le cose, eh? Per tutte le buone giunture a coda di rondine e le incollature che puoi fare. Ci metti molto, molto meno che a costruirle. È una bella liberazione, anche. Ci si sente più leggeri, poi. Magari un po' smarriti, sul momento, ma molto, molto più leggeri."

È uscito dal suo laboratorio senza guardarmi, mi sembrava che si lasciasse dietro un senso di vuoto insostenibile.

Ogni miracolo ha bisogno di un pubblico

Marianne è venuta a dirmi "Te la senti di venire alla Kundalini Hall? Lo Swami parla alla comunità, dopo tanto tempo."

Mi guardava negli occhi, mi guardava il braccio fasciato al collo, guardava verso l'interno del soggiorno dove Jeff-Giuseppe e Nina erano già quasi pronti. Anche Vittorio era stato avvertito, si stava mettendo la giacca imbottita nella camera vetrata di decompressione, lontanissimo dal resto della sua famiglia.

Ho detto "Va bene", sono andato con loro, attraverso la neve alta dello slargo senza più manutenzione.

Zitti durante il percorso. Pensavo a tutti i gesti e i sorrisi e le informazioni e descrizioni e spiegazioni che avevano saturato lo stesso abitacolo, tutte le altre volte che avevamo percorso la stessa strada attraverso la stessa foresta coperta dalla stessa neve. Vittorio guardava avanti come se fosse già su un aereo a novemila metri sopra l'oceano, Nina di fianco a lui in una vibrazione quieta ma ostinata di attesa, Marianne e Jeff-Giuseppe seduti dietro con me, senza un movimento o una parola. Parole non-dette parole pensate, movimenti non-fatti movimenti pensati che scappano via come cervi in dieci direzioni diverse. Osservazioni universali, miniaturizzazioni e generalizzazioni di idee; rimproveri, accuse, gelosie, ritorsioni; memorie di sopraffazioni e memorie di gesti affettuosi, di sentimenti condivisi e sensazioni condivise, programmi condivisi ricordati cancellati dimenticati nella luce bianca che slava ogni pensiero.

Mi chiedevo quando esattamente era iniziata la rottura di questo equilibrio, quale era stata la mia vera parte di responsabilità.

Marianne mi ha chiesto a mezza voce "Come va il braccio?" Senza guardarmi, senza colorare la voce in nessun modo.

Vittorio si è irrigidito ancora lo stesso: ho visto la nuova corrente di tensione che attraversava la sua figura massiccia, gli faceva stringere più forte le mani sul volante.

"Come sempre," ho detto io, più rapido e incurante che potevo. Ho contratto i muscoli della mano sinistra sotto la fasciatura come facevo da giorni, fuori non si vedeva niente.

Poi eravamo arrivati, andavamo in ordine sparso verso il granaio spirituale della Kundalini Hall; eravamo dentro, nel caldo e gli odori di spezie e di incensi e di traspirazione umana.

Sguardi verso di me, sorrisi da molte direzioni, cenni di saluto, movimenti di teste e busti mentre passavo oltre. Marianne mi stava un passo dietro, anche Nina era vicina, assorbivano e riflettevano l'attenzione e la benevolenza che mi seguiva e convergeva su di me. Anche questo mi faceva un effetto strano, pieno com'ero di perplessità e dubbi e sensi di colpa: mi riscaldava e mi confondeva, mi indeboliva l'espressione e l'andatura.

Ci siamo seduti a uno dei tavoli bassi che tagliavano in orizzontale la grande sala, abbiamo mangiato biscotti allo zenzero mentre un tipo pelato sul palco suonava l'accordio e cantava "Hare Om" nel solito modo ipnotico.

Poi una delle due assistenti del guru è arrivata sul palco; il tipo pelato ha smesso subito di suonare e se n'è andato con il suo accordio sottobraccio. L'assistente ha detto "Questa sera siamo tutti molto fortunati qui, perché lo Swami ci parlerà, anche se non a lungo perché non vogliamo che abusi delle sue forze adesso che gli stanno tornando. Ma ci vuole parlare, e questo è un grande dono." Ha unito le mani e fatto un mezzo inchino nel solito saluto, tutte le persone sedute hanno risposto con gesti simili.

L'assistente è scesa dal palco, è uscita da una porta laterale. Tutta la grande sala è rimasta ferma e silenziosa: c'era questa atmosfera di pura attesa, raddensata e raddensata, sembrava di fare fatica a respirare.

La porta laterale si è riaperta, e il guru è entrato con le due assistenti al seguito, vestito in una tunica blu cobalto. Nella sala c'è stato una specie di grande respiro collettivo, come se tutti soffiassero fuori l'aria e inspirassero nello stesso momento: l'onda invisibile in andata e ritorno. Il guru sorrideva, ben nitido con la sua barba bianca e i capelli lunghi bianchi pettinati con cura estrema. È salito a passi brevi per la scaletta che dava al palco, con le due assistenti che gli assecondavano i movimenti e stavano pronte a sorreggerlo se per caso avesse incespicato o avesse avuto un mancamento. Lui è andato fino alla sua poltrona, ci si è issato con qualche difficoltà e qualche aiuto da parte delle assistenti, ha raccolto le gambe nella posizione del loto, si è aggiustato bene, ha chiuso gli occhi.

Altro grande respiro collettivo nella sala: onda di attenzione che va e che torna, attraversa tutto lo spazio dalla parete in fondo fino al palco.

Il guru riapre gli occhi, sorride, fa un saluto a mani giunte sopra la testa. Tutti rispondono con lo stesso saluto, tranne io che ho un braccio bloccato, e Vittorio che sta seduto con uno sguardo di distanza irrecuperabile, fa solo un cenno con la testa.

Una delle due assistenti avvicina al guru il microfono montato sul treppiede, glielo aggiusta bene all'altezza della bocca. Il guru si schiarisce la gola, sorride ancora. Dice "Allora, eccoci qui ancora una volta. È incredibile, no? L'avreste detto?"

Riso-respiro collettivo, attenzione-affetto-attesa che va e che torna.

Il guru dice "Ci sarebbero così tante cose da dire. Nello stesso tempo è anche vero che potremmo stare perfettamente zitti."

Riso-respiro collettivo.

Il guru fa di sì con la testa, sorride. Dice "Voi cosa preferite?" Le sue parole scorrono sulla vibrazione da grossa ape che produce tra naso e palato e gola, si diffondono per la grande sala amplificate dagli altoparlanti sui muri.

"Parla!" gridano tutti, voce-respiro collettivo che passa sopra le teste e si rovescia sul palco e torna indietro.

"Va bene," dice il guru, in un tono di perfetta equidistanza da qualunque gesto e qualunque parola. Dice "Cominciamo da questo, allora. Quanti di voi hanno mantenuto i loro propositi dell'ultimo dell'anno?"

Nuovo riso-respiro collettivo, ma con una buona dose di sgomento, adesso. Giro appena la testa per vedere Marianne che vibra di attenzione pura alla mia destra, Nina alla mia sinistra che mi guarda e distoglie subito gli occhi, Jeff-Giuseppe tutto teso e incerto, Vittorio trascinato via dai suoi sentimenti.

Il guru dice ancora "Quanti?"

Una ragazza e un bambino persi nella grande sala alzano la mano; la alza anche un tipo molto magro.

"*Tutti* i propositi?" dice il guru.

Il bambino dice "Sì." Riso-respiro collettivo. L'uomo abbassa la mano; la ragazza ci pensa a lungo, fa di sì con la testa.

"Be', siete stati rapidi!" dice il guru.

Riso-respiro, riso-respiro.

Il guru gira lento la testa, si guarda intorno e annuisce con piccoli movimenti nel suo solito modo. Dice "E gli altri? Cos'è successo? Non avete trovato ancora il tempo? O ve ne siete dimenticati? O pensate che comunque ci sono ancora un bel po' di giorni e mesi prima della fine dell'anno?"

Lascia spazio tra una frase e l'altra, lascia spegnere il riverbero dell'amplificazione, lascia che il silenzio si raddensi fino a diventare una magnifica base per nuove parole. Io prendo appunti mentali tutto il tempo; mi chiedo quanto ci vuole a raggiungere questo genere di controllo, questa autorevolezza naturale che trattiene l'attenzione e la fa palpitare senza bisogno di forzare un solo accento. Mi chiedo se è una dote innata, o ci si può arrivare; se per caso ce l'ho anch'io, come devo fare a svilupparla.

Il guru dice "E se per caso morite prima? Prima della fine dell'anno e i vostri propositi non sono ancora realizzati? Cosa fate?"

Schiocca appena la lingua a ogni pausa, il microfono amplifica il suo respiro un po' tirato e faticoso, ma nell'insieme non dà una sensazione di affanno, non sembra che parlare gli costi troppa fatica.

Dice "Il punto è questo. Crediamo sempre di poter controllare il tempo. Siamo convinti di averne quanto vogliamo, no? Come l'elettricità che abbiamo in casa. Viene buio, schiacciamo un interruttore, non ci pensiamo neanche. Non pensiamo neanche che le luci non si possano accendere. Schiacciamo l'interruttore, le luci si accendono. L'elettricità è lì, no? Ma se una volta schiacciamo l'interruttore e non si accende niente? Se l'elettricità se n'è andata?"

Vittorio alla mia sinistra tossisce; Marianne si gira di scatto, con uno sguardo di puro fastidio fisico. Lui non la guarda neanche, guarda il guru con la testa mezzo inclinata, come se assistesse a una rappresentazione infinitamente lontana.

Il guru dice "Ogni volta che schiacciamo un interruttore dovremmo pensare: chissà se viene la luce? E quando viene la luce, dovremmo pensare: mamma mia, che miracolo!"

Riso-respiro collettivo, fa sembrare ancora più denso e riverberato il silenzio subito dopo.

Il guru dice "E finché c'è la luce dobbiamo fare tutto quello che possiamo fare. Non dobbiamo pensare, domani."

L'impianto di amplificazione non è perfetto: c'è un ronzio di fondo che ha la stessa frequenza del ronzio da grossa ape che produce il guru, finisce per rafforzarlo.

Il guru dice "Così sono già passati molti giorni dell'anno nuovo, e la maggior parte di noi non ha realizzato i suoi buoni propositi. Tranne loro tre che sono stati veloci. O due, devo dire?"

L'uomo magro che aveva alzato e abbassato la mano fa di sì con la testa. Riso-respiro collettivo. Vittorio cambia posizione, sembra sul punto di volersene andare, si siede ancora più scomodo. Nina ha un profumo fruttato sottile, se la guardo anche nel modo più marginale mi si accelera il cuore. Marianne è totalmente concentrata sul guru.

Il guru dice "Ma tutti gli altri? Dicono 'C'è tempo. Vediamo. Aspettiamo. Domani.' Però il fatto è che il mondo non ha tempo. Non c'è tempo." Sta zitto: due secondi, dieci secondi, mezzo minuto. Oscilla appena la testa e muove appena le mandibole, si guarda intorno, non dice niente.

L'attenzione nella sala cresce; più il guru sta zitto, più cresce, come una marea regolata dai movimenti della luna, lenti e lontani ma irresistibili.

Il guru dice "Perché questa civiltà si è persa. È abbastanza chiaro che si è persa, no? Questa cosiddetta civiltà occidentale. Adesso magari alcuni di voi penseranno che non è una grande civiltà. È la vostra civiltà, quindi vi sembra di conoscerla fin troppo bene, no? Di conoscere tutti i suoi difetti. Anzi, vedete solo quelli, ormai. La guardate, e vedete solo i suoi difetti. E ne ha tanti, su questo non ci sono dubbi. Ma sotto i difetti, com'è? Senza i difetti? Provate a immaginarla senza i difetti. Ci riuscite?"

Gira lento la testa, passa lo sguardo sulla gente seduta; la gente lo osserva, respira, nessuno risponde.

Il guru dice "Certo, non è facile. D'accordo. Forse alcuni difetti fanno parte della sua natura, non si riesce a immaginarla senza. Ma il fatto è che ci sono state molte civiltà diverse nella storia dell'uomo, no? E ognuna aveva i suoi difetti specifici. Come le persone, no? Questa cosiddetta civiltà occidentale ha i suoi. D'accordo. Ma è pur sempre una civiltà, no? Solo che si è persa, ultimamente. Si è persa e ha cominciato a girare intorno e alla fine si è lasciata andare, si è buttata per terra. Si è lasciata schiacciare dalle leggi del comprare e del vendere, no? Ha lasciato che fossero i venditori a stabilire le regole. Ma cercava di fare il suo lavoro di civiltà, prima. Cercava di tenere in ordine le cose. Cercava di delimitare le varie zone della vita. Di proteggerle, no? Intanto andava per la sua strada, attraverso il tempo. E andava verso il bene, attraverso il tempo. Molto lenta, ogni tanto si fermava o sbagliava strada, ma andava verso il bene. Verso la non-guerra e la non-fame e la non-sopraffazione, no? Verso il non-buio, la non-superstizione, no?"

Marianne si è girata a guardarmi, è tornata subito a fissare il palco, tesa come una vera studentessa in una vera scuola. Nina ha guardato me che guardavo Marianne. Jeff-Giuseppe ha guardato Vittorio che guardava Nina.

Il guru ha detto "Però abbiamo cominciato a lamentarcene, qualche tempo fa. Vedevamo solo i suoi difetti. Tutti si sono messi a dire 'Questa civiltà è la peggiore che ci sia mai stata.' E la civiltà ha cominciato a dimenticarsi di dove stava andando. Ha cominciato a dimenticarsi che andava verso il bene. Da quando la gente ha cominciato a non crederci più, no? Da quando la gente ha cominciato a non occuparsene più. È come se uno si costruisce una casa, ci mette molto tempo. Ci mette tutto quello che ha imparato nel corso della sua vita e quello che avevano imparato i suoi genitori prima di lui e i suoi nonni prima ancora. Ha questa casa, abbastanza luminosa e ben riscaldata e ben costruita. Insomma, magari non è la miglior casa che si potrebbe immaginare al mondo, ma è la sua. Se l'è costruita lui, e ci sta certo meglio che se dovesse dormire fuori tra i cespugli o nelle caverne. Però invece di pensare: è la mia casa, si può migliorarla ancora, invece di farsi venire altre idee, si mette a dire 'Questa è la peggiore casa del mondo. Fa schifo. È inutile occuparsene. Non mi interessa.'"

Guardo Vittorio, ma riesco a leggere solo irritazione e distanza nei suoi occhi, verso me e Marianne e la sua famiglia e il guru e il grande granaio spirituale e tutti quelli che ha intorno.

Il guru dice "Questa persona si mette a disprezzare la sua casa. Non se ne occupa più. Non fa più nessuno dei lavori che dovrebbe fare. E la sua casa diventa davvero brutta. Il tetto comincia a fare acqua. I vetri delle finestre si rompono. Il riscaldamento non funziona più. Le porte non si aprono neanche. Diventa una bruttissima casa davvero, no? Finché va in pezzi, si sfascia tutta. E chi se l'era costruita deve andare a dormire tra i cespugli o nelle caverne. Fuori, senza più nessun tetto sulla testa, da un momento all'altro. Una specie di miracolo rovesciato. Tutto quello che era stato costruito non c'è più. E non è che ci siano altre case migliori, in cambio. Non è che se ne sia costruita un'altra più bella, mentre lasciava andare in malora la prima. C'è solo lo sfacelo della prima. O il fuori, con i lupi e le tigri e il freddo e la pioggia eccetera."

Mi chiedevo se questa storia della casa era vera, e non ne ero sicuro. Avevo sempre avuto un brutto rapporto con le case, mi ci ero sempre sentito scomodo peggio che in una grotta o tra i cespugli.

Il guru ha detto "Alcuni diranno 'Ma questa non era una civiltà naturale.' È vero. Però tutte le civiltà sono innaturali, in un certo grado. Anche le più leggere. Arginano sempre un po' la natura, le mettono qualche recinto. Magari sottile, ma glielo mettono. Mettono qualche argine ai fiumi. Tagliano un po' la vegetazione, intorno alle case e dove ci sono i sentieri. Del resto non è che la natura sia sempre così meravigliosa in ogni sua forma, no? Anche i virus sono naturali, per esempio. Anche la fame. La selezione della specie, no? L'eliminazione dei più deboli, no? Anche l'istinto di predazione è naturale. Anche l'istinto di un uomo che prende una donna e se la trascina via. Anche l'istinto omicida. È naturale, no?"

Ho guardato Vittorio anche se non volevo, ma era più forte di me; lui mi ha guardato di taglio, i suoi occhi pieni dei peggiori istinti naturali, ma lontani.

Il guru ha detto "Così le civiltà cercano sempre di controllare un po' queste cose. In modi diversi, ma cercano di farlo. È il loro lavoro. Sono tutte un po' innaturali. Qualcuno dirà che però questa cosiddetta civiltà occidentale è altamente innaturale. È vero. Ma proprio per questo potrebbe dare valore alla natura. Proprio perché non è schiacciata dalla natura. Non è inseguita e perseguitata dalla natura, no? Non è inseguita tutto il tempo dal freddo o dalla fame. Io mi ricordo il piccolo villaggio dove sono nato, in India. Dove abitavo da bambino. Mi ricordo la barbarie. La paura. Ma veniva molto bene nelle fotografie, naturalmente. Questa cosiddetta civiltà occidentale ha altri difetti. Ma avrebbe anche dei margini per la riflessione, no? Dei margini per riflettere sugli equilibri. È una conquista di secoli e secoli."

Vittorio ha tossito di nuovo. Doveva essere una specie di reazione nervosa, sembrava sul punto di mettersi a vomitare. Marianne l'ha guardato con appena un angolo del suo campo visivo, ma bastava per capire che avrebbe voluto vederlo sparire. Avrebbe voluto girarsi e non vederlo più: vedere lo spazio vuoto dove lui era seduto.

Il guru ha detto "Ma negli ultimi tempi abbiamo perso la direzione. Abbiamo perso la bussola, anche. Abbiamo lasciato perdere, consegnato tutto nelle mani dei venditori. Lasciamo fare a loro. Non importa se vendono eroina o vendono bibite o vendono pornografia o violenza o stupidità o indifferenza. Loro vendono, noi compriamo. Nessuno voleva più occuparsi di questa civiltà, se la sono presa loro. È loro, adesso. Ce la vendono, nei negozi, nei supermercati. Alla televisione, al cinema. Andranno avanti così. Ci venderanno anche l'aria, tra un po' di tempo. Sembra un'esagerazione, no? Ma non ci vendono già l'acqua? Non dobbiamo andare nei negozi e nei supermercati a comprare l'acqua? E non ci vendono già l'amore? Non ci vendono già il sesso? Non ci vendono già le famiglie e anche i cani e i gatti? Non ci vendono già l'immaginazione? Non ci vendono già le vacanze? Non ci vendono già i prati? Non ci vendono già il sonno?"

La sua voce si impoveriva man mano che andava avanti, come se le sue parole si portassero via fibra a fibra il tessuto del suo timbro. Non mi stupiva che avesse smesso di fare discorsi negli ultimi tempi; mi sembrava un'impresa al di sopra delle sue forze ormai, una specie di sforzo estremo. La sua assistente principale gli ha porto un bicchiere d'acqua; lui ha preso un sorso leggero, si è asciugato le labbra con un fazzoletto.

Ha detto "Però i venditori si occupano solo di vendere. Non hanno altri scopi, o altre ragioni. Quindi nessuno si occupa più di costruire niente che non serva a vendere. Nessuno ha più progetti di altro genere. La cosiddetta civiltà occidentale va in malora, e l'unica gente che fa qualcosa è unicamente impegnata a vendere. L'unica gente attiva. Tutto va in sfacelo, a loro non importa. Anzi, meglio. Ogni pezzo che crolla è una nuova occasione di vendita. Un altro spazio libero, no? Un altro crollo, un altro mercato, eh? E continuerà così. Potete starne sicuri."

Aveva questo modo soffice di parlare, anche se la sua voce era sfibrata e affaticata; se uno non avesse capito il suo inglese avrebbe anche potuto pensare che parlasse di cose piacevoli e serene, che raccontasse una fiaba distante. L'attenzione di tutte le persone sedute sembrava palpitare su questa strana ambivalenza, tra la dolcezza dei suoni e l'allarme dei contenuti.

Ha detto "A meno che non torniamo a occuparci di questa civiltà. A meno che non torniamo a crederci. O magari ne costruiamo un'altra che ci piace di più, invece di continuare a sopravvivere tra le rovine. Invece di continuare a comprare, comprare e non preoccuparci dei pezzi che ci cascano sulla testa. Invece di essere quasi contenti dello sfacelo della nostra casa. Invece di esserne divertiti."

Si è fermato di nuovo; la sua prima assistente gli ha passato di nuovo il bicchiere d'acqua, lui ci si è bagnato le labbra, se le è asciugate con il fazzoletto.

Ha detto "La gente ha sempre cercato grandi idee a cui riferirsi. Ha sempre inseguito qualche meravigliosa visione d'insieme, no? C'erano questi regni della mente, grandi giardini pieni di belle presenze. Questi regni dell'anima. Uno magari viveva in un piccolo posto, ma gli sembrava di avere una parte nell'universo. Poi le idee sono diventate sempre più piccole. Si sono ristrette come dei golf di lana in una lavatrice a temperatura troppo alta. Adesso bastano appena a coprirci da un giorno all'altro, se va bene. Bastano appena a non farci sentire troppo il freddo o l'umido dell'acqua che viene giù dal tetto sfasciato."

Riso-respiro, ma c'è una tensione drammatica in questo granaio spirituale, c'è qualcosa di terribilmente faticoso in tutta questa attenzione.

Il guru dice "La gente ha sempre cercato delle distinzioni, anche. Delle linee tra il bene e il male, il giusto e lo sbagliato, il bello e il brutto. C'erano queste linee di divisione, no? Come delle strisce di pittura a calce sulla pietra. Ma in questa cosiddetta civiltà occidentale le linee si sono cancellate, nessuno le vede più. Alcune erano sbagliate, magari. Magari terribilmente sbagliate, alcune. Ma non se ne vede più nessuna. Tutti hanno cominciato a passare da un lato all'altro, non c'è più nessuna divisione. All'inizio era divertente, no? Tutti avevano quest'euforia di poter passare da un lato all'altro, da un lato all'altro. Nessuno diceva più 'Guarda che hai passato questa linea, torna dall'altra parte.' Nessuno diceva più niente. Si poteva fare."

Vittorio si gratta la testa con un gesto da scimmia in gabbia, non so se per esasperare Marianne o perché non riesce più a stare seduto e fermo qui dentro. Avrei voglia anch'io di vederlo sparire, e avrei voglia che restasse; è l'unica incrinatura in un fronte uniforme di attenzioni terribilmente condensate.

Il guru si fa porgere ancora il bicchiere d'acqua, beve ancora un piccolo sorso, si asciuga le labbra. Dice "Allora adesso la gente dice 'Lasciamo perdere.' Dice 'Non c'è più niente in cui credere. Non c'è nessuna alternativa. Non c'è nessun valore. Il mondo è solo un immondezzaio molto grande, tanto vale buttarci anche i nostri rifiuti. È solo una grande cava, tanto vale prendere tutto quello che ci serve. Tanto vale approfittare, no?' E più si dice così, più il mondo diventa un immondezzaio. Più diventa una cava. Meno c'è spazio per chi vuole ancora credere a qualcosa. Per chi ha bisogno di una linea di divisione tra il bene e il male. Tra il bello e il brutto. Tra il giusto e lo sbagliato. Il gentile e il villano. Il pulito e lo sporco. Il leale e lo sleale. Il partecipe e l'incurante. Tra il saggio e l'ignorante, no?"

La sua voce piccola e sfibrata ha preso uno strano slancio adesso, come un uccello che plana nel silenzio della grande sala dove centinaia di persone stanno sedute basse e immobili con gli sguardi puntati su di lui. La sua piccola voce mangiucchiata plana sulle teste di tutti, portata dalla corrente delle sue parole.

Dice "Però ci sono ancora alcuni che si guardano intorno in cerca di qualche riferimento superiore. Magari sono delusi, magari sono smarriti. Ma il problema è che si guardano intorno ancora una volta con uno spirito da compratori. Dicono 'Vediamo cosa offre il mercato. Leggono le riviste e guardano la televisione, dicono, magari questa può essere una buona nuova religione.' Vedono i film, leggono i libri. Dicono 'Magari questa è meglio di quella che avevo prima.' Come cambiare un modello di macchina con un altro, no? Ha un motore più grande, va più veloce, no? Oppure 'Magari questo politico è meglio di quell'altro. Magari ha un programma migliore e io e la mia famiglia staremo meglio se sarà eletto.' È questo il problema. Non possiamo migliorare il mondo, se continuiamo ad affidarlo a quelli che vendono e continuiamo a fare quelli che comprano."

Si è fermato di nuovo, ha preso un altro sorso d'acqua, si è asciugato le labbra di nuovo, ha fatto un cenno di ringraziamento alla sua assistente.

Ha detto "Ecco perché parlavo dei buoni propositi di fine anno. Perché tutto sta accelerando verso il male, no? Basta guardarsi intorno, è difficile non vederlo. E non c'è tempo. Non possiamo dire 'Abbiamo ancora un anno, possiamo ancora sistemare tutto.' La mancanza di valori? La mancanza di riferimenti? La mancanza di senso? La sovrappopolazione? Milioni di persone che continuano a nascere, e non c'è spazio? Il buco nell'ozono? Il surriscaldamento dell'atmosfera? Le guerre civili? La violenza? I venditori al potere, che vendono e vendono? Va tutto verso il male troppo rapido, per dire 'Ci pensiamo dopo.' È come una valanga, prende velocità man mano che va avanti, travolge tutto lungo la strada. Più va avanti, più va veloce e più è difficile fermarla. Avete mai provato a fermare una valanga?"

Non-respiro collettivo, no no no di tutte le teste di tutte le persone sedute nel grande granaio spirituale. Mi chiedo se bisogna per forza essere vecchi per avere questo genere di ascendente sulla gente; se ci si può arrivare anche prima.

"Neanch'io," dice il guru.

Riso-respiro collettivo, riso-respiro.

Il guru dice "Ma è molto, molto difficile, credo. È per questo che bisogna evitare che la valanga diventi troppo grande. Costruire delle protezioni sul bordo della montagna, piantare degli alberi, creare delle barriere che la possano fermare. Non c'è tempo. Bisogna farlo subito. Tracciare delle linee di separazione tra il bene e il male. Tracciarle molto nette, no? Rinforzarle più che possiamo, in modo che possano reggere l'urto, no?"

L'assistente gli porge ancora una volta il bicchiere d'acqua; lui fa di no con la testa, sorride appena. Sta zitto, oscilla la testa, la gira intorno per guardare tutte le persone sedute immobili. Sembra molto affaticato, adesso, ma può anche darsi che faccia parte della sua tecnica tirattenzione, non ne sono sicuro. Lascia che il silenzio si dilati, in ogni caso, che si dilati e si condensi in questo grande spasmo collettivo di attesa.

Poi dice "Per fortuna c'è qualcuno che cerca di farlo. Che non aspetta la fine dell'anno. Fa il bene. Così che tutti possano vederlo. Anche se gli costa, no? Anche se non è gratis, il bene."

La gente sta zitta, respira simultanea e guarda verso di lui; c'è una vera marea crescente di attesa, adesso. Vittorio cambia ancora posizione; Marianne respira con le narici nervose dilatate.

Il guru richiama con un gesto la sua assistente principale, le chiede qualcosa all'orecchio, il microfono amplifica solo un mormorio. L'assistente si raddrizza e guarda intorno tra le facce e facce e facce nella grande sala, alla fine punta un dito verso di me, mi indica al guru.

Il guru dice "Sì. C'è un giovane che è venuto qui da poco. Ha un dono straordinario per la musica. Davvero meraviglioso. Le sue mani gli servivano a esprimere questo dono. A suonare. Eppure non ha esitato a sacrificarne una, per aiutare una persona che aveva bisogno. Per definire il territorio del bene, no?"

E l'onda adesso parte dal suo sguardo e acquista forza moltiplicata per tutti gli sguardi nella sala che convergono verso di me, mi arriva addosso e mi spazza all'indietro, mi fa quasi cadere anche se mi sembrava di avere una posizione stabile.

Il guru fa un cenno leggero verso di me con tutte e due le mani, e tutta la gente intorno comincia a sorridere sorridere sorridere e guardarmi guardarmi guardarmi. Marianne mi guarda con gli occhi pieni di lacrime, Nina con una vibrazione tiepida e intensa da sogno erotico, Jeff-Giuseppe con ammirazione e desideri di emulazione; solo Vittorio mi guarda con la testa inclinata pieno di rabbia e di distacco, dice qualcosa a labbra troppo strette perché io possa sentirlo.

La seconda assistente del guru si è fatta strada tra i tavoli lunghi e bassi e fra le teste girate, mi fa cenno di seguirla. Anche Marianne mi fa cenni, dice "Vai, vai", senza smettere di piangere. Così vado dietro l'assistente del guru verso il palco, faccio lo slalom tra la gente che mi guarda e sorride, in un'onda di approvazione-partecipazione pura. Faccio lo slalom con il braccio ferito e fasciato al collo, senza uno sguardo né un'andatura adeguati perché è una situazione strana e non so bene come fronteggiarla.

Sono salito sul palco, andato fino dal guru seduto sulla sua poltrona. Lui mi ha appena sfiorato il braccio fasciato con la mano, ho sentito di nuovo il suo odore di erbe esotiche e di polvere. Ha detto "Bravo, bravo ragazzo Uto", sorrideva, faceva di sì con la testa.

Ha detto nel microfono "Ecco una persona che ha fatto del bene. Nel modo più semplice. Nel modo più chiaro, no? Non potrà più muovere la mano, ed era un pianista meraviglioso. Un vero dono. Ma avrebbe potuto perdere una gamba. Forse anche perdere la vita. Quando uno sceglie il territorio del bene, non ci sono molte garanzie su quello che gli può costare. Gli può costare tutto. O quello che crediamo sia tutto, e che invece non è niente. Perché alla fine il bene prevale. Non esiste una forza più grande."

E non è che io ci avessi pensato prima, anche se può darsi che mi fosse venuta qualche idea vaga e anzi è addirittura probabile, ma mi sembrava che tutto andasse avanti per conto suo, io dovessi solo assecondare quello che stava succedendo comunque.

Il guru smette di parlare, nel silenzio condensato nell'attenzione di centinaia di sguardi totalmente focalizzati, c'è solo il ronzio del sistema di amplificazione e contribuisce anche quello a far crescere l'atmosfera, e io mi sfilo dal collo la fascia di stoffa che mi sostiene il braccio sinistro, la lascio cadere. Anche il braccio sinistro mi cade, ma con uno sforzo riesco a tirarlo su, lo sollevo lungo un fianco. Cerco di muovermi più equilibrato che posso, senza strappi né fatica evidente, ma non voglio neanche che sembri un esercizio di ginnastica o uno spogliarello o un balletto. Del resto il braccio è tutto anchilosato e dolorante, non ci vuole una grande simulazione; mi basta solo bilanciarmi un poco.

La gente è paralizzata sui miei minimi gesti come una persona sola, simultaneità impressionante. Ma non guardo nessuno in particolare: percepisco solo gli occhi occhi occhi che mi fissano con un'intensità incredibile da tutta la sala, raddensano l'aria tra me e loro fino a darmi l'impressione di galleggiare. Non sono imbarazzato; il cuore mi batte poco più veloce del normale, il mio respiro è poco più faticoso. Non ho la sensazione di imbrogliare nessuno, o di recitare una scena: mi sembra di fare solo quello che c'è da fare, senza stare a interrogarmi sulle ragioni o i modi o gli scopi finali. *Sono*, in questo luogo e questo momento particolare tra tutti i luoghi e momenti possibili al mondo; non penso.

Stacco lo spillo di sicurezza che assicura la bendatura e comincio a svolgerla con molta lentezza, a poco a poco libero l'avambraccio, dal gomito al polso alla mano alla punta delle dita. Lascio cadere anche la benda per terra; ruoto la mano, la guardo come se la vedessi per la prima volta. Dalla grande sala-granaio piena di occhi mi arriva addosso uno sguardo-respiro simultaneo come se nessuno avesse mai visto una mano sinistra in vita sua, e più la ruoto più lo stupore e la meraviglia crescono, più i miei movimenti diventano suggestivi. È una specie di danza balinese, adesso, astratta e concreta, stilizzata in un semplice gioco di muscoli e di articolazioni. Non guardo nessuno, non vedo niente di specifico. Sento lo sguardo del guru seduto sulla sua poltrona alla mia destra, lascio che si mescoli a tutti gli altri sguardi in una specie di effetto panoramico che investe ad arco il mio campo percettivo.

Piego le dita: le contraggo lento a toccare il palmo della mano, le raddrizzo di nuovo.

La gente ha smesso di respirare, mi sembra; l'atmosfera nella grande sala-granaio diventa come quella di una stazione spaziale, la forza di gravità e tutte le altre forze sono alterate.

Faccio sfarfallare le dita, come in un esercizio di scioglimento e riscaldamento prima di un concerto: si muovono bene, anche se con un margine di ritardo rispetto al normale; hanno una buona escursione, una sensibilità appena intorpidita sulle punte.

Mi fermo, sto immobile nel silenzio sottovuoto dello sguardo collettivo; la tensione nell'aria è così forte che non riesco quasi più a respirare neanch'io, mi vengono le lacrime agli occhi. Alzo la mano sinistra aperta, faccio il mio saluto da aikido con Ki, pugno contro palmo.

Questo gesto è riverberato come un suono negli sguardi e sguardi e sguardi di tutte le persone sedute immobili paralizzate, e la tensione si è rotta di colpo, tutti hanno cominciato ad applaudire con tutta la forza che avevano nelle mani. Applaudivano con un'intensità e uno slancio e una partecipazione come non ero mai arrivato a immaginarmi nemmeno nei miei sogni o nelle mie proiezioni più accese: come la rottura di un fronte di nuvole in uno scroscio violento di pioggia, in una grandinata battente mordente tambureggiante. Si sono alzati tutti in piedi, guardavano verso di me e verso il guru e battevano le mani e muovevano le labbra ma non riuscivo a distinguere le parole, piangevano tutti.

Adesso potevo distinguere Nina che batteva le mani come a un concerto, Marianne rallentata dall'emozione, Jeff-Giuseppe con un'energia da partita di football americano, Vittorio in piedi tra le centinaia di applauditori con la più scettica delle espressioni. Vedevo Hawabani la pallidona che batteva le mani come se avesse un merito speciale, e Saraswati che batteva le mani seduta sulla sua sedia a rotelle appena sotto il palco. Vedevo il guru alla mia destra che sorrideva e faceva di sì con la testa, vedevo le sue due assistenti che tremavano e piangevano, una con in mano le bende che io avevo lasciato cadere.

Poi ho visto che gli sguardi di tutti scivolavano in basso sotto il palco, e ho visto Saraswati che si alzava dalla sua sedia a rotelle: si puntellava con le mani sui braccioli e si tirava su e faceva qualche passo verso di me e si appoggiava al bordo del palco, restava lì in piedi ad ansimare con un'espressione totalmente incredula.

Due o tre o dieci o cento persone sono corse a sorreggerla, e lei ansimava e si guardava i piedi, si è girata e ha puntato un dito verso di me. Mi sembrava che dicesse "È stato lui", ma non riuscivo a sentirla perché gli applausi erano diventati terrificanti adesso, avevano perso qualunque suono da applauso. Era più un suono da fuoco enorme, da vento di ciclone racchiuso in una stanza, mare che si rompe in frangenti furiosi e ravvicinati sul bordo di un molo troppo basso.

Vecchio guru-nuovo guru

Cammino di buon passo per la strada deserta, e non è affatto spiacevole, malgrado il freddo e la fatica. Sento la neve scrocchiare sotto i piedi, guardo il paesaggio cristallizzato tutto intorno: i rami degli alberi e le ondulazioni delle colline, le case di legno sommerse dal bianco. La luce intensa si riflette su tutto il paesaggio, oppone una strana resistenza ai miei movimenti. Inspiro a fondo dal naso, l'aria gelata mi passa dalle narici ai polmoni all'anima, mi fa girare la testa come una droga leggera. Posso anche correre, e mi costa lo stesso sforzo, posso aiutarmi con lo slancio delle due braccia. Il sinistro è ancora indolenzito, parte sensibile e parte no; sento il gioco delle giunture, il peso delle ossa, la contrazione non del tutto adeguata delle fibre muscolari. Corro lo stesso, e sono in pendenza adesso, scivolo un paio di volte e rischio di cadere ma continuo. Ho questa elettricità rapida, come se fossi entrato di nascosto in un sogno di altri e riuscissi a muovermici come voglio. Provo a saltare, provo a girare su me stesso; riprendo a correre sulla neve in discesa, pattino ogni tanto. Penso al sedere di Nina, al suo sguardo lungo mentre uscivo di casa, alle sue labbra, agli sguardi di tutti nella Kundalini Hall, alla palpitazione generale. Mi sembra di essere entrato in scena solo adesso, dopo diciannove anni di attesa nel mio camerino a fare esercizi di riscaldamento a vuoto; non riesco ancora a crederci, ho paura che finisca tutto da un momento all'altro, senza preavviso.

Sono arrivato alla casa del guru, affacciata con i suoi mattoni rossi di pura decorazione sul panorama della valle, ho suonato alla porta. È venuta ad aprire la prima assistente, magra e con gli occhiali, vestita in una delle sue tenute color pesca. Mi ha fatto il solito piccolo inchino, mi ha guidato in punta di piedi in un salotto con grandi finestre che davano sul prato, ha detto sottovoce "Se puoi aspettare un momento, per piacere." È sparita, soffice come parlava, movimenti e anche espressioni facciali misurati per non produrrre il minimo rumore.

L'arredamento era tutto a toni chiari, la moquette imbottita come quella di casa Foletti. Sembrava di muoversi su una nuvola, senza attrito, senza possibilità di propagare nessuna onda sonora. Mi sono seduto su un divano rosa. Mi dispiaceva essere vestito di pelle nera, improvvisamente: mi sembrava una specie di violenza o di profanazione, non divertente. È passata la seconda assistente del guru, con uno spostamento d'aria appena percettibile, mi ha fatto un gesto ed è sparita.

Sono rimasto seduto sul divano ad aspettare, nella saletta chiara e ovattata dove non c'era niente da fare se non alzarmi e andare a guardare fuori da una delle finestre che davano sul panorama. Doveva essere stata la villa di campagna di qualche ricco americano prima, che ci veniva nei week-end magari per cacciare i cervi o anche per fare piccole orge nella stessa stanza dove adesso io non faticavo a muovermi. Provavo a immaginarmi biondazze mezzo nude sui divani, coca e marijuana che gira, musica a tutto volume; provavo a immaginarmi gesti di rottura, grida e volgarità e sfasciamenti, per rompere l'equilibrio perfetto della casa.

La prima assistente si è affacciata di nuovo nella stanza, ha socchiuso gli occhi dietro le lenti degli occhiali, e un attimo dopo è entrato il guru, accompagnato dalla seconda assistente.

Era vestito in una delle sue tuniche color grigio chiaro, mi ha fatto un saluto come a qualcuno che merita grande rispetto. Gli ho fatto il mio saluto in cambio, anche se il braccio sinistro mi saliva con difficoltà; siamo rimasti uno davanti all'altro a guardarci per qualche secondo nel silenzio della stanza.

Poi le due assistenti hanno aiutato il guru a sedersi su una grande poltrona. Lui ci si è sistemato bene, ha raccolto le gambe; ha fatto un sorriso di congedo, le due assistenti si sono ritirate in un soffio.

Dice "Siediti."

Mi siedo sul bordo del divano, girato verso di lui.

Silenzio perfetto, non si sente neanche il ronzio di un frigorifero, neanche il suono lontano di un motore attraverso le finestre. C'è solo questo rumore di silenzio, come uno scroscio mentale che cancella il passare del tempo fino a bloccarlo. Siamo fermi nel mezzo di una corrente, e la corrente è ferma, ci guardiamo sospesi sull'orlo di parole non dette.

Il guru dice "Lo muovevi già, il braccio, no?"

"Sì," gli ho detto subito, con le guance e la fronte che mi scottavano, la radice dei capelli che mi faceva male per la circolazione improvvisa. Ho detto "Ma solo da due o tre giorni. Prima era come un pezzo di legno, te lo giuro."

"Lo so," ha detto lui, come se non desse molto peso alla cosa.

"È una specie di miracolo lo stesso," ho detto io. Ci guardavamo in modo così intenso che mi veniva una specie di vertigine: lo fissavo nei piccoli occhi scuri brillanti e lui mi fissava, mi sembrava di essere affacciato su qualche genere di abisso di verità assoluta, così pura e diretta e senza fondo che era impossibile definirla se non come una sensazione fisica. Ho detto "Davvero. Non sentivo più niente, dal gomito in giù. Non muovevo più niente. Anche il dottore all'ospedale aveva detto che ci volevano anni prima di poter fare qualche movimento, ma zero sensibilità."

Il guru ha fatto di sì con la testa. Ha detto "L'ha spiegato anche a me", aveva una specie di sorriso agli angoli degli occhi.

Io però ero preso dalla vertigine della verità pura: ho detto "Ma lo so che non avrei dovuto fare quella scena alla Kundalini Hall. Mi dispiace. È stato un imbroglio. Sono pronto a tornare lì e spiegare tutto a tutti, quando vuoi. Anche oggi."

"Perché?" ha detto il guru, con la testa appena inclinata di lato e un tono di vera curiosità.

"Come, perché?" ho detto io; mi sentivo lento e portato ai passi falsi, senza nessuna vera conoscenza del terreno.

"Perché?" ha detto il guru di nuovo. "Perché dovresti rovinare una cosa così bella? Non hai visto com'erano commossi tutti? Come piangevano, non li hai visti? E non hai visto Saraswati che si è alzata dalla sedia a rotelle? Cammina, adesso."

"Sì," ho detto io. "Ma la sua era solo una paralisi nervosa. E io mi ero accorto da giorni che potevo muovere la mano e che mi era tornata la sensibilità. Ho aspettato a dirlo perché volevo un'occasione più pubblica."

Lui mi guardava, piccoli occhi come punti di luce scura brillante, ed ero consapevole in modo acuto della fatica che faceva a respirare, molto più delle altre volte che lo avevo visto: lo sentivo incanalare l'aria a forza attraverso le narici fino ai polmoni, la specie di rantolo quieto che produceva. Ha detto "E allora? Credi che questo faccia una differenza? Due o tre giorni fanno una differenza? In un miracolo?"

"Ma non so se è un vero miracolo," ho detto io, sconcertato com'ero dalla sua mancanza di obiezioni. Era forse la prima volta in vita mia che parlavo senza filtri né vie d'uscita laterali, mi aspettavo come minimo di urtare contro qualche verità ferma, ricevere qualche verità pesante sulle spalle o sulla testa, sentirmi schiantare addosso qualche verità molto fragile.

Invece il guru continuava a guardarmi dritto negli occhi a breve distanza e sorridere appena, con una forma di stupore lenta e rapida e vicina e infinitamente lontana, mi lasciava senza parole. Ha detto "È giusto che un miracolo abbia un pubblico. Soprattutto oggi, dove non basta a nessuno sentirseli raccontare. Anch'io ho dovuto aspettare, qualche volta. Non sempre i miracoli capitano nel momento più adatto, no?"

Avrei voluto rispondergli qualcosa, ma non avevo più la minima idea di cosa; mi sembrava già un impegno abbastanza grande cercare di capire il suo sguardo e il suo sorriso mentre mi parlava.

Lui ha cambiato ancora tono, ha fatto un cenno verso di me in uno strano atteggiamento che sembrava di scherzo ma non lo era; ha detto "Ti stavo aspettando."

"Quando?" ho detto io; non riuscivo a essere più pronto.

"Da un po' di tempo," ha detto il guru. "Però non mi immaginavo che avessi questo aspetto. Il che dimostra i miei limiti, no?"

Ho fatto di sì con la testa, anche se capivo meno di un decimo di tutto.

Lui si è messo a ridere, in un modo soffiato e leggermente rantolato, come leggeri colpi di tosse ravvicinati: oscillava su se stesso e faceva di sì con la testa, produceva questi piccoli tossicchiamenti.

Ho riso anch'io, facevo di sì con la testa e ridevo, mi sembrava di sobbalzare a qualche centimetro da terra, ho guardato il tappeto per vedere se era solo un'impressione o no.

Poi la prima assistente si è materializzata nel soggiorno, e io sono in questo stato di leggerezza che non mi sembra di avere mai provato in vita mia se non forse in qualche sogno, e la faccia dell'assistente ha una contrazione del tutto in contrasto con lo spirito del momento, vedo che si muove veloce verso il guru e gli tocca una spalla con lo sguardo più preoccupato del mondo.

Il guru continua a ridere nel suo modo tossicchiato e sobbalzare su se stesso, ma alla luce dello sguardo e dei gesti dell'assistente mi sembra che i suoi tossicchiamenti e sobbalzi siano troppo forti e troppo ripetuti; di colpo mi sembra che non rida affatto.

L'assistente lo tiene per una spalla e lo picchietta sulla schiena, gli dice "Swami? Swami, come stai?" Cerca di tenerlo dritto, cerca di fargli riprendere il respiro normale, ma il guru non riprende niente, tossicchia più forte e ravvicinato e sobbalza più forte, è diventato quasi viola ma non sono sicuro in questa poca luce del tramonto, si piega in avanti malgrado la mano dell'assistente che continua a dire "Swami? Swami?", voce vellutata che soffia ansia allo stato puro adesso.

E provo anch'io a tenerlo dritto, anche se l'assistente mi dice "Fai attenzione, fai attenzione", come se si trattasse di maneggiare una porcellana o un vetro terribilmente antico e fragile, ma il guru continua a tossicchiare e piegarsi in avanti. Ha un peso strano in questo movimento, tre o quattro volte il suo peso possibile, come una grossa pietra densa di minerali che si inclina verso terra; non c'è verso di reggerlo, i nostri sforzi sono inutili.

Continua a piegarsi finché tocca il tappeto con la fronte, come se stesse facendo un esercizio yoga malgrado i tossicchiamenti, o fosse attraversato da qualche strano genere di energia che gli dà una flessibilità incredibile oltre che un peso incredibile, e un attimo dopo smette di tossicchiare e diventa invece incredibilmente leggero: da un momento all'altro io e l'assistente riusciamo a riportarlo in su senza il minimo sforzo. Ma non respira, non si muove, è rigido e leggero come una foglia secca, di colpo. Ha gli occhi chiusi, come se stesse dormendo, solo che non dorme, è morto.

L'assistente dice "Swami? Swami?" La sua voce sale attraverso gli strati ovattati della stanza, fino a sfibrarsi e diventare roca e sovracuta come un grido primitivo. L'altra assistente arriva di corsa si inginocchia vicino al guru, lo scuote anche lei per la spalla, anche lei dice "Swami? Mi senti? Swami?"

"È morto," dico io.

Loro mi guardano con un'espressione identica: incredulità che viene da lontano come un treno attraverso la nebbia.

Mi alzo, vado alla finestra. Le mani mi tremano allo stesso modo, tutte e due, le gambe mi tremano come se fossi appena sceso da un treno, o ci fossi appena salito. Guardo fuori, inspiro molto lento, cerco di rallentare il battito del cuore. Fuori c'è un tramonto incredibile, arancione e seppia e rossastro, dieci volte più intenso di quando siamo venuti qui a vederlo con la famiglia Foletti.

Peaceville, 12 aprile

Carissima Lidia,

ancora una volta ti scrivo, perché il telefono non mi sembra adeguato a quello che devo dirti. Le ultime settimane dall'incidente a Uto sono state il periodo più intenso e sconvolgente della mia vita. Ancora adesso mi chiedo ogni tanto se è un sogno o è vero, e perché è capitato proprio a me essere testimone e partecipe di tutto questo. Sono così tanti eventi diversi, e così legati uno all'altro, non so neanche da dove cominciare.

Lo Swami è morto. È stato un colpo terribile per tutti qui a Peaceville, e credo anche nel resto del mondo dove lui era conosciuto e i suoi libri venivano letti e il suo pensiero veniva studiato. Era una guida e un padre e un punto di riferimento per ognuno di noi, anche se sapevamo bene che era vecchio e malato ma non pensavamo davvero che potesse venirci a mancare così da un momento all'altro. Ognuno di noi d'improvviso si è sentito orfano e perso nel mondo, il senso di vuoto è stato così forte che vedevi tutti camminare intorno al centro spirituale o al tempio o davanti alle case come se fosse esplosa una bomba, c'era lo stesso silenzio sciccato.

Ma lo Swami nella sua saggezza infinita ci aveva sempre detto che l'universo si regge su un equilibrio molto più profondo e semplice di qualsiasi equilibrio possiamo creare noi, sapeva che non ci avrebbe abbandonati soli e senza guida. Se ce lo fossimo ricordato ci saremmo angosciati meno, a parte il senso di perdita che era inevitabile e anche giusto, appena lui se n'è andato. Lo Swami sapeva che il suo posto sarebbe stato preso da Uto, per questo l'ha chiamato e ha voluto averlo con sé negli ultimi momenti della sua vita. È stato come un passaggio di consegne, dallo Swami vecchio allo Swami giovane, la santità e la saggezza sono fluite da uno all'altro perché non sono cose che si esauriscono e spariscono nel nulla insieme al corpo di chi le ha possedute.

Uto questo lo aveva capito già prima, anche se non voleva farlo vedere e continuava a comportarsi nel suo modo schivo e ironico e taciturno di sempre. Ma il miracolo del suo braccio e di Saraswati guarita dalla paralisi sono stati segni così evidenti che nessuno ha potuto più ignorarli. Noi al telefono non ti avevamo detto quanto era grave la ferita di Uto per non angosciarti inutilmente, ma i medici dell'ospedale non gli davano nessuna possibilità di riacquistare la sensibilità alla mano o muoverla come prima. E invece durante il discorso del guru la sensibilità e la mobilità gli sono tornate da un momento all'altro, è stata la cosa più incredibile a cui ho assistito in vita mia. Sai come i miracoli di cui si legge nei libri senza mai riuscire a crederci davvero? Solo che questa volta è successo davanti ai miei occhi e a quelli di altre trecento persone, inclusi Jeff e Nina e Vittorio che è sempre stato così scettico e materialista malgrado tutti i suoi tentativi di raggiungere la spiritualità. Nemmeno lui poteva negarlo.

Uto si era reso conto di quello che gli stava succedendo. Potevamo vedere la saggezza e la profondità e lo spirito del bene che gli si trasferivano dentro anche se lui faceva finta di niente. Ma fin dall'inizio era chiaro che era una persona straordinaria, io l'ho capito dal primo momento che l'ho visto, il guru naturalmente lo sapeva da ancora prima. Avresti dovuto vedere il suo sguardo quando si sono incontrati la prima volta: è stato una specie di riconoscimento immediato, potevi sentire l'energia della comunicazione che non aveva bisogno di nessuna parola.

L'unico che non è riuscito a capire tutto questo è stato Vittorio, purtroppo. Anzi fin dall'arrivo di Uto gli è venuta una specie di gelosia incontrollabile, che lo faceva diventare ostile di fronte a qualunque suo gesto o modo di fare, glielo faceva criticare tutto il tempo. Si confrontava con lui, credo, e questo gli comunicava un'insicurezza profonda, lo faceva diventare meschino e insensibile. Stava tutto il tempo a lamentarsi per come era Uto. Alla minima occasione faceva dell'ironia su di lui o cercava di metterlo in una cattiva luce. A sentire lui non faceva niente, quando era chiaro che stava riflettendo ed elaborando i suoi cambiamenti. Negli ultimi tempi anche i rapporti tra noi erano diventati sempre più difficili, c'era sempre meno comunicazione. Io credo che in fondo Vittorio si fosse pentito di avere lasciato la sua vita di prima per assecondarmi e venire qua. Si era sforzato di diventare una persona spirituale e di cambiare in profondità, ma dentro di sé sapeva di non poterci riuscire. Aveva delle resistenze troppo forti, e uno non può cercare di cambiare solo per fare contento qualcun altro, anche se lo ama come lui diceva di amare me. Negli ultimi tempi era diventato così insofferente che gli ho dovuto dire che non avevo nessuna intenzione di tenerlo qui contro la sua volontà. Così è partito la settimana scorsa per New York, da lì andava credo a Parigi. Credo che sarà più felice, alla fine, perché come diceva lo Swami ognuno deve seguire il suo percorso e non basta la pura forza di volontà a trovarne un altro.

Adesso Uto è trasformato in un modo incredibile, dovresti vederlo. Non ha più i capelli tinti che aveva prima, se li è fatti tornare castani e non li tiene più dritti sulla testa. E non si veste più di pelle nera, ma ha delle tuniche di lana colorata come quelle dello Swami ma più corte, anche se porta i pantaloni sotto e delle scarpe tipo jogging, ma è giusto perché è giovane e anche lo Swami diceva che ognuno deve avere il suo stile. La differenza principale con prima è che parla volentieri con tutti e guarda tutti negli occhi, non porta più gli occhiali da sole. Ieri ha tenuto un discorso davanti a tutta la comunità nella Kundalini Hall, e anche quelli che avevano ancora qualche perplessità all'idea di uno Swami così giovane hanno dovuto ricredersi, si sono resi conto di quanto sia profondo e illuminato. Alla fine del discorso c'era una grandissima commozione, lui ha anche suonato un Divertimento e un Notturno di Mozart al pianoforte e quasi tutti erano in lacrime. Si è trasferito nella casa dello Swami adesso, le due assistenti dello Swami sono *rimaste con lui ma lui mi ha chiesto di seguirlo anch'io perché comunque ha molto bisogno di aiuto visto che i suoi impegni sono così tanti. Lui e Nina stanno insieme, lei è molto innamorata e naturalmente è una ragazzina, ma credo che si renda conto di quanto Uto sia una persona speciale e di quanto abbia degli impegni spirituali verso tutta la comunità ormai, anche se lo Swami non aveva mai detto che una guida spirituale deve essere per forza celibe.*

Insomma, come vedi tutto è cambiato qui, e siamo cambiati anche noi, ma il bene continua il suo percorso e niente lo può fermare a lungo, al massimo ci possono essere degli intoppi ogni tanto.

Ti abbraccio con tutto il calore e la serenità di questo luogo, anche da parte di Uto (ha tenuto il suo nome, ha deciso così), che ti scriverà appena avrà tempo.

Om Shanti Om

Kaliani (Marianne)

I GRANDI Tascabili Bompiani
Periodico settimanale anno XVII numero 548
Registr. Tribunale di Milano n. 269 del 10/7/1981
Direttore responsabile: Francesco Grassi
Finito di stampare nel marzo 1998 presso
il Nuovo Istituto Italiano d'Arti Grafiche - Bergamo
Printed in Italy

ISBN 88-452-3063-5